# 공식으로 통하는 문장독해

#주혜연 저
#영어 문장공식30
#기출 문장

## 완성

| 교재 기획에 도움을 주신 분들

김유경 김한식 김학범 김호성 김효성 나소희 박용근 이지혜 이혜미 설명옥 송미정 한지영 황정본 하주영

완성

# How to Study 이 책의 구성과 특징

고등학교 영어 공부의 핵심은 구문(문장의 구성 방식) 학습입니다. 문장을 이해하는 능력이 생기면 복잡한 문장의 구조를 빠르게 파악하여 정확히 해석할 수 있고 지문 독해력도 키울 수 있습니다. 특히, 모의고사나 수능에서 다뤄졌던 엄선된 기출 문장으로 반복 연습하면 긴 영어 지문들도 쉽게 정복할 수 있습니다.

## 독해의 기본을 다지는 문장공식!

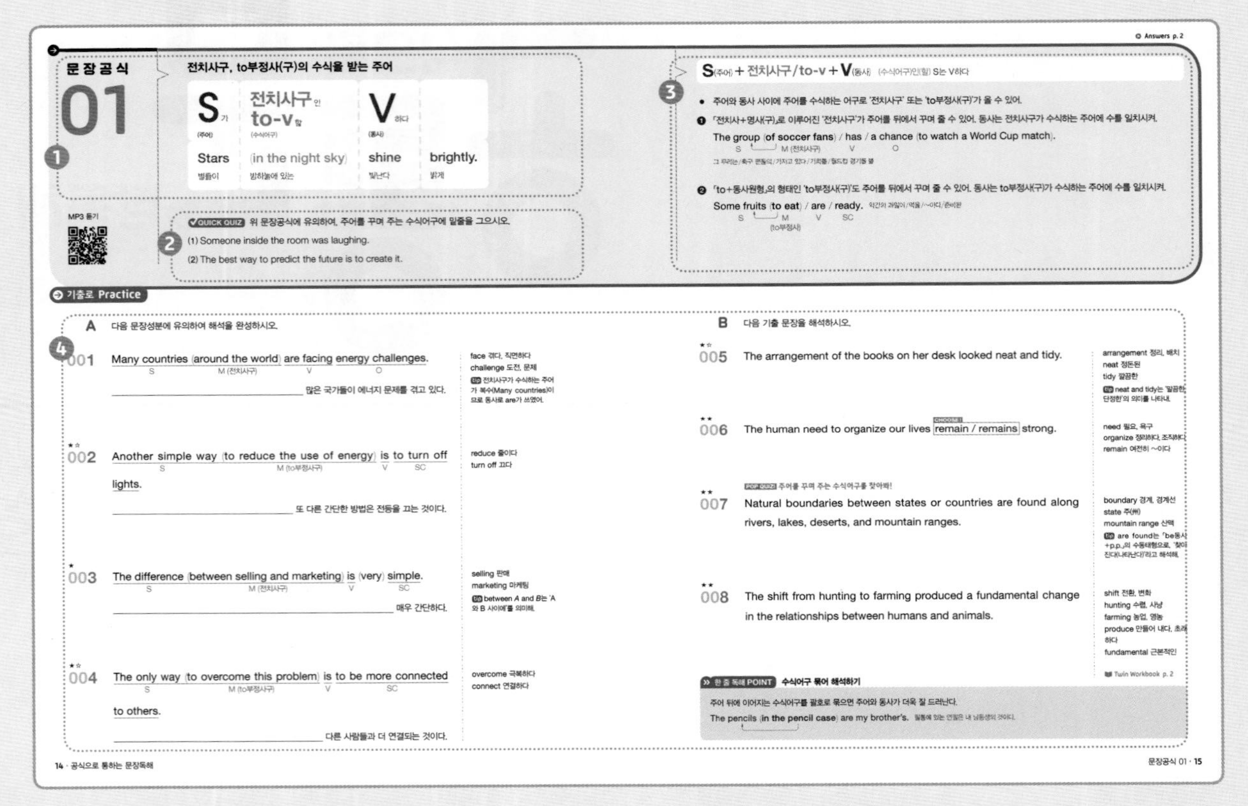

Answers p. 2

문장공식 01

전치사구, to부정사(구)의 수식을 받는 주어

S 가 (주어) | 전치사구 인 / to-v 할 (수식어구) | V 하다 (동사)

Stars 별들이 | (in the night sky) 밤하늘에 있는 | shine 빛난다 | brightly. 밝게

MP3 듣기

QUICK QUIZ 위 문장공식에 유의하여, 주어를 꾸며 주는 수식어구에 밑줄을 그으시오.
(1) Someone inside the room was laughing.
(2) The best way to predict the future is to create it.

S(주어) + 전치사구/to-v + V(동사) (수식어구)인(할) S는 V하다

- 주어와 동사 사이에 주어를 수식하는 어구로 '전치사구' 또는 'to부정사(구)'가 올 수 있어.

❶ 「전치사+명사(구)」로 이루어진 '전치사구'가 주어를 뒤에서 꾸며 줄 수 있어. 동사는 전치사구가 수식하는 주어에 수를 일치시켜.
The group (of soccer fans) / has / a chance (to watch a World Cup match).
S M (전치사구) V O

❷ 「to+동사원형」의 형태인 'to부정사(구)'도 주어를 뒤에서 꾸며 줄 수 있어. 동사는 to부정사(구)가 수식하는 주어에 수를 일치시켜.
Some fruits (to eat) / are / ready.
S M (to부정사) V SC

기출로 Practice

A 다음 문장성분에 유의하여 해석을 완성하시오.

001 Many countries (around the world) are facing energy challenges.
S M (전치사구) V O
________ 많은 국가들이 에너지 문제를 겪고 있다.
face 겪다, 직면하다 / challenge 도전, 문제 / tip 전치사구가 수식하는 주어가 복수(Many countries)이므로 동사로 are가 쓰였어.

002 Another simple way (to reduce the use of energy) is to turn off lights.
S M (to부정사구) V SC
________ 또 다른 간단한 방법은 전등을 끄는 것이다.
reduce 줄이다 / turn off 끄다

003 The difference (between selling and marketing) is (very) simple.
S M (전치사구) V SC
________ 매우 간단하다.
selling 판매 / marketing 마케팅 / tip between A and B는 'A와 B 사이에'를 의미해.

004 The only way (to overcome this problem) is to be more connected to others.
S M (to부정사구) V SC
________ 다른 사람들과 더 연결되는 것이다.
overcome 극복하다 / connect 연결하다

B 다음 기출 문장을 해석하시오.

005 The arrangement of the books on her desk looked neat and tidy.
arrangement 정리, 배치 / neat 정돈된 / tidy 깔끔한 / tip neat and tidy는 '말끔한, 단정한'의 의미를 나타내.

006 The human need to organize our lives [CHOOSE!] remain / remains strong.
need 필요, 욕구 / organize 정리하다, 조직하다 / remain 여전히 ~이다

POP QUIZ! 주어를 꾸며 주는 수식어구를 찾아봐!
007 Natural boundaries between states or countries are found along rivers, lakes, deserts, and mountain ranges.
boundary 경계, 경계선 / state 주(州) / mountain range 산맥 / tip are found는 「be동사+p.p.」의 수동태형으로, '찾아진다(나타난다)'라고 해석해.

008 The shift from hunting to farming produced a fundamental change in the relationships between humans and animals.
shift 전환, 변화 / hunting 수렵, 사냥 / farming 농업, 영농 / produce 만들어 내다, 초래하다 / fundamental 근본적인

Twin Workbook p. 2

한 줄 독해 POINT 수식어구 묶어 해석하기
주어 뒤에 이어지는 수식어구를 괄호로 묶으면 주어와 동사가 더욱 잘 드러난다.
The pencils (in the pencil case) are my brother's.

14 · 공식으로 통하는 문장독해 / 문장공식 01 · 15

### ❶ 문장공식으로 확인하는 해석 비법
문장공식으로 목표 구문과 해석 방법을 한눈에 익힙니다.

### ❷ QUICK QUIZ로 개념 확인
문장공식을 이해했는지 퀴즈로 가볍게 점검합니다.

### ❸ 개념 학습으로 핵심 내용 이해
강의식 설명으로 문법 및 구문의 개념을 이해합니다.

### ❹ 기출로 Practice로 집중 연습
기출 모의고사 및 수능에서 다뤄진 문장으로 해석 연습을 하며 구문을 자연스럽게 익힙니다.

**A** 문장성분이 표시된 기출 문장으로 문장의 구조를 익히며 직독직해 연습을 합니다.

**B** 기출 문장으로 해석 집중 훈련을 하며 실전 감각을 기릅니다.
- CHOOSE! 및 POP QUIZ!로 학습 내용을 한 번 더 점검하고 확인할 수 있습니다.
- 시험 빈출 POINT/ 한 줄 독해 POINT 시험에 자주 출제되는 내용이나 문장 해석에 도움이 되는 정보를 정리합니다.

**＊이 책에 사용된 기호**

이 책에서는, 직독직해하는 방법을 알려주기 위해서 각 문장을 문장성분 및 구문 단위로 끊어 읽도록 제시하였다.

| | |
|---|---|
| S | 주어(subject) |
| V | 동사(verb) |
| O | 목적어(object) |
| IO | 간접목적어(indirect object) |
| DO | 직접목적어(direct object) |
| C | 보어(complement) |
| SC | 주격보어(subjective complement) |
| OC | 목적격보어(objective complement) |
| M | 수식어(modifier) |
| N | 명사(noun) |
| p.p. | 과거분사(past participle) |

| | |
|---|---|
| S' | 진주어 |
| v | 동사원형 |
| v-ing | 동명사 또는 현재분사 |
| to-v | to부정사 |
| [ ] | 종속절 |
| / | 문장성분 및 구문 단위 끊어 읽기 |
| ( ) | 수식어구 |
| (< >) | 긴 수식어구 속 수식어구 |
| [( )] | 종속절 속 수식어구 |
| [{ }] | 종속절 속 종속절 |
| // | 등위절의 구분 |

Step 2 실력 확인

## Unit Exercise

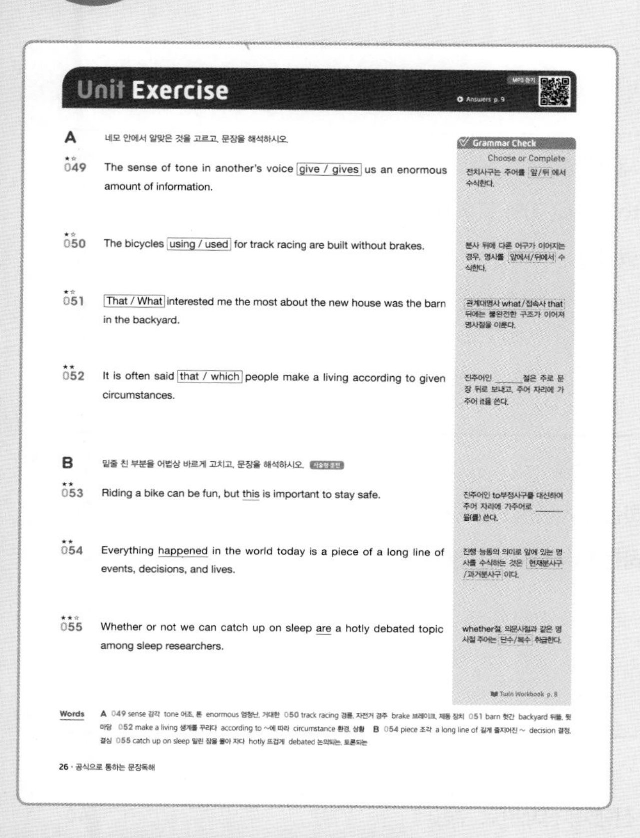

• **Unit 이해도 확인을 위한 통합 Review**

각 Unit의 이해도를 확인하고 서술형 훈련 문제로 내신 서술형 문제까지 대비합니다.

**Grammar Check** 주요 문법 학습 개념을 재확인합니다.

## • Twin Workbook
## • 문장공식 비법노트

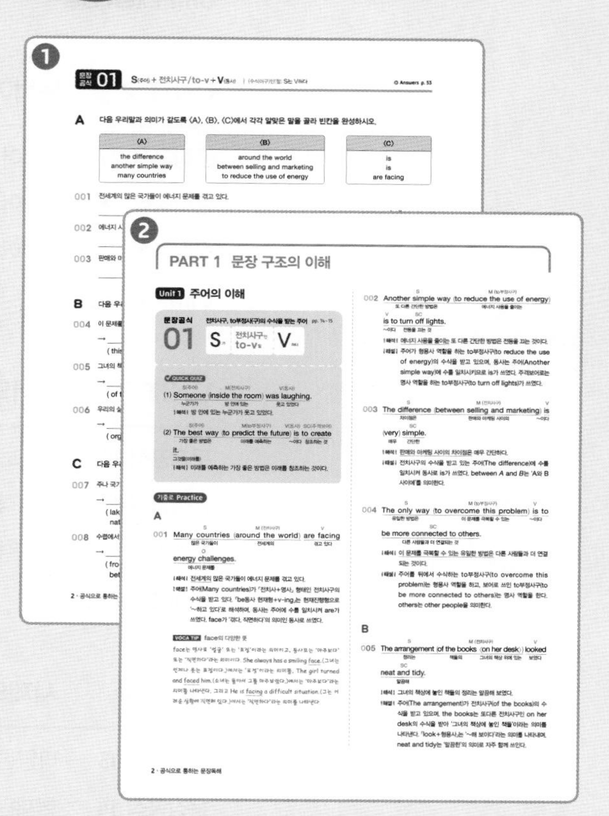

❶ **Twin Workbook으로 서술형 집중 훈련**

다양한 내신 서술형 유형으로 본문에서 학습한 문장들을 반복 및 응용 학습하여 영작까지 대비합니다.

❷ **실력 도약의 발판이 되는 문장공식 비법노트**

끊어 읽기와 직독직해, 친절한 설명으로 심층적인 구문 학습을 도와, 정확한 해석 실력을 쌓도록 돕습니다.

＊추가 자료는 온라인 www.bookdonga.com에서 제공됩니다.

# Contents 목차

PART
# 1
## 문장 구조의 이해

# 문법 기초 다지기 품사, 문장성분, 구와 절

## 1 8개의 품사

문장에서 어떤 단어는 그것의 역할이나 의미 등에 따라 명사, 대명사, 동사, 형용사, 부사, 전치사, 접속사, 감탄사로 구분할 수 있으며 이것을 **품사**라고 해요. 품사는 어느 자리에 오더라도 그 성질은 변하지 않아요.

|  |  |
|---|---|
| 명사 Noun | 사람, 사물, 추상적 개념 등 세상 모든 것의 이름에 해당하는 말<br>· Mina, dog, student, book, milk, water, bread, joy, beauty, … |
| 대명사 Pronoun | 명사를 대신해서 쓰는 말<br>· I, she, he, they, it, my, her, his, this, that, it, … |
| 동사 Verb | 동작이나 상태를 나타내는 말<br>· am, are, is, become, have, go, run, talk, study, happen, … |
| 형용사 Adjective | 명사의 모양, 성질, 상태 등을 설명하거나 꾸며주는 말<br>· beautiful, tall, long, small, good, bad, old, difficult, hot, … |
| 부사 Adverb | 동사, 형용사, 다른 부사를 수식하는 말<br>· early, today, now, so, just, here, there, easily, always, often, sometimes, never, … |
| 전치사 Preposition | 명사나 대명사 앞에 쓰여 시간, 장소, 방향, 방법 등을 나타내는 말<br>· at, on, in, to, from, towards, by, of, for, with, without, … |
| 접속사 Conjunction | 문장과 문장, 단어와 단어, 구와 구를 이어주는 말<br>· and, but, so, or, nor, because, when, while, if, until, … |
| 감탄사 Interjection | 놀람, 느낌 등 사람의 감정을 표현하는 말<br>· oh, wow, hmm, ouch, yeah, … |

## 2 문장성분

**문장성분**은 문장을 구성하는 요소에요. 문장에서 단어가 하는 역할에 따라 붙여진 이름이에요.

**주어**
**Subject**

문장에서 동작이나 상태의 주체가 되는 말이에요. 주어 자리에는 명사, 대명사, 명사 상당어구가 올 수 있어요.

대명사 **We** play in the playground.

명사구 **Our day** started early.

**동사**
**Verb**

주어의 동작이나 상태를 나타내요. 동사는 조동사와 함께 쓰이거나 완료형, 진행형, 수동태의 형태로 쓰일 수 있어요.

동사 We just **played** with the elephants.

조동사+동사 They **will stay** late at Tom's house.

**목적어**
**Object**

동사가 나타내는 동작의 대상이 돼요. 목적어 자리에는 명사, 대명사, 명사 상당어구가 올 수 있어요.

명사 I baked **a cake** for her.

명사구 Mike brought **a lot of food** to them.

**보어**
**Complement**

주어나 목적어를 보충 설명해요. 주어나 목적어의 감정, 상태, 상황 등을 표현하므로 명사, 대명사, 형용사, 그리고 그 상당어구가 보어 역할을 할 수 있어요.

명사 Kelly is **a singer**.

형용사구 Rabbits are **cute and small**.

**수식어**
**Modifier**

다른 문장성분들을 꾸며주며 문장의 의미를 풍성하게 해요. 영어 문장에서는 주어, 동사, 목적어, 보어를 제외한 나머지 부분을 수식어라고 해요.

부사 That style **really** suits you.

전치사구 We play **on the floor in the gym**.

## 3 구와 절

**구(명사구, 형용사구, 부사구)**는 두 개 이상의 단어로 구성되어 있으며, 주어와 동사를 포함하지 않고, **절(명사절, 형용사절, 부사절)**은 주어와 동사를 포함해요.

| | | |
|---|---|---|
| 구 Phrase | 명사구 | 주어, 목적어, 보어 역할<br>**Drinking coffee** is not good for your health. (주어 역할을 하는 동명사구) |
| | 형용사구 | (대)명사 수식, 보어 역할<br>I want some water **to drink**. (명사를 수식하는 to부정사구) |
| | 부사구 | 동사, 형용사, 부사, 문장 전체 수식<br>We couldn't play soccer **because of the rain**. (문장 전체를 수식하는 전치사구) |
| 절 Clause | 명사절 | 주어, 목적어, 보어 역할<br>I think **that coffee is not good for your health**. (목적어 역할) |
| | 형용사절 | (대)명사 수식<br>This is the book **which I bought yesterday**. (관계대명사절) |
| | 부사절 | 동사, 형용사, 부사, 문장 전체 수식<br>We couldn't play soccer **because it rained**. (접속사 because + 주어 + 동사) |

**길고 복잡한 문장, 어떻게 끊어 읽을까?**

주어, 동사, 목적어, 보어 등 주요 문장성분을 중심으로 끊어 직독직해를 연습하다 보면 독해 속도가 점점 더 빨라질 거예요.

Water ( in the planet ) / is / a great source of energy [ because it cannot be used up ].

❶ 주어와 동사를 찾아 동사 앞에서 끊는다.
❷ 보어나 목적어가 길면 동사 뒤에서 끊는다.
❸ 부사(구), 전치사구와 같은 수식어(구)는 (  ) 괄호로 묶는다.
❹ 부사절은 [  ] 괄호로 묶는다. (단, 종속절 접속사가 생략된 경우에는 절 앞에서 끊는다.)
* 다만, 끊어 읽기는 개인마다 그 기준이 다를 수 있고, 실제 원어민이 말할 때 끊어 읽는 방식과는 다름에 유의한다.

# Study Plan 학습계획표

- 학습계획표에 학습 날짜를 기재하고, 목표를 달성할 때마다 ○ 에 ✔ 표시해 보세요!
- 본 책에서는 하루에 한 개의 문장공식 학습을 추천하고 있으나, 아래와 같은 집중 훈련 코스로도 학습할 수 있음을 참고하여 자신에게 맞는 일정의 학습 플랜을 선택하여 학습계획표를 작성해 보세요!

## 15일 완성 **집중 학습 플랜**

Unit을 마무리할 때마다 Unit Exercise 및 TWIN WORKBOOK을 함께 학습하는 계획입니다.

| | | | 목표를 달성했다면 Check! |
|---|---|---|---|
| DAY 01 | 문장공식 01~02 | 학습날짜 . . | ○ |
| DAY 02 | 문장공식 03~04 | 학습날짜 . . | ○ |
| DAY 03 | 문장공식 05~06 | 학습날짜 . . | ○ |
| DAY 04 | 문장공식 07~08 | 학습날짜 . . | ○ |
| DAY 05 | 문장공식 09~10 | 학습날짜 . . | ○ |
| DAY 06 | 문장공식 11~12 | 학습날짜 . . | ○ |
| DAY 07 | 문장공식 13~14 | 학습날짜 . . | ○ |
| DAY 08 | 문장공식 15~16 | 학습날짜 . . | ○ |
| DAY 09 | 문장공식 17~18 | 학습날짜 . . | ○ |
| DAY 10 | 문장공식 19~20 | 학습날짜 . . | ○ |
| DAY 11 | 문장공식 21~22 | 학습날짜 . . | ○ |
| DAY 12 | 문장공식 23~24 | 학습날짜 . . | ○ |
| DAY 13 | 문장공식 25~26 | 학습날짜 . . | ○ |
| DAY 14 | 문장공식 27~28 | 학습날짜 . . | ○ |
| DAY 15 | 문장공식 29~30 | 학습날짜 . . | ○ |

# PART 1
# 문장 구조의 이해



문장의 필수적인 성분으로 주어, 동사, 목적어, 보어가 있다. 이 중에서 주어, 목적어, 보어 자리에 오는 것을 '명사 역할'을 한다고 말한다. 또한 동사는 형태를 바꿔 현재, 과거, 미래와 같은 시제를 나타낼 수 있다.

## STUDY GOAL
학습목표를 이해합니다.

## STUDY PLAN
학습 계획을 세워 봅시다.

| 학습목표 | 학습진도 | | 학습날짜 |
|---|---|---|---|
| □ 다양한 형태의 주어를 이해한다. | □ DAY 01 | 문장공식 01 | . . |
| | □ DAY 02 | 문장공식 02 | . . |
| | □ DAY 03 | 문장공식 03 | . . |
| | □ DAY 04 | 문장공식 04 | . . |
| | □ DAY 05 | 문장공식 05 | . . |
| | □ DAY 06 | 문장공식 06 | . . |
| | □ Unit Exercise | 문장공식 01~06 | . . |
| □ 다양한 형태의 목적어를 이해한다. | □ DAY 07 | 문장공식 07 | . . |
| | □ DAY 08 | 문장공식 08 | . . |
| | □ DAY 09 | 문장공식 09 | . . |
| | □ Unit Exercise | 문장공식 07~09 | . . |
| □ 다양한 형태의 보어를 이해한다. | □ DAY 10 | 문장공식 10 | . . |
| | □ DAY 11 | 문장공식 11 | . . |
| | □ DAY 12 | 문장공식 12 | . . |
| | □ Unit Exercise | 문장공식 10~12 | . . |
| □ 다양한 시제를 이해한다. | □ DAY 13 | 문장공식 13 | . . |
| | □ DAY 14 | 문장공식 14 | . . |
| | □ DAY 15 | 문장공식 15 | . . |
| | □ Unit Exercise | 문장공식 13~15 | . . |

UNIT 1

# 주어의 이해

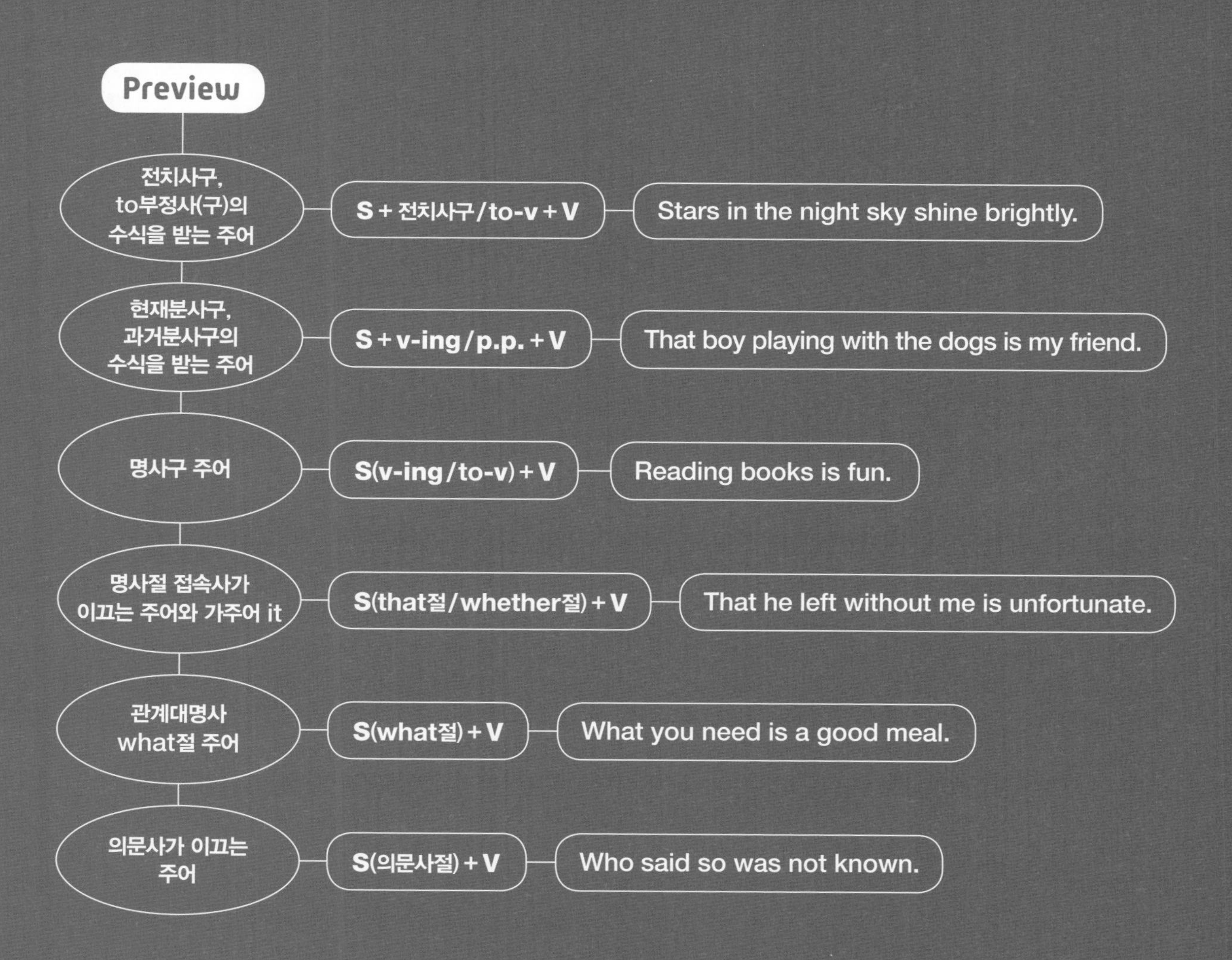
Preview
전치사구, to부정사(구)의 수식을 받는 주어
S + 전치사구/to-v + V
Stars in the night sky shine brightly.
현재분사구, 과거분사구의 수식을 받는 주어
S + v-ing/p.p. + V
That boy playing with the dogs is my friend.
명사구 주어
S(v-ing/to-v) + V
Reading books is fun.
명사절 접속사가 이끄는 주어와 가주어 it
S(that절/whether절) + V
That he left without me is unfortunate.
관계대명사 what절 주어
S(what절) + V
What you need is a good meal.
의문사가 이끄는 주어
S(의문사절) + V
Who said so was not known.

# 문장공식 01

## 전치사구, to부정사(구)의 수식을 받는 주어

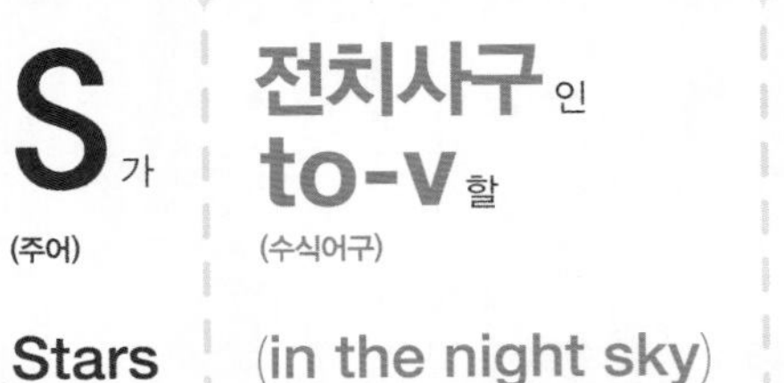


| S 가 (주어) | 전치사구 인 / to-v 할 (수식어구) | V 하다 (동사) | |
|---|---|---|---|
| Stars | (in the night sky) | shine | brightly. |
| 별들이 | 밤하늘에 있는 | 빛난다 | 밝게 |

MP3 듣기

**✔QUICK QUIZ** 위 문장공식에 유의하여, 주어를 꾸며 주는 수식어구에 밑줄을 그으시오.

(1) Someone inside the room was laughing.

(2) The best way to predict the future is to create it.

## 기출로 Practice

**A** 다음 문장성분에 유의하여 해석을 완성하시오.

★
**001** Many countries (around the world) are facing energy challenges.
S / M (전치사구) / V / O

______________________ 많은 국가들이 에너지 문제를 겪고 있다.

> face 겪다, 직면하다
> challenge 도전, 문제
> tip 전치사구가 수식하는 주어가 복수(Many countries)이므로 동사로 are가 쓰였어.

★☆
**002** Another simple way (to reduce the use of energy) is to turn off lights.
S / M (to부정사구) / V / SC

______________________ 또 다른 간단한 방법은 전등을 끄는 것이다.

> reduce 줄이다
> turn off 끄다

★
**003** The difference (between selling and marketing) is (very) simple.
S / M (전치사구) / V / SC

______________________ 매우 간단하다.

> selling 판매
> marketing 마케팅
> tip between *A* and *B*는 'A와 B 사이에'를 의미해.

★☆
**004** The only way (to overcome this problem) is to be more connected to others.
S / M (to부정사구) / V / SC

______________________ 다른 사람들과 더 연결되는 것이다.

> overcome 극복하다
> connect 연결하다

Answers p. 2

## S(주어) + 전치사구/to-v + V(동사) (수식어구)인[할] S는 V하다

- 주어와 동사 사이에 주어를 수식하는 어구로 '전치사구' 또는 'to부정사(구)'가 올 수 있어.

❶ 「전치사+명사(구)」로 이루어진 '전치사구'가 주어를 뒤에서 꾸며 줄 수 있어. 동사는 전치사구가 수식하는 주어에 수를 일치시켜.

The group (**of soccer fans**) / has / a chance (to watch a World Cup match).
S M (전치사구) V O
그 무리는/축구 팬들의/가지고 있다/기회를/월드컵 경기를 볼

❷ 「to+동사원형」의 형태인 'to부정사(구)'도 주어를 뒤에서 꾸며 줄 수 있어. 동사는 to부정사(구)가 수식하는 주어에 수를 일치시켜.

Some fruits (**to eat**) / are / ready. 약간의 과일이/먹을/~이다/준비된
S M (to부정사) V SC

## B 다음 기출 문장을 해석하시오.

★☆
**005** The arrangement of the books on her desk looked neat and tidy.

arrangement 정리, 배치
neat 정돈된
tidy 깔끔한
tip neat and tidy는 '말끔한, 단정한'의 의미를 나타내.

★★
**006** The human need to organize our lives CHOOSE! [remain / remains] strong.

need 필요, 욕구
organize 정리하다, 조직하다
remain 여전히 ~이다

★★
POP QUIZ! 주어를 꾸며 주는 수식어구를 찾아봐!
**007** Natural boundaries between states or countries are found along rivers, lakes, deserts, and mountain ranges.

boundary 경계, 경계선
state 주(州)
mountain range 산맥
tip are found는 「be동사+p.p.」의 수동태형으로, '찾아진다(나타난다)'라고 해석해.

★★
**008** The shift from hunting to farming produced a fundamental change in the relationships between humans and animals.

shift 전환, 변화
hunting 수렵, 사냥
farming 농업, 영농
produce 만들어 내다, 초래하다
fundamental 근본적인

Twin Workbook p. 2

**» 한 줄 독해 POINT 수식어구 묶어 해석하기**

주어 뒤에 이어지는 수식어구를 괄호로 묶으면 주어와 동사가 더욱 잘 드러난다.
The pencils (**in the pencil case**) are my brother's. 필통에 있는 연필은 내 남동생의 것이다.

## 문장공식 02

### 현재분사구, 과거분사구의 수식을 받는 주어

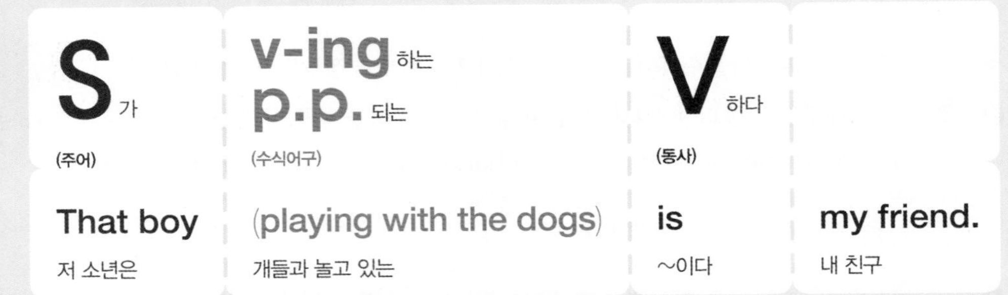


MP3 듣기

**✔QUICK QUIZ** 위 문장공식에 유의하여, 어법상 알맞은 것을 고르시오.

(1) The car [washed / washing] by my uncle is shiny.

(2) The girl [stands / standing] next to the tree is my sister.

## 기출로 Practice

**A** 다음 문장성분에 유의하여 해석을 완성하시오.

★
**009** Many Japanese (moving into Seoul) were building Western houses.
(S: Many Japanese / M (현재분사구): moving into Seoul / V: were building / O: Western houses)

________________________ 서양식 집을 짓고 있었다.

> move into ~로 이동하다, 이사하다
> Western 서양의
> **tip** 현재분사구가 수식하는 주어가 복수(Many Japanese)이므로 동사로 were가 쓰였어.

★☆
**010** An old man (holding a puppy) can relive a childhood moment (with complete accuracy).
(S: An old man / M (현재분사구): holding a puppy / V: can relive / O: a childhood moment)

________________________ 완전히 정확하게 어린 시절의 순간을 다시 체험할 수 있다.

> relive 다시 체험하다, 다시 살다
> childhood 어린 시절
> complete 완전한, 완벽의
> accuracy 정확(도)

★★
**011** The positive words (spoken in a positive tone) prompted the strongest activity (in the dogs' brains).
(S: The positive words / M (과거분사구): spoken in a positive tone / V: prompted / O: the strongest activity)

________________________ 개의 뇌에서 가장 강력한 활동을 촉진시켰다.

> positive 긍정적인
> tone 어조, 말투
> prompt 유도하다, 촉발하다

★☆
**012** Housework (performed by members of the household) is not included (in the GDP*).
(S: Housework / M (과거분사구): performed by members of the household / V: is not included)

*GDP(Gross Domestic Product) 국내총생산

________________________ GDP에 포함되지 않는다.

> housework 가사, 집안일
> perform 수행하다
> a member of a household 가족 구성원
> include 포함시키다

Answers p. 3

## S(주어) + v-ing/p.p. + V(동사) v-ing하는/p.p.되는 S가 V하다

- '분사'는 형용사처럼 명사를 수식할 수 있으며 현재분사(v-ing)와 과거분사(p.p.)가 있어. 보통 분사가 단독으로 쓰이면 명사의 앞에서 수식하고, 두 단어 이상이면 명사의 뒤에서 수식해.

the **dancing** girl 춤추는 소녀　　the girl **dancing on the stage** 무대 위에서 춤추는 소녀

❶ **현재분사(v-ing)구: '능동' 또는 '진행'의 의미로 명사를 뒤에서 수식해.**

The girl (**running in the gym**) / looks / happy. 소녀는/체육관에서 뛰고 있는/행복해 보인다
S　M (현재분사구)　V　SC

❷ **과거분사(p.p.)구: '수동' 또는 '완료'의 의미로 명사를 뒤에서 수식해.**

The book (**written by John**) / became / famous. 그 책은/John에 의해 쓰여진/유명해졌다
S　M (과거분사구)　V　SC

**B** 다음 기출 문장을 해석하시오.

★☆
**013** Elephants seeking food and water had to look elsewhere.

seek 찾다, 구하다
elsewhere 다른 곳에서(으로)
tip look elsewhere는 '다른 곳을 찾다'로 해석할 수 있어.

POP QUIZ! 주어를 꾸며 주는 수식어구를 찾아봐!

★☆
**014** The film produced and directed by Coppola gained widespread popularity.

film 영화
produce 제작하다
direct 감독하다
gain 얻다
widespread 광범위한, 폭넓은

★★
**015** Ideas expressed imprecisely may be intellectually stimulating for listeners.

express 표현하다
imprecisely 부정확하게
intellectually 지적으로
stimulating 자극이 되는

★★
**016** CHOOSE! On January 10, a ship [traveling / traveled] through rough seas lost 12 cargo containers.

rough 거친
cargo container 화물 컨테이너
tip 수식 받는 주어와의 관계가 능동인지 수동인지에 따라 분사의 형태가 결정돼.

Twin Workbook p. 3

**>> 시험 빈출 POINT** 「현재분사(v-ing)+명사」 *vs.* 「동명사(v-ing)+명사」

- **현재분사**: 수식하는 명사의 동작이나 상태를 나타낸다. a **sleeping** baby 잠자고 있는 아기 (= a baby who is sleeping)
- **동명사**: 명사의 목적이나 용도를 나타낸다. a **sleeping** bag 잠자는 용도의 가방 (= a bag for sleeping)

## 문장공식 03

### 명사구 주어

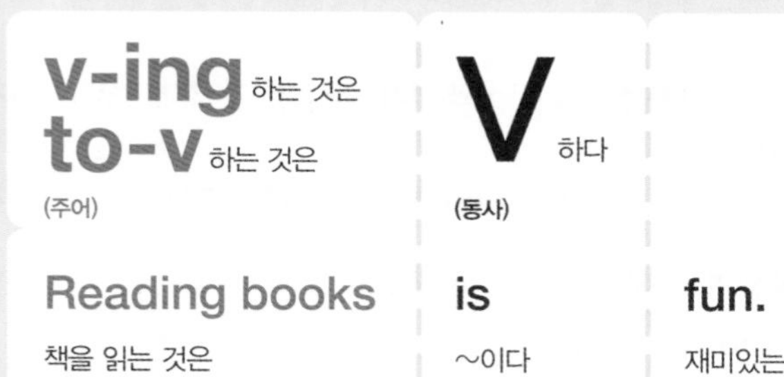

v-ing 하는 것은
to-v 하는 것은
(주어)
V 하다
(동사)
Reading books
책을 읽는 것은
is
~이다
fun.
재미있는


MP3 듣기

QUICK QUIZ 위 문장공식에 유의하여, 어법상 알맞은 것을 고르시오.

(1) [Ride / Riding] a bike can be dangerous.

(2) [Be / To be] a good listener is the most important skill.

## 기출로 Practice

**A** 다음 문장성분에 유의하여 해석을 완성하시오.

★☆
**017** Giving support is (often) the best way (to get it).
S (동명사구) / V / SC

_______________ 종종 지지를 받는 최선의 방법이다.

support 지지, 지원
tip to get it은 the best way를 수식하고 있어.

★
**018** Taking photos is allowed (inside the exhibition hall).
S (동명사구) / V

전시회장 내에서는 _______________ 허용된다.

allow 허용하다
exhibition hall 전시회장

★☆
**019** To be courageous (under all circumstances) requires strong determination.
S (to부정사구) / V / O

_______________ 강한 결단력을 필요로 한다.

courageous 용감한
circumstance 상황, 환경
require 필요로 하다
determination 결단력

★☆
**020** It is not easy to distinguish (between male and female birds).
S / V / SC / S′ (to부정사구)

_______________ 쉽지 않다.

distinguish 구분하다
male 수컷의, 남성의
female 암컷의, 여성의
tip 가주어 It은 해석하지 않아.

Answers p. 5

## S(v-ing / to-v) + V(동사) v-ing / to-v하는 것은 V하다

- 명사구 역할을 하는 '동명사(구)'나 'to부정사(구)'는 문장의 주어로 쓰일 수 있으며, '~하는 것은'이라고 해석해.

❶ to부정사(구)나 동명사(구) 주어는 '단수' 취급해.

**Preparing food** / **is** / a pleasure of life. 음식을 준비하는 것은 / 인생의 즐거움이다
S (동명사구) V SC

❷ to부정사(구)가 주어로 쓰일 경우, 주어 자리에 가주어 it을 쓰고 to부정사(구)는 문장의 뒤로 보낼 수 있어.

**To read books** / is / fun. 책을 읽는 것은 / 재미있다
S (to부정사구) V SC

= **It** / is / fun / **to read books.**
S(가주어) V SC S'(진주어)
└→ 가주어는 해석하지 않아.

**B** 다음 기출 문장을 해석하시오.

★☆
**021** Getting enough sleep is important for fighting stress.

fight 맞서 싸우다

★★☆
**022** Seeing original works of art in a museum [CHOOSE! is / are] something we should all try to do.

original 원본의
work of art 미술품
tip we 앞에 목적격 관계대명사 that이 생략되었어.

★★☆
POP QUIZ! 주어를 찾아봐!
**023** Making an effort to communicate in another person's language shows your respect for that person.

make an effort 노력하다
communicate 의사소통하다
respect 존중, 존경

★★☆
**024** It is important for students to do homework to improve learning management skills.

improve 향상시키다
learning management 학습 관리
tip for students는 to do homework의 주체를 나타내.

Twin Workbook p. 4

**>> 시험 빈출 POINT** **it의 다양한 쓰임**

- **가주어 it**: It is hard to fix a bike. 자전거를 수리하는 것은 어렵다. 〈진주어인 to부정사구를 대신하는 가주어〉
- **대명사 it**: It is my sister's backpack. 그것은 내 여동생의 배낭이다. 〈앞에 언급된 대상을 대신함〉
- **비인칭주어 it**: It is cloudy and windy today. 오늘은 흐리고 바람이 분다. 〈날씨, 거리, 시간 등을 나타내는 형식상의 주어〉

## 문장공식 04

### 명사절 접속사가 이끄는 주어와 가주어 it

V 하다
(동사)

That he left without me | is | unfortunate.
그가 나 없이 떠난 것은 | ~이다 | 불행한

MP3 듣기

✔QUICK QUIZ 위 문장공식에 유의하여, 어법상 알맞은 것을 고르시오.

(1) [That / It] you spend all day watching TV doesn't help at all.

(2) [It / Whether] he is rich or not doesn't matter.

## 기출로 Practice

**A** 다음 문장성분에 유의하여 해석을 완성하시오.

★
**025** [That his methods were not working] became clear.
S (that절) / V / SC

________________________________ 분명해졌다.

method 방법
clear 분명한, 확실한
tip work가 '효과가 있다'의 의미로 쓰였어.

★☆
**026** It is known [that 85% of our brain tissue is water].
S / V / S' (that절)

________________________________ 알려져 있다.

brain tissue 뇌 조직
tip be known은 '알려지다'라고 해석해.

★☆
**027** [Whether I liked living in a messy room or not] was another subject.
S (whether절) / V / SC

________________________________ 또 다른 사안이었다.

messy 지저분한, 어질러진
subject 주제, 사안
tip living ~ room은 liked의 목적어로 쓰인 동명사구야.

★★
**028** It is (widely) assumed [that technology will make our lives a lot easier].
S / V / S' (that절)

________________________________ 널리 추정된다.

widely 널리
assume 추정하다, 가정하다
technology 기술
tip a lot은 easier와 같은 비교급을 강조하여 '훨씬'이라는 의미로 쓰여.

Answers p. 6

## S(that절/whether절) + V(동사) (that절)하는 것은/(whether절)인지 아닌지는 V하다

- 접속사 that이 이끄는 명사절(that+S′+V′ ~)과 접속사 whether가 이끄는 명사절(whether+S′+V′ ~)은 주어 역할을 할 수 있어.

❶ that절 주어는 '~하는(라는) 것은'이라고 해석해.

**[That health is above wealth] is** / true. 건강이 부귀보다 중요하다는 것은/사실이다
S (that절) V SC

❷ whether절 주어는 '~인지 아닌지는'이라고 해석해.

**[Whether the plan will succeed]** depends on / your effort. 그 계획이 성공할지 아닐지는/~에 달려 있다/당신의 노력
S (whether절) V O

❸ that절이나 whether절이 주어로 쓰일 때 주로 가주어 it을 주어 자리에 쓰고, 진주어인 that절과 whether절은 문장 뒤로 보내. (이때, 가주어 it은 해석하지 않아.)

**It** / is / impossible **[that we live without air]**. 불가능하다/우리가 공기 없이 사는 것은
S V SC S′ (진주어)

**B** 다음 기출 문장을 해석하시오.

POP QUIZ! 진주어를 찾아봐!

★☆
**029** It has been said that eye movements are windows into the mind.

movement 움직임, 동작
mind 마음, 정신
tip has been said는 현재완료(have(has) p.p.)와 수동태(be p.p.)가 결합된 형태야.

★★
**030** It is not surprising that constant exposure to noise is related to children's academic achievement.

constant 지속적인, 끊임없는
exposure 노출
be related to ~와 관계가 있다
academic achievement 학업 성취

★★☆
**031** In the excitement of the conversation, whether we ate two bread rolls or three [CHOOSE! was / were] forgotten.

excitement 흥분, 신남
bread roll 롤빵

★★☆
**032** It was reasoned that the experience of failure would discourage students from future study.

reason 판단하다
failure 실패
discourage 의욕을 꺾다
tip discourage *A* from *B*는 'A가 B 하려는 의욕을 꺾다'라고 해석해.

Twin Workbook p. 5

**» 시험 빈출 POINT whether 명사절 *vs.* if 명사절**

whether 명사절은 문장의 주어나 목적어, 보어 역할을 할 수 있으나, if 명사절은 대부분 목적어 역할일 때 쓰인다.
**Whether you liked the food there** is important. 네가 그곳의 음식이 마음에 들었는지 안 들었는지가 중요하다.
I don't know **if you liked it.** 나는 네가 그것을 좋아했는지 모르겠다.

문 장 공 식

# 05

## 관계대명사 what절 주어

| what절 하는 것은 (주어) | V 하다 (동사) | |
|---|---|---|
| What you need<br>네게 필요한 것은 | is<br>~이다 | a good meal.<br>맛있는 식사 |

MP3 듣기

✔QUICK QUIZ 위 문장공식에 유의하여, 어법상 알맞은 것을 고르시오.

(1) [What / Which] you're saying is hard to believe.

(2) [That / What] she heard made her delighted.

## 기출로 Practice

**A** 다음 문장성분에 유의하여 해석을 완성하시오.

★
**033** [What he said] was different (from my thinking).
S (관계대명사 what절) V SC

______________________ 내 생각과 달랐다.

thinking 생각, 의견

★☆
**034** [What I liked most about this book] was the last part.
S (관계대명사 what절) V SC

______________________ 마지막 부분이었다.

most 가장 많이

★☆
**035** [What happened next] was something [that chilled my blood].
S (관계대명사 what절) V SC 관계대명사절

______________________ 나의 간담을 서늘하게 한 것이었다.

happen 발생하다, 일어나다
chill one's blood 간담을 서늘하게 하다
tip that 이하는 something을 수식하는 관계대명사절이야.

★★
**036** [What is considered a status symbol] will differ (among countries).
S (관계대명사 what절) V

______________________ 나라마다 다를 것이다.

consider 여기다
status symbol 지위의 상징
differ 다르다

Answers p. 7

## S(what절) + V(동사) (what절)하는 것은 V하다

- 관계대명사 what이 이끄는 명사절은 문장에서 주어, 목적어, 보어의 역할을 할 수 있어.

❶ 관계대명사 what절 주어는 「What+(S'+)V' ~」의 형태로, what 뒤에 주어나 목적어가 빠진 불완전한 구조가 뒤따르며 '~하는 것은'이라고 해석해.

[**What is important in life**] **is** / spending time with your friends. 인생에서 중요한 것은/친구와 함께 시간을 보내는 것이다
S (관계대명사 what절) V SC

[**What she learned today**] was / related (to world peace). 그녀가 오늘 배운 것은/관계가 있었다/세계 평화와
S (관계대명사 what절) V SC

❷ 관계대명사 what은 선행사를 포함한 관계대명사로, the thing(s) which(that)로 바꿔 쓸 수 있어.

[**What** surprised me] was his text message. 나를 놀라게 한 것은/그의 문자 메시지였다
= **The thing** [that surprised me] was his text message.

**B** 다음 기출 문장을 해석하시오.

**POP QUIZ!** 주어를 찾아봐!

★★
**037** What is important is to bring a painting back to an artist's original intent.

bring back ~을 되살리다
original 원래의
intent 의도

★★
**038** What she said made Victoria fall into a deep thought for a while.

fall into ~에 빠지다
for a while 한동안

★★☆
**039** What makes watercolor such a challenging medium [CHOOSE! is / are] its unpredictable nature.

watercolor 수채화 물감
challenging 도전 의식을 북돋우는
medium 매체, 도구
unpredictable 예측할 수 없는
nature 본성

★★☆
**040** [CHOOSE! What / That] often appears to be a piece of worthless old junk may well be quite valuable.

appear ~처럼 보이다
worthless 쓸모없는
junk 쓰레기
may well 아마도 ~일 것이다
valuable 값진, 귀중한

Twin Workbook p. 6

문장공식

# 06

## 의문사가 이끄는 주어

(주어) (동사)

Who said so was not known.

누가 그렇게 말했는지는 알려지지 않았다

MP3 듣기

**QUICK QUIZ** 위 문장공식에 유의하여, 주어에 해당하는 부분에 밑줄을 그으시오.

(1) How you treat others is important.

(2) Who sent this letter doesn't matter.

## 기출로 Practice

**A** 다음 문장성분에 유의하여 해석을 완성하시오.

★☆
**041** [Who baked the cake] was not a problem (at that time).

S (의문사절) / V / SC

________________________ 그 당시에 문제가 아니었다.

at that time 그 당시에
tip 의문사 who가 의문사절 안에서 주어 역할을 해.

★☆
**042** [How the universe began] cannot be explained (clearly).

S (의문사절) / V

________________________ 명확하게 설명될 수 없다.

explain 설명하다
clearly 명확하게

★☆
**043** [What I don't know] is [where I'm going].

S (관계대명사 what절) / V / SC (의문사절)

내가 모르겠는 것은 ________________________.

tip 주어는 관계대명사 what이 이끄는 명사절이야.

★☆
**044** [Why the animal became extinct] is (still) debated (to this day).

S (의문사절) / V

________________________ 오늘날까지도 여전히 논의되고 있다.

extinct 멸종한
debate 논의하다, 토론하다
to this day 지금까지도

Answers p. 8

## S(의문사절) + V(동사) (의문사절)하는지는 V하다

❶ 의문사(who(m)/when/where/why/how/what/which)가 이끄는 명사절은 주어로 쓰일 수 있으며, '누가(누구를)/언제/어디서/왜/어떻게/무엇을(이)/어떤 것을(이) ~하는지는'으로 해석해.

❷ 의문사절의 형태

(1) 의문사+S'+V' ~

[**How Max spent his younger years**] **is** / unknown. Max가 젊은 시절을 어떻게 보냈는지는/알려지지 않았다
S (의문사절) V SC

(2) 의문사+V' ~ (의문사가 주어로 사용된 경우)

[**Who broke the vase**] was not / the important thing. 누가 그 화병을 깼는지는/중요한 것이 아니었다
S (의문사절) V SC

*cf.* 의문사절은 주격보어로도 자주 쓰여.

The issue / was [**what was going to happen next**]. 문제는/~이었다/다음에 무슨 일이 발생할지
S V SC (의문사절)

**B** 다음 기출 문장을 해석하시오.

POP QUIZ! 의문사절을 찾아봐!

★
**045** The real issue is who crosses the finish line first.

issue 쟁점, 문제
cross the finish line 결승선을 통과하다

★☆
**046** CHOOSE! [How / Who] sugarcane is harvested is the topic of today's show.

sugarcane 사탕수수
harvest 수확하다, 추수하다
tip 주어인 의문사절에 수동태(be p.p.)가 사용되었어.

★★☆
**047** CHOOSE! [How much / How many] one can earn is important, but there are other equally important considerations.

earn (돈을) 벌다
equally 동등하게, 똑같이
consideration 고려 사항
tip one은 일반적인 사람을 나타내.

★★★
**048** Which cultural item is accepted depends largely on the item's use and compatibility with already existing cultural traits.

cultural item 문화 항목
accept 받아들이다
compatibility 양립 가능성
existing 기존의, 존재하는
trait 특성

Twin Workbook p. 7

>> 시험 빈출 POINT **직접의문문 → 간접의문문 전환**

- 의문사가 없는 직접의문문은 간접의문문이 될 때, 접속사 if나 whether를 사용하여 「if/whether+S'+V'」(~인지 아닌지)로 쓴다.
  I don't know **whether Tom is married**. (← I don't know. + Is Tom married?)
- 의문사가 있는 직접의문문은 간접의문문이 될 때, 의문사절 형태인 「**의문사(+S')+V'**」로 쓴다.
  **When we will start the party** is the problem. (← When will we start the party? + That is the problem.)

# Unit Exercise

MP3 듣기 

Answers p. 9

## A

네모 안에서 알맞은 것을 고르고, 문장을 해석하시오.

★☆
**049** The sense of tone in another's voice [give / gives] us an enormous amount of information.

★☆
**050** The bicycles [using / used] for track racing are built without brakes.

★☆
**051** [That / What] interested me the most about the new house was the barn in the backyard.

★★
**052** It is often said [that / which] people make a living according to given circumstances.

## B

밑줄 친 부분을 어법상 바르게 고치고, 문장을 해석하시오. 서술형 훈련

★★
**053** Riding a bike can be fun, but <u>this</u> is important to stay safe.

★★
**054** Everything <u>happened</u> in the world today is a piece of a long line of events, decisions, and lives.

★★☆
**055** Whether or not we can catch up on sleep <u>are</u> a hotly debated topic among sleep researchers.

### Grammar Check

Choose or Complete

전치사구는 주어를 [앞/뒤]에서 수식한다.

분사 뒤에 다른 어구가 이어지는 경우, 명사를 [앞에서/뒤에서] 수식한다.

[관계대명사 what/접속사 that] 뒤에는 불완전한 구조가 이어져 명사절을 이룬다.

진주어인 ______절은 주로 문장 뒤로 보내고, 주어 자리에 가주어 it을 쓴다.

진주어인 to부정사구를 대신하여 주어 자리에 가주어로 ______을(를) 쓴다.

진행·능동의 의미로 앞에 있는 명사를 수식하는 것은 [현재분사구/과거분사구]이다.

whether절 주어는 '______ ______'이라고 해석한다.

Twin Workbook p. 8

**Words** **A** **049** sense 감각 tone 어조, 톤 enormous 엄청난, 거대한 **050** track racing 경륜, 자전거 경주 brake 브레이크, 제동 장치 **051** barn 헛간 backyard 뒤뜰, 마당 **052** make a living 생계를 꾸리다 according to ~에 따라 circumstance 환경, 상황 **B** **054** piece 조각 a long line of 길게 줄지어진 ~ decision 결정, 결심 **055** catch up on sleep 밀린 잠을 몰아 자다 hotly 뜨겁게 debated 논의되는, 토론되는

UNIT

# 목적어의 이해

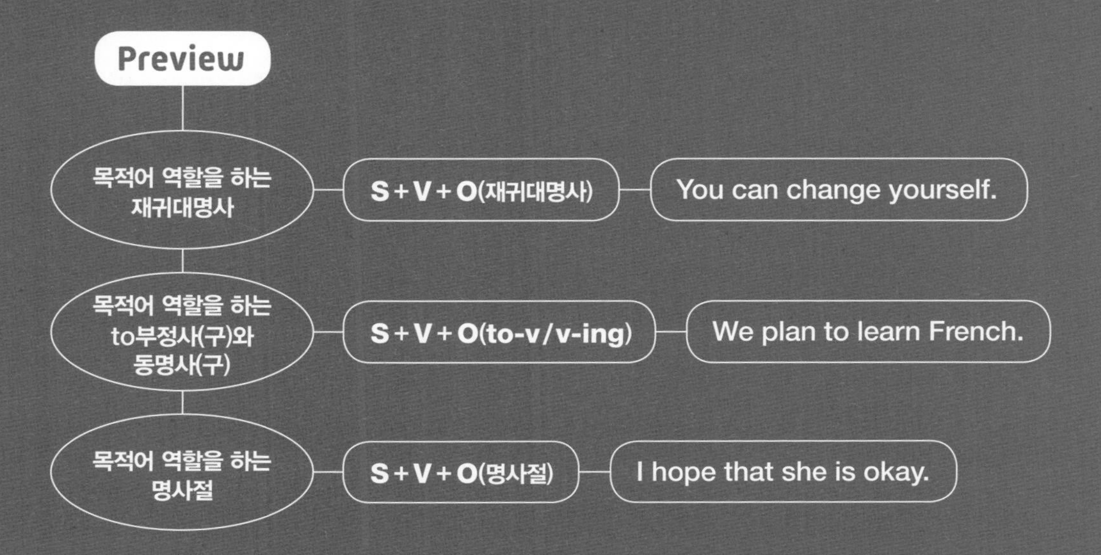
Preview
목적어 역할을 하는 재귀대명사
S + V + O(재귀대명사)
You can change yourself.
목적어 역할을 하는 to부정사(구)와 동명사(구)
S + V + O(to-v/v-ing)
We plan to learn French.
목적어 역할을 하는 명사절
S + V + O(명사절)
I hope that she is okay.

## 문장공식 07

### 목적어 역할을 하는 재귀대명사

| S가 (주어) | V하다 (동사) | 재귀대명사를 (목적어) |
|---|---|---|
| You | can change | yourself. |
| 당신은 | 바꿀 수 있다 | 자신을 |

MP3 듣기

✔QUICK QUIZ 위 문장공식에 유의하여, 어법상 알맞은 것을 고르시오.

(1) You should love [you / yourself].

(2) I don't compare [me / myself] with others.

### 기출로 Practice

**A** 다음 문장성분에 유의하여 해석을 완성하시오.

★
**056** Lily and Kate took a picture (of themselves).
(S: Lily and Kate / V: took / O: a picture)

Lily와 Kate는 ________________________________.

take a picture 사진을 찍다
tip 주어인 Lily and Kate는 3인칭 복수이므로 재귀대명사 themselves로 나타내.

★☆
**057** The man introduces himself (as a salesman or an executive).
(S: The man / V: introduces / O: himself)

그 남자는 ________________________________.

introduce 소개하다
salesman 판매원
executive 경영 간부
tip as는 '~로서'라는 의미의 전치사로 쓰였어.

★☆
**058** You don't have to bother yourself (with these concerns).
(S: You / V: don't have to bother / O: yourself)

당신은 ________________________________.

bother 신경 쓰이게 하다, 괴롭히다
concern 우려, 걱정거리
tip don't have to는 '~할 필요가 없다'는 의미를 나타내.

★☆
**059** She took a deep breath / and pushed herself (into the water).
(S: She / $V_1$: took / $O_1$: a deep breath / $V_2$: pushed / $O_2$: herself)

그녀는 심호흡을 하고 ________________________________.

take a deep breath 심호흡을 하다

▶ Answers p. 10

## S(주어) + V(동사) + O(재귀대명사) S가 자신을 V하다

❶ 문장에서 '주어'와 '목적어'가 지칭하는 대상이 같을 때, 목적어 자리에 쓰는 대명사를 '재귀대명사'라고 해.

Jane couldn't hear **her**. Jane은 그녀의 말을 들을 수 없었다.
S ——— (≠) ——— O

Jane couldn't hear **herself**. Jane은 자신의 말을 들을 수 없었다.
S ——— (=) ——— O (재귀대명사)

❷ 재귀대명사는 대명사에 -self(단수), -selves(복수)를 덧붙여 만들어.

| | 1인칭 | 2인칭 | 3인칭 |
|---|---|---|---|
| 단수 | myself(나 자신) | yourself(너 자신) | himself(그 자신), herself(그녀 자신), itself(그것 스스로) |
| 복수 | ourselves(우리 자신) | yourselves(너희 자신) | themselves(그(것)들 자신) |

❸ 동사나 전치사의 목적어로 쓰이는 재귀대명사는 생략할 수 없어.

Sam / was talking (to **himself**). Sam은/말하고 있었다/자신에게
S V 재귀대명사 → 재귀대명사가 전치사의 목적어로 쓰였으며, 생략할 수 없어.

**B** 다음 기출 문장을 해석하시오.

★☆
**060** We have to consider ourselves as rational decision makers.

consider *A* as *B* A를 B로 여기다
rational 합리적인
decision maker 의사 결정자

**POP QUIZ!** 밑줄 친 부분이 지칭하는 대상을 찾아봐!

★★
**061** The big salmon threw itself up and over the rushing water above, but in vain.

salmon 연어
rush 급속히 움직이다
in vain 헛되이

★★
**062** They communicate comfortably and express [CHOOSE! their / themselves] creatively when they interact with music.

communicate 소통하다
comfortably 편안하게
creatively 창의적으로
interact 상호 작용을 하다

★★☆
**063** If you want to protect yourself from colds and flu, regular exercise is the ultimate immunity-booster.

flu 독감
ultimate 궁극의, 최고의
immunity-booster 면역력 촉진제
tip 조건을 나타내는 부사절이 쓰인 문장이야.

Twin Workbook p. 9

**» 시험 빈출 POINT 재귀대명사 재귀 용법 *vs.* 강조 용법**

재귀 용법의 재귀대명사는 동사나 전치사의 목적어로 쓰이므로 생략할 수 없다. 그러나 '직접', '스스로'라는 의미로 (대)명사 바로 뒤 또는 문장 끝에 쓰이는 강조 용법의 재귀대명사는 생략할 수 있다.

I (myself) made the chocolate cake. 내가 (직접) 그 초콜릿 케이크를 만들었다.
→ myself가 주어(I)를 강조하고 있으며, 생략하더라도 문장의 의미는 달라지지 않아.

문 장 공 식

# 08

## 목적어 역할을 하는 to부정사(구)와 동명사(구)

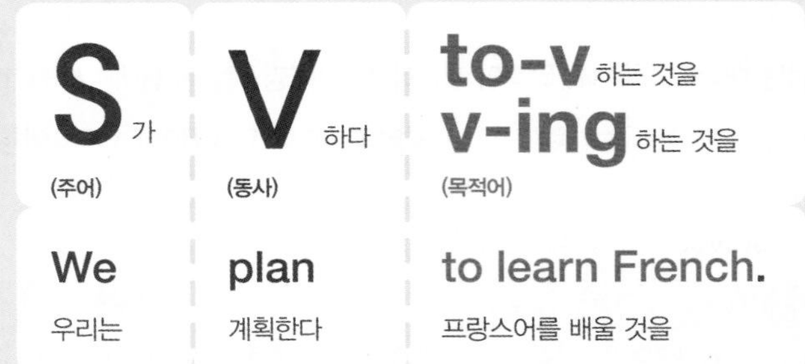

S 가
(주어)
V 하다
(동사)
to-v 하는 것을
v-ing 하는 것을
(목적어)
We
우리는
plan
계획한다
to learn French.
프랑스어를 배울 것을


MP3 듣기

✔QUICK QUIZ 위 문장공식에 유의하여, 목적어에 해당하는 부분에 밑줄을 그으시오.

(1) She wants to drink some juice.

(2) He finished reading the book in a day.

## 기출로 Practice

**A** 다음 문장성분에 유의하여 해석을 완성하시오.

★
**064** You need to make smart decisions (to protect yourself).
(S: You / V: need / O: to make smart decisions)

스스로를 보호하기 위해 ______________________ 필요로 한다.

decision 결정
tip to protect yourself는 목적의 의미를 나타내는 부사 역할을 하는 to부정사구야.

★
**065** Teenagers should start taking care of their own mental health.
(S: Teenagers / V: should start / O: taking care of their own mental health)

십 대들은 ______________________ 시작해야 한다.

take care of ~을 돌보다
mental 정신의

★☆
**066** The sun will keep shining on our planet (for billions of years).
(S: The sun / V: will keep / O: shining on our planet)

태양은 수십억 년 동안 ______________________.

shine 빛나다, 비추다
planet 행성
billions of 수십억의 ~

★☆
**067** My 13-year-old son tried to jump (over a parked car) / and hurt his knee.
(S: My 13-year-old son / $V_1$: tried / $O_1$: to jump (over a parked car) / $V_2$: hurt / $O_2$: his knee)

나의 13살짜리 아들은 ______________________ 무릎을 다쳤다.

park 주차하다
knee 무릎
tip 동사 tried와 hurt가 등위접속사 and로 연결되었어.

Answers p. 11

## S(주어) + V(동사) + O(to-v/v-ing) S가 to-v/v-ing하는 것을 V하다

❶ to부정사(구)와 동명사(구)는 문장에서 목적어 역할을 할 수 있어.

| to-v를 목적어로 취하는 동사 (~하는(할) 것을) | v-ing를 목적어로 취하는 동사 (~하는(한) 것을) | to-v/v-ing 모두 목적어로 취하는 동사 |
| --- | --- | --- |
| choose, decide, wish, expect, hope, plan, agree, refuse, want 등 | admit, avoid, deny, defend, enjoy, finish, consider, put off, give up 등 | like, hate, attempt, start, begin, continue 등 → 의미에는 차이가 없어. |

He / hopes / **to see you again.**
그는/바란다/너를 다시 보기를

We / should avoid / **catching Covid-19.**
우리는/피해야 한다/코로나19에 걸리는 것을

❷ 어떤 동사는 to-v와 v-ing 모두 목적어로 취할 수 있는데, 동사에 따라 의미 차이가 거의 없거나 분명하게 다른 경우도 있어.

try+to-v ~하려고 노력하다, 애쓰다
forget+to-v (앞으로) ~할 것을 잊다
remember+to-v (앞으로) ~할 것을 기억하다

I remembered **to close** the window.
나는 창문을 닫을 것을 기억했다.

try+v-ing (시험 삼아) ~해 보다
forget+v-ing (과거에) ~한 것을 잊다
remember+v-ing (과거에) ~한 것을 기억하다

I remembered **closing** the window.
나는 창문을 닫은 것을 기억했다.

## B 다음 기출 문장을 해석하시오.

★☆
**068** Jonas expected [CHOOSE!] to see / seeing some old castles and historical monuments.

castle 성
monument 기념물, 건축물

★★
POP QUIZ! 주절의 목적어를 찾아봐!
**069** When you photograph people, remember to get closer to them to exclude unwanted items.

photograph 사진을 찍다
exclude 제외하다
unwanted 원치 않는

★★☆
**070** Barnes decided not to work as a doctor, and after further study he entered the business world.

further 더 나아간, 추가적인
business world 실업계

★★★
**071** Young people should stop [CHOOSE!] to waste / wasting their money on unnecessary things and start saving it.

waste 낭비하다
save 모으다
tip stop 뒤에 동명사가 오면 '~하는 것을 멈추다', to부정사가 오면 '~하기 위해 멈추다'라는 의미야.
Twin Workbook p. 10

**» 한 줄 독해 POINT stop to-v와 stop v-ing의 의미 차이**

- **stop to-v**: ~을 하기 위해 멈추다
  I stopped to buy a sandwich. 나는 샌드위치를 사기 위해 멈췄다.
  → to부정사가 동작(stopped)의 이유나 목적을 나타내.
- **stop v-ing**: ~하는 것을 그만두다, 중단하다
  Let's stop talking about it. 그것에 관해 말하는 것을 멈추자.
  → 동명사가 stop의 목적어 역할을 해.

## 문장공식 09

### 목적어 역할을 하는 명사절

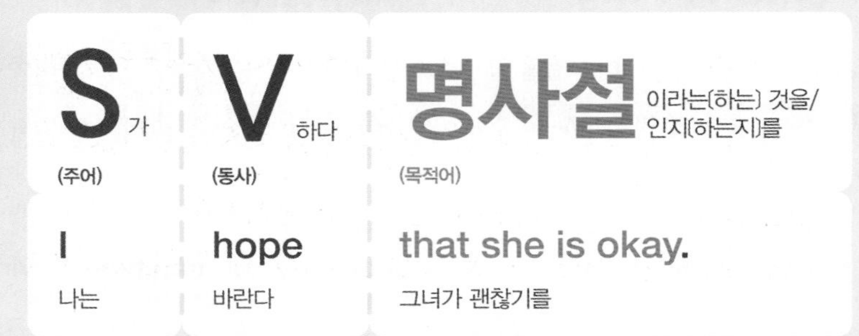

S 가
V 하다
명사절 이라는(하는) 것을/ 인지(하는지)를
(주어)
(동사)
(목적어)
I
hope
that she is okay.
나는
바란다
그녀가 괜찮기를


**✔QUICK QUIZ** 위 문장공식에 유의하여, 밑줄 친 that에 관한 설명으로 알맞은 것을 고르시오.

(1) I hope that you will be able to come.
  a. 관계대명사  b. 목적어 역할을 하는 명사절을 이끄는 접속사

(2) She heard that Mike left for school.
  a. 목적어 역할을 하는 명사절을 이끄는 접속사  b. 주어 역할을 하는 명사절을 이끄는 접속사

MP3 듣기

## 기출로 Practice

**A** 다음 문장성분에 유의하여 해석을 완성하시오.

★
**072** Many people believe [that "yes" is not always the best answer].
(Many people: S / believe: V / that "yes" is not always the best answer: O (that절))

많은 사람들이 ______________________________ 믿는다.

answer 대답, 답

★☆
**073** We shouldn't throw away [what we can recycle].
(We: S / shouldn't throw away: V / what we can recycle: O (관계대명사 what절))

우리는 ______________________________ 버리지 말아야 한다.

throw away 버리다
recycle 재활용하다

★☆
**074** Science tells us [where we are and what we are].
(Science: S / tells: V / us: IO / where we are and what we are: DO (의문사절))

과학은 ______________________________ 우리에게 말해 준다.

tip 직접목적어로 쓰인 의문사절 두 개가 등위접속사 and로 연결되어 있어.

★☆
**075** She asked Steve [if he wanted to run for student president].
(She: S / asked: V / Steve: IO / if he wanted to run for student president: DO (if절))

그녀는 Steve에게 ______________________________ 물었다.

run for ~에 출마하다
student president 학생 회장

Answers p. 12

## S(주어) + V(동사) + O(that절 / whether(if)절 / 관계대명사 what절 / 의문사절)

S가 (that절)이라는 것을 / (whether(if)절)인지를 / (관계대명사 what절)하는 것을 / (의문사절)하는지를 V하다

❶ 접속사 that이 이끄는 명사절(that+S'+V' ~)은 동사의 목적어로 쓰일 수 있으며, '~라는 것을', '~라고'로 해석해.

Jenny / knew [(that) something was wrong]. Jenny는 / 알았다 / 뭔가 잘못됐다는 것을
S V O (that절) ⟶ 목적어 역할을 하는 명사절을 이끄는 접속사 that은 생략 가능해.

❷ 접속사 whether나 if가 이끄는 명사절(whether(if)+S'+V' ~)은 '~인지 (아닌지)를'의 의미로 목적어로 쓰일 수 있어.

I / wonder [**whether(if)** he has finished his homework]. 나는 / 궁금하다 / 그가 숙제를 마쳤는지
S V O (whether(if)절)

❸ 관계대명사 what이 이끄는 명사절(what+(S'+)V' ~)은 동사나 전치사의 목적어로 쓰일 수 있으며, '~하는 것을'로 해석해.

She / loved [**what** Joe gave her]. 그녀는 / 아주 좋아했다 / Joe가 그녀에게 준 것을
S V O (관계대명사 what절) ⟶ 관계대명사 what 뒤에는 주어나 목적어가 빠진 불완전한 구조가 이어져.

❹ 의문사절(의문사+(S'+)V' ~) 목적어는 의문사에 따라 '누가 / 누구를 / 언제 / 어디서 / 왜 / 어떻게 / 무엇을(이) ~하는지를'로 해석해.

Can / you / tell / me [**why** you were absent yesterday]? 말해 줄 수 있니 / 너는 / 나에게 / 왜 네가 어제 결석을 했는지를
S V IO DO (의문사절)

**B** 다음 기출 문장을 해석하시오.

★★
**076** Stop what you are doing for a moment and listen to what he is saying.

for a moment 잠시 동안
tip 두 개의 명령문이 and로 연결되어 있어.

★☆
**077** We had better figure out [CHOOSE! who / that] our competitors will be.

figure out 알아내다
competitor 경쟁자
tip 「had better+동사원형」은 '~하는 것이 좋겠다'라는 충고·권고의 의미를 나타내.

★★☆
**078** Visitors and residents agree [CHOOSE! that / what] a gondola ride is an amazing way to see Venice.

resident 주민, 거주자
gondola ride 곤돌라 타기
tip to see Venice는 앞에 있는 명사구 an amazing way를 수식해.

★★☆
POP QUIZ! 목적어를 찾아봐!
**079** Audience feedback often indicates whether listeners understand the speaker's ideas.

audience 청중, 관중
feedback 피드백
indicate 나타내다, 보여 주다

Twin Workbook p. 11

**>> 시험 빈출 POINT 접속사 that *vs.* 관계대명사 that**

- **접속사 that:** I believe [**that** Jack is honest]. 나는 Jack이 정직하다는 것을 믿는다.
  ↳ 명사절을 이끌며 that 뒤에 주어와 동사를 갖춘 완전한 구조가 이어져.
- **관계대명사 that:** I prefer the small house [**that** has no garden]. 나는 정원이 없는 작은 집을 선호한다.
  ↳ 형용사절을 이끌며 that 뒤에 불완전한 구조가 이어져.

# Unit Exercise

MP3 듣기 

Answers p. 13

## A 네모 안에서 알맞은 것을 고르고, 문장을 해석하시오.

★☆
**080** Many teens follow [what / that] their favorite celebrities do.

★☆
**081** He agreed [to supply / supplying] tons of food to the starving Polish people.

★☆
**082** Are you honest with [you / yourself] about your strengths and weaknesses?

★★
**083** I wonder [if / what] it is possible to film children in classes and around school for a day.

## B 밑줄 친 부분을 어법상 바르게 고치고, 문장을 해석하시오. 서술형 훈련

★★
**084** Now, he enjoys <u>to read</u> maps and solving difficult word puzzles on his computer.

★★
**085** Science says <u>what</u> walking regularly in the morning controls blood pressure, lessens stress, and energizes you.

★★☆
**086** His job is to describe the flavor and smell of different candies and tell <u>who</u> might be popular with children.

### Grammar Check

Choose or Complete

선행사를 포함하는 관계대명사 ______은 명사절을 이끌어 목적어 역할을 할 수 있다.

agree, plan, expect 등의 동사는 [to부정사(구)/동명사(구)]를 목적어로 취한다.

문장에서 주어와 목적어가 지칭하는 대상이 같을 때, 목적어 자리에 ______를 쓴다.

접속사 whether나 ______가 이끄는 명사절은 '~인지 (아닌지)'의 의미로, 목적어로 쓰일 수 있다.

enjoy, finish, avoid 등의 동사는 ______를 목적어로 취한다.

'~하는 것'이라는 의미의 명사절을 이끄는 접속사 ______ 뒤에는 완전한 구조가 이어진다.

의문사절은 [「의문사+동사+주어」/「의문사(+주어)+동사」]의 어순으로 쓴다.

Twin Workbook p. 12

**Words** **A** 080 teen 십 대 celebrity 유명 인사 081 supply 공급하다, 제공하다 tons of 수십 톤의, 수많은 starve 굶주리다 Polish 폴란드의 082 strength 강점, 장 weakness 약점 083 film 촬영하다 **B** 084 solve 풀다, 해결하다 085 regularly 규칙적으로 control 통제하다, 조절하다 blood pressure 혈압 lessen 줄이 energize 활기를 북돋우다 086 describe 묘사하다 flavor 풍미, 맛 tell 알다, 판단하다

UNIT 3

# 보어의 이해

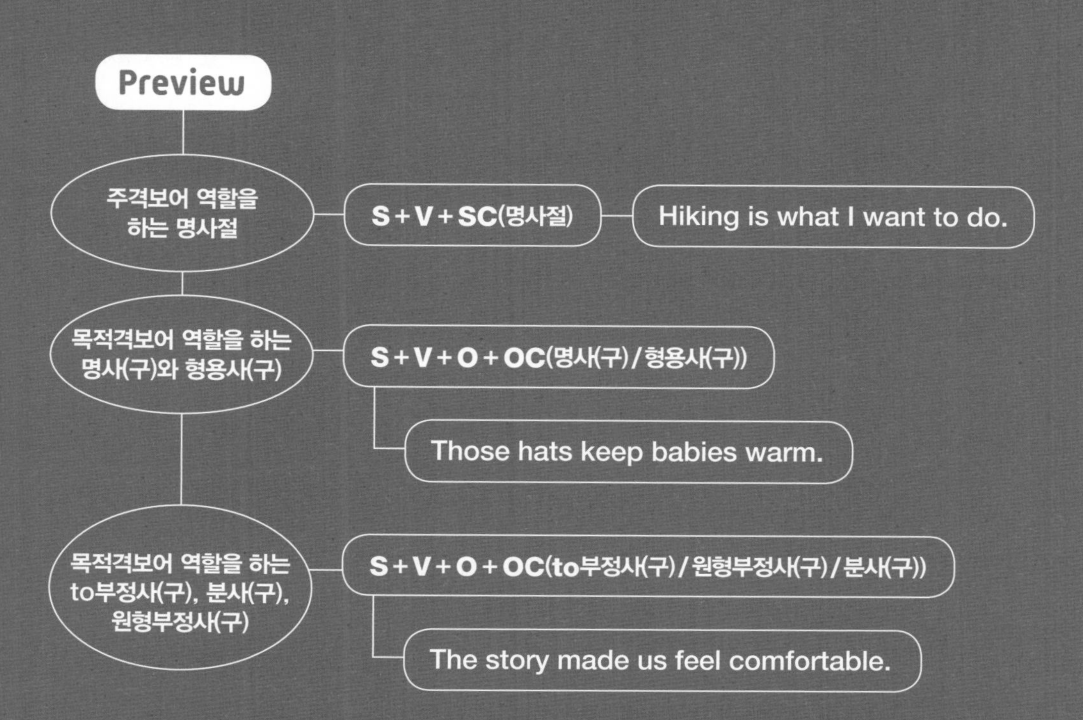

Preview
주격보어 역할을 하는 명사절
S + V + SC(명사절)
Hiking is what I want to do.
목적격보어 역할을 하는 명사(구)와 형용사(구)
S + V + O + OC(명사(구) / 형용사(구))
Those hats keep babies warm.
목적격보어 역할을 하는 to부정사(구), 분사(구), 원형부정사(구)
S + V + O + OC(to부정사(구) / 원형부정사(구) / 분사(구))
The story made us feel comfortable.

## 문장공식 10

### 주격보어 역할을 하는 명사절

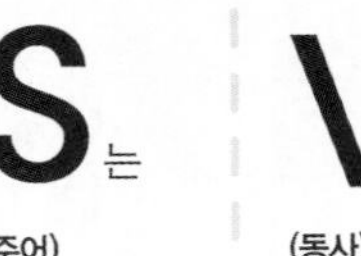

| S는 (주어) | V이다 (동사) | 명사절이라는(하는) 것/인지(하는지) (주격보어) |
|---|---|---|
| Hiking<br>하이킹은 | is<br>~이다 | what I want to do.<br>내가 하고 싶어 하는 것 |

MP3 듣기

✔QUICK QUIZ 위 문장공식에 유의하여, 주격보어에 해당하는 부분에 밑줄을 그으시오.

(1) Swimming is what I usually do in my free time.

(2) The problem is that many organizations are poor in information.

## 기출로 Practice

**A** 다음 문장성분에 유의하여 해석을 완성하시오.

★
**087** One issue (S) is (V) [whether viruses are living organisms] (SC (whether절)).

한 가지 쟁점은 ______________________________ 이다.

issue 쟁점, 사안
living organism 생물
tip whether절은 주어, 목적어, 보어 등 명사 역할을 하는 모든 자리에 쓰일 수 있어.

★☆
**088** Learning from failure (S) is (V) [what really matters] (SC (관계대명사 what절)).

실패로부터 배우는 것이 ______________________________.

failure 실패
matter 중요하다
tip 관계대명사 what은 선행사를 포함하고 있어서 앞에 별도의 선행사가 없어.

★☆
**089** The key issue (S) is (V) [who you compare yourself with] (SC (의문사절)).

핵심 쟁점은 ______________________________.

compare 비교하다

★★
**090** [What you may not appreciate] (S) is (V) [that the quality of light may also be important] (SC (that절)).

당신이 인식하지 못할 수도 있는 것은 ______________________________.

appreciate (제대로) 인식하다
quality 질

Answers p. 14

## S(주어) + V(동사) + SC(that절/whether절/what절/의문사절) S는 ~라는[하는] 것/인지[하는지]이다

- 접속사 that과 whether, 관계대명사 what, 의문사가 이끄는 명사절은 주어를 보충 설명하는 주격보어 자리에 올 수 있어.

❶ that절 주격보어는 「that+S′+V′ ~」 형태이며 '~라는 것'으로 해석해.

The message / is [**that** we should never lose hope]. 그 메시지는/~이다/우리가 절대 희망을 잃어서는 안 된다는 것
S V SC (that절)

❷ whether절 주격보어는 「whether+S′+V′ ~」 형태이며 '~인지 (아닌지)'로 해석해.

The problem / is [**whether** she accepts my proposal or not]. 문제는/~이다/그녀가 내 제안을 받아들이느냐
S V SC (whether절)

❸ 관계대명사 what절 주격보어는 「관계대명사 what+(S′+)V′ ~」 형태이며 '~하는 것'으로 해석해.

A movie director / is [**what** I want to be in the future]. 영화감독이/~이다/내가 미래에 되고 싶은 것
S V SC (관계대명사 what절)

❹ 의문사절 주격보어는 「의문사+(S′+)V′ ~」 형태이며 '누가/누구를/무엇이/무엇을/언제/어디서/왜/어떻게 ~하는지'로 해석해.

The point / is [**how** you feel now]. 요점은/~이다/당신이 지금 어떻게 느끼느냐
S V SC (의문사절)

**B** 다음 기출 문장을 해석하시오.

★★
**091** A large part of what we see is [CHOOSE!] what / whether we expect to see.

expect 기대하다

POP QUIZ! 주어를 보충 설명하는 부분을 찾아봐!

★★
**092** One key social competence is how well people express their own feelings.

competence 능력, 능숙도
tip 「how well+S′+V′」는 'S′가 얼마나 잘 V′하는지'의 의미로 해석해.

★★☆
**093** The best thing about driverless cars is [CHOOSE!] who / that people won't need a license to operate them.

driverless 운전자가 없는
license 면허, 자격증
operate 조작하다, 작동하다

★★☆
**094** Her main concern was whether the products looked attractive, not whether they were effective or reliable.

concern 관심사
attractive 매력적인
effective 효율적인
reliable 신뢰할 수 있는
tip they는 the products를 가리켜.

Twin Workbook p.13

**>> 시험 빈출 POINT** **주격보어 역할을 하는 명사구**

- **동명사구**: My dad's hobby is **collecting movie posters**. 우리 아빠의 취미는 **영화 포스터를 모으는 것**이다.
- **to부정사구**: Kate seems **to be late for school** every day. Kate는 매일 **학교에 지각하는 것** 같다.
  → be동사 외에도 to부정사를 주격보어로 취하는 동사: seem/appear to-v(~인 것 같다), come to-v(~하게 되다), prove/turn out to-v(~로 판명 나다), happen to-v(우연히 ~하다) 등

## 문장공식 11

### 목적격보어 역할을 하는 명사(구)와 형용사(구)

| S 가 (주어) | V 하다 (동사) | O 를 (목적어) | 명사(구)로 형용사(구)하게 (목적격보어) |
|---|---|---|---|
| Those hats | keep | babies | warm. |
| 그 모자들은 | 유지해 준다 | 아기들을 | 따뜻하게 |

MP3 듣기

✔QUICK QUIZ 위 문장공식에 유의하여, 어법상 알맞은 것을 고르시오.

(1) These foods make us [strong / strongly].

(2) The police officer considered the man a [lie / liar].

## 기출로 Practice

**A** 다음 문장성분에 유의하여 해석을 완성하시오.

★
**095** Using a smartphone (in the dark) makes vision problems worse.
(S: Using a smartphone (in the dark) / V: makes / O: vision problems / OC: worse)

어두운 곳에서 스마트폰을 사용하는 것은 ______________________.

vision 시력, 시야
tip worse는 형용사 bad(나쁜)의 비교급이야.

★☆
**096** American shoppers consider online customer ratings and reviews important.
(S: American shoppers / V: consider / O: online customer ratings and reviews / OC: important)

미국 쇼핑객들은 ______________________.

customer 고객, 소비자
rating 평점, 등급
review 후기, 논평

★★
**097** We could call the dog anything [we wanted], // so we decided to name him Blaze.
($S_1$: We / $V_1$: could call / $O_1$: the dog / OC: anything [we wanted] / $S_2$: we / $V_2$: decided / $O_2$: to name him Blaze)

우리는 ______________________, 그래서 우리는 그 개를 Blaze로 이름 짓기로 결정했다.

tip we wanted는 앞에 목적격 관계대명사 that이 생략된 관계대명사절이야.

★★
**098** More and more people find it a fulfilling task and (very) beneficial.
(S: More and more people / V: find / O: it / $OC_1$: a fulfilling task / $OC_2$: beneficial)

점점 더 많은 사람들이 그것이 ______________________ 생각한다.

fulfilling 성취감을 주는
task 일, 과업
beneficial 유익한, 이로운
tip 「find+목적어+목적격보어」는 '(목적어)를 ~으로(라고) 여기다, 생각하다'라고 해석해.

Answers p. 15

## S(주어) + V(동사) + O(목적어) + OC(명사(구)/형용사(구)) S가 O를 (명사(구))로/(형용사(구))하게 V하다

- 명사(구)와 형용사(구)는 목적어를 보충 설명하는 목적격보어로 쓰일 수 있어.

• **명사를 목적격보어로 취하는 대표 동사:**
call, name, make, elect 등
• **형용사를 목적격보어로 취하는 대표 동사:**
make, keep, find, leave, drive, consider 등

❶ **명사(구) 목적격보어:** 의미상으로 '목적어 = 목적격보어'의 관계를 나타내.

People / consider / them / **the greatest team of all time.**
S V O OC (명사구)
사람들은 / 여긴다 / 그들을 / 역사상 최고의 팀으로

❷ **형용사(구) 목적격보어:** 목적격보어가 목적어의 성질이나 상태를 설명해 주는 역할을 해.

The wrong food / can make / the zoo animals / **sick.** 잘못된 음식은 / 만들 수 있다 / 동물원의 동물들을 / 아프게
S V O OC (형용사)
└→ 목적어(the zoo animals)의 상태를 보충 설명하고 있어.

**B** 다음 기출 문장을 해석하시오.

POP QUIZ! 목적격보어를 찾아봐!

★★
**099** Mary considers pet visits on campus a great way to support students.

pet visit 애완동물의 방문
support 지원하다, 지지하다
tip to support students는 a great way를 수식하는 형용사 역할을 해.

★★☆
**100** The experience made her more aware of what was going on in the world.

aware of ~을 알고 있는
tip what was ~ in the world는 의문사 what이 이끄는 명사절로, 전치사 of의 목적어로 쓰였어.

★★☆
**101** We pack each fish in a plastic bag with enough water to keep the fish [CHOOSE! comfortable / comfortably].

pack 포장하다
plastic bag 비닐봉지

★★★
**102** Amnesia often results from a brain injury that leaves the victim unable to form new memories.

amnesia 기억 상실증
result from ~에서 비롯되다
brain injury 뇌 손상
victim 희생자, 환자
unable ~하지 못하는
form 형성하다

Twin Workbook p. 14

**» 한 줄 독해 POINT 목적격보어로 명사와 형용사를 둘 다 취하는 동사 make**

• **make+목적어+명사(구)** ((목적어)를 ~으로 만들다): The woman **made** her daughter **a doctor**.
• **make+목적어+형용사(구)** ((목적어)가 ~하게 만들다): The woman **made** her garden **clean** and **tidy**.

## 문장공식 12

### 목적격보어 역할을 하는 to부정사(구), 원형부정사(구), 분사(구)

| S 가 (주어) | V 하다 (동사) | O 를 (목적어) | to부정사(구)/원형부정사(구)/분사(구) 하도록 (목적격보어) |
|---|---|---|---|
| The story<br>그 이야기는 | made<br>~하게 했다 | us<br>우리를 | feel comfortable.<br>편하게 느끼도록 |

MP3 듣기

✔QUICK QUIZ 위 문장공식에 유의하여, 어법상 알맞은 것을 고르시오.

(1) Emily had her brother [fix / to fix] her bike.

(2) We told the children [come / to come] back to school.

### 기출로 Practice

**A** 다음 문장성분에 유의하여 해석을 완성하시오.

★☆
**103** (In one experiment), subjects(S) observed(V) a person(O) solve 30 multiple-choice problems(OC).

한 실험에서, 실험 대상자들은 ____________________ 관찰했다.

> experiment 실험
> subject 실험(연구) 대상
> observe 관찰하다
> multiple-choice problem 선다형 문제

★☆
**104** She(S) looked(V1) (out her window) / and saw(V2) the rain(O) (slowly) beginning to fade(OC).

그녀는 창밖을 내다보고 ____________________ 보았다.

> look out 내다보다
> fade 서서히 사라지다

★☆
**105** The rich soil(S) could help(V) farmers(O) grow enough crops(OC) (to feed the people in the cities).

비옥한 토양은 농부들이 도시 사람들을 먹여 살리기에 ____________________ 도울 수 있었다.

> rich 비옥한, 풍부한
> soil 토양
> crop 농작물
> tip help는 목적격보어로 '원형부정사'와 'to부정사'를 모두 취할 수 있어.

★☆
**106** Providing an occasional snack(S) can make(V) the office(O) feel more welcoming(OC).

가끔씩 간식을 제공하는 것은 사무실이 ____________________.

> provide 제공하다
> occasional 가끔의, 때때로의
> snack 간식
> welcoming (장소가) 안락한

Answers p. 16

## S(주어) + V(동사) + O(목적어) + OC(to부정사(구)/원형부정사(구)/분사(구)) S가 O를 ~하도록 V하다

- to부정사(구), 원형부정사(구), 분사(구)는 목적어를 보충 설명하는 목적격보어 자리에 올 수 있어.

❶ **to부정사(구)를 목적격보어로 취하는 동사:** 요구·명령(require, ask, order), 강요(force), 바람·기대(want, expect), 허락(allow, enable), 기타(cause, encourage) 등

He / **asked** / me / **to go** to the party. 그는/요청했다/내가/파티에 갈 것을
S V O OC

→ 준사역동사는 목적격보어로 to부정사도 취할 수 있어.

❷ **원형부정사(구)를 목적격보어로 취하는 동사:** 사역동사(make, let, have), 준사역동사(help, get), 지각동사(see, feel, watch, notice, observe) 등

Her mother **made** her **stand** in the corner.

지각동사는 목적격보어로 현재분사(v-ing)도 취할 수 있어.

We **saw** Jamie **dance**(**dancing**) in the street.

❸ **목적격보어 역할을 하는 분사(구):** 목적어와 목적격보어의 관계가 '능동·진행'일 경우 현재분사(v-ing)를, '수동'일 경우 과거분사(p.p.)를 사용해.

(능동 관계) People **watched** the artists **making** their works.

(수동 관계) He **had** his laptop **fixed** at the shop.

**B** 다음 기출 문장을 해석하시오.

★★
**107** Let me [CHOOSE! give / to give] you a piece of advice that might change your mind.

advice 충고

★★
**108** The letter advised Adams not to be discouraged if he received early rejections.

discouraged 낙심한
receive 받다
rejection 거절
tip receive early rejections는 '초기에 거절을 당하다'로 해석하면 돼.

★★☆
**109** Play also allows children to try out and learn social behaviors and to acquire important values.

try out 시도하다
behavior 행동, 태도
acquire 얻다, 습득하다
value 가치
tip 「allow+목적어+to-v」는 '(목적어)가 ~하는 것을 허용하다'라는 의미야.

★★☆
POP QUIZ! 목적격보어를 찾아봐!
**110** You will have your work evaluated by experienced experts and receive insightful suggestions.

evaluate 평가하다
expert 전문가
insightful 통찰력 있는
suggestion 제안, 의견

Twin Workbook p.15

**≫ 시험 빈출 POINT 목적격보어로 v-ing/p.p.를 쓰는 동사**

- **목적격보어로 v-ing를 쓰는 동사:** 지각동사, have, get, keep, leave 등 — I could **feel** my voice **shaking**.
- **목적격보어로 p.p.를 쓰는 동사:** 지각동사, make, have, get, keep, leave, find 등 — We **found** the classroom door **locked**.

# Unit Exercise

MP3 듣기

Answers p. 17

**A** 〈보기〉에서 적절한 것을 골라 빈칸에 쓰고, 문장을 해석하시오.

〈보기〉
that　　to share　　worse

★
**111** One obstacle is ________ such a trip will take years.

★☆
**112** She ordered the non-swimmer ________ a piece of board with her.

★☆
**113** Holding back your true feelings will only make things ________ later on.

**B** 밑줄 친 부분을 어법상 바르게 고치고, 문장을 해석하시오. 서술형 훈련

★★
**114** The reality is which most people will never have enough education in their lifetime.

★★☆
**115** Before he closed his tired eyes, he let them to wander around his old small room.

★★☆
**116** As Tom was waiting for a bus, he noticed a blind man to try to cross the street.

★★★
**117** In an experiment, researchers showed participants two photos of faces and asked them choose the photo that they thought was attractive.

**Grammar Check**

Choose or Complete

111 주격보어 역할을 하는 명사절/부사절에는 that절, whether절, what절, 의문사절 등이 있다.

112 to부정사(구), 분사(구), 원형부정사(구)는 목적어를 보충 설명하는 ________ 자리에 올 수 있다.

113 목적격보어로 쓰인 명사(구)/형용사(구)는 목적어의 성질이나 상태를 설명해 준다.

114 접속사 that/관계대명사 which 이(가) 이끄는 주격보어는 '~라는 것'이라고 해석한다.

115 사역동사는 원형부정사(구)/to부정사(구)를 목적격보어로 취할 수 있다.

116 지각동사는 ________나 원형부정사를 목적격보어로 취할 수 있다.

117 want, cause, ask 등과 같은 동사의 목적격보어로는 원형부정사(구)/to부정사(구)가 올 수 있다.

Twin Workbook p.16

**Words** A 111 obstacle 장애, 장애물 112 non-swimmer 수영을 못하는 사람 board 판자 113 hold back 억제하다 B 114 reality 현실 education 교육 115 wander 거닐다, 돌아다니다 116 notice ~을 알아차리다 blind 눈이 먼, 시각 장애인인 117 participant 참가자 attractive 매력적인, 멋진

UNIT

# 시제의 이해

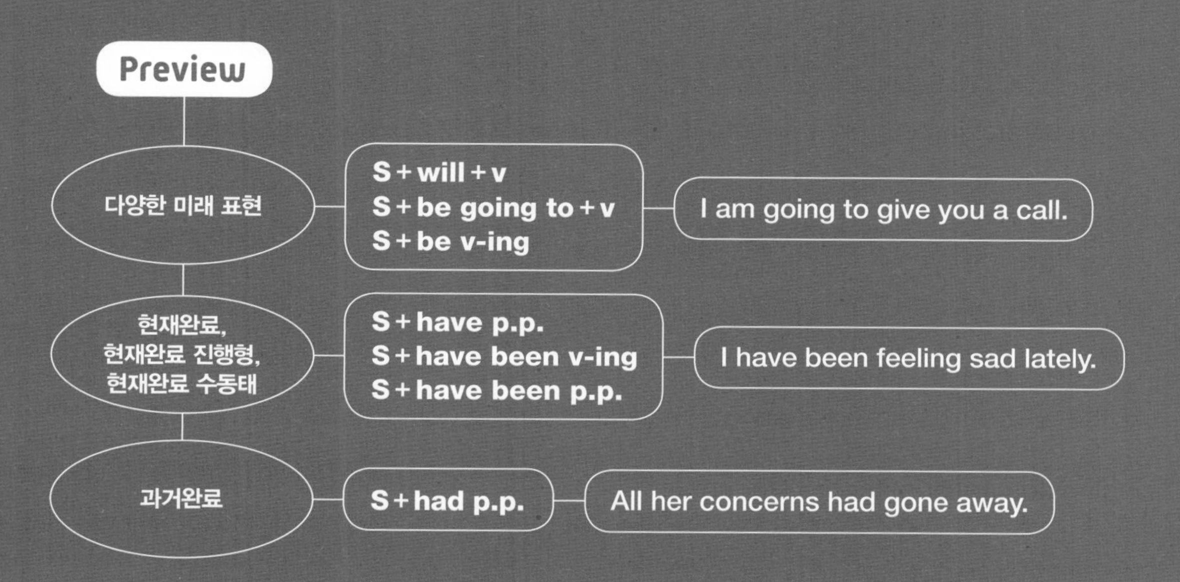
Preview
다양한 미래 표현
S + will + v
S + be going to + v
S + be v-ing
I am going to give you a call.
현재완료,
현재완료 진행형,
현재완료 수동태
S + have p.p.
S + have been v-ing
S + have been p.p.
I have been feeling sad lately.
과거완료
S + had p.p.
All her concerns had gone away.

## 문장공식 13

### 다양한 미래 표현

| S 가 (주어) | will+v 할 것이다<br>be going to+v 할 예정이다<br>be v-ing 할 것이다<br>(동사) | |
|---|---|---|
| I<br>나는 | am going to give<br>할 것이다 | you a call.<br>너에게 전화를 |

MP3 듣기

✔QUICK QUIZ 위 문장공식에 유의하여, 어법상 알맞은 것을 고르시오.

(1) We [are going / are going to] go on a picnic this Friday.

(2) The students [be / will] practice a lot for the contest.

## 기출로 Practice

**A** 다음 문장성분에 유의하여 해석을 완성하시오.

★☆
**118** I will let you know [as soon as the date is set].
(I: S / will let: V / you: O / know: OC / [as soon as the date is set]: 부사절)

날짜가 정해지자마자 내가 ______________________________.

as soon as ~하자마자
set 정하다
tip 「let+목적어+know」는 '(목적어)에게 알려 주다'라고 해석할 수 있어.

★
**119** I'm leaving (early) (tomorrow morning), (finally)!
(I: S / 'm leaving: V)

마침내 나는 ______________________________!

tip be v-ing는 미래 시점을 나타내는 부사(구)와 함께 쓰여 확정된 가까운 미래의 일을 나타낼 수 있어.

★☆
**120** Brian is stretching out his arm / and is about to grab a chocolate bar.
(Brian: S / is stretching out: $V_1$ / his arm: $O_1$ / is about to grab: $V_2$ / a chocolate bar: $O_2$)

Brian은 팔을 뻗어서 ______________________________.

stretch out (몸을) 뻗다
grab 붙잡다, 움켜쥐다
chocolate bar 초코바

★★
**121** (At the end of the school's annual festival), there is going to be a singing competition (for the students).
(is going to be: V / a singing competition: S)

학교 연례 축제의 마지막에 ______________________________.

annual 연례의, 매년의
competition 경연 대회
tip 「There+be동사+명사」 형태의 문장으로, be동사 뒤의 명사가 주어인 점에 유의해.

Answers p. 18

## S(주어) + will + v / be going to + v / be v-ing S가 ~할 것이다

❶ **will+동사원형:** '~할 것이다'라는 의미로 미래의 사건이나 상태를 나타내.

The community center / **will be** / available (tomorrow). 시민 회관은/~일 것이다/이용 가능한/내일
S V SC

❷ **be going to+동사원형:** '~할 것이다, ~할 예정이다'라는 의미로 주로 계획된 미래의 일을 나타낼 때 사용해.

My family / **is going to travel** (with me). 우리 가족은/여행할 것이다/나와 함께
S V

❸ **be v-ing:** 현재진행형과 형태가 같지만, 미래를 나타내는 부사(구)와 쓰여 '~할 것이다'라는 의미로 확정된 가까운 미래를 나타낼 수 있어.

Mom / **is coming back** (from her business trip) (this Sunday). 엄마는/돌아오실 것이다/출장으로부터/이번 주 일요일에
S V

*cf.* **be about to+동사원형:** '막 ~하려는 참이다'라는 의미로 미래를 나타내는 표현의 일종이야.

Mike **is about to make** a speech. Mike가 막 연설을 하려는 참이다.

## B 다음 기출 문장을 해석하시오.

★☆
**122** The female wearing the white dress is about to be married.

female 여성
tip 현재분사구(wearing the white dress)가 주어를 수식하고 있어.

POP QUIZ! 미래를 나타내는 표현을 찾아봐!
★☆
**123** Do you know if another lecture is coming up?

lecture 강의
come up 다가오다
tip 접속사 if가 '~인지'의 의미로 명사절을 이끌고 있어.

★★☆
**124** If you're staying in your comfort zone, you are not going to [CHOOSE! move / moving] forward on your path.

comfort zone 안락 지대
move forward 나아가다
path 길
tip 접속사 if가 '만약 ~라면'의 의미로 부사절을 이끌고 있어.

★★☆
**125** If we continue to destroy habitats with excess trails, the wildlife [CHOOSE! will / is going] stop using these areas.

destroy 파괴하다
habitat 서식지
excess 과도한
trail 산책로
wildlife 야생 동물
area 구역, 지역

Twin Workbook p. 17

**» 한 줄 독해 POINT 미래를 나타내는 현재시제**

시간표나 일정 등과 같이 확정된 미래의 일이나 가까운 미래에 일어날 것이 확실한 일은 현재시제를 사용하여 나타낼 수 있다.

The train leaves at 7 o'clock today. 기차는 오늘 7시에 떠날 것이다.
→ 자주 쓰이는 동사: go, come, leave, arrive, start, finish, take off 등

## 문장공식 14

### 현재완료, 현재완료 진행형, 현재완료 수동태

| S 가 (주어) | have p.p. 해 왔다(한 적이 있다/했다)<br>have been v-ing 해 오고 있다<br>have been p.p. 되어 왔다(되었다) (동사) | |
|---|---|---|
| I<br>나는 | have been feeling<br>느껴 오고 있다 | sad lately.<br>슬프게 최근에 |

MP3 듣기

✔QUICK QUIZ 위 문장공식에 유의하여, 어법상 알맞은 것을 고르시오.

(1) She [uses / has used] this chair for ten years.

(2) He [lost / has been losing] a lot of weight since last month.

## 기출로 Practice

**A** 다음 문장성분에 유의하여 해석을 완성하시오.

★
**126** Music has played a key role (in the creation of some artwork).
(Music: S, has played: V, a key role: O)

음악은 몇몇 예술품의 창작에 있어 ______________________.

play a role 역할을 하다
creation 창조, 탄생

★☆
**127** Our recycling program has been working (successfully) (thanks to your participation).
(Our recycling program: S, has been working: V)

우리의 재활용 프로그램은 당신의 참여 덕분에 ______________________.

recycling 재활용
work 작동되다, 운영되다
participation 참여
tip 「thanks to+명사(구)」는 '~ 덕분에'라는 뜻을 나타내.

★☆
**128** Fish and shellfish have been (intentionally) introduced (all over the world) (for aquaculture*).
(Fish and shellfish: S, have been ... introduced: V)

*aquaculture 수경 재배, 양식

어패류는 양식을 위해 ______________________.

shellfish 조개류, 갑각류
intentionally 의도적으로

★★
**129** The robot industry has been growing (fast)//and it has changed our daily lives (in many ways).
(The robot industry: $S_1$, has been growing: $V_1$, it: $S_2$, has changed: $V_2$, our daily lives: O)

로봇 산업은 빠르게 ______________________.

industry 산업
daily life 일상생활

Answers p. 19

## S(주어) + have p.p./have been v-ing/have been p.p.

S는 ~해 왔다(해 본 적이 있다/했다) / 해 오고 있다 / 되어 왔다(되었다)

❶ **현재완료:** have p.p.의 형태로 과거의 일이 현재까지 영향을 미칠 때 사용하며, 문맥에 따라 완료(막 ~했다), 경험(~해 본 적이 있다), 계속(~해 왔다), 결과(~했다 (그 결과 지금 …하다))의 의미를 나타내.

He / **has** (already) **planned** / his trip. 그는/이미 계획을 세웠다/그의 여행을

**현재완료와 자주 함께 쓰이는 부사(구)**
- 완료: already, yet, just 등
- 경험: ever, never, before, once 등
- 계속: 「for+기간」, 「since+시점」 등

❷ **현재완료 진행형:** have been v-ing의 형태로 '~해 오고 있다'라는 의미를 나타내며, 과거에 시작된 동작이 현재까지 계속 진행 중임을 강조할 때 사용해.

(For the last 10 years), we / **have been volunteering** (in the community). 지난 10년 동안/우리는/자원봉사를 해 오고 있다/지역 사회에서

❸ **현재완료 수동태:** have been p.p.의 형태로 쓰며, 주어가 동작의 주체가 아닌 '대상'일 때 사용해.

The package / **has not been delivered** (yet). 택배는/배달되지 않았다/아직

have[has] 뒤에 not 또는 never를 써서 부정형을 나타내.

**B** 다음 기출 문장을 해석하시오.

POP QUIZ! 과거부터 현재까지 계속되어 온 일을 나타내는 부분을 찾아봐!

★☆
**130** The worst effect of dams has been observed on salmon.

effect 영향, 효과

★★
**131** Marketers have [CHOOSE! knowing / known] for decades that you buy what you see first.

marketer 마케팅 담당자
decade 10년
tip 접속사 that이 이끄는 명사절 안에 buy의 목적어로 관계대명사 what절이 쓰였어.

★★
**132** The traffic has been increasing for the past three years, and I have seen many near-accidents.

traffic 교통(량)
increase 증가하다
near-accident 거의 일어날 뻔한 사고

★★★
**133** Joe took a deep breath and said, "I have [CHOOSE! being / been] asked to play in a concert, and I would like your permission first."

permission 허가, 허락
tip 문장 안에 여러 시제가 사용된 경우, 중심이 되는 동사의 시제부터 살핀 후, 전후 관계와 흐름을 파악하도록 해.

Twin Workbook p. 18

**>> 한 줄 독해 POINT 현재완료 vs. 현재완료 진행형**

현재완료와 현재완료 진행형은 전달하는 의미는 유사하지만, 현재완료 진행형이 '진행 중인' 상황에 더 초점을 맞추고 있다는 것에 유의해야 한다.

Jerry **has worked** for the company for 10 years. Jerry는 10년 동안 그 회사에서 일해 왔다. 〈현재완료〉

Jerry **has been working** for the company for 10 years. Jerry는 10년 동안 그 회사에서 일해 오고 있다. 〈현재완료 진행형〉

## 문장공식 15

### 과거완료

| S 가 (주어) | had p.p. (동사) 했었다/ 해 본 적이 있었다/ 해 왔었다 |
| --- | --- |
| All her concerns<br>그녀의 모든 근심이 | had gone away.<br>사라졌었다 |

MP3 듣기

✔QUICK QUIZ 위 문장공식에 유의하여, 밑줄 친 동사를 과거완료로 바꿔 쓰시오.

(1) When I came home, everybody go to bed. ⇨ ______________

(2) He was full because he eat a lot of cake. ⇨ ______________

## 기출로 Practice

**A** 다음 문장성분에 유의하여 해석을 완성하시오.

★☆
**134** He had dressed the baby//and (now) he put him (in his chair).
(He: $S_1$ / had dressed: $V_1$ / the baby: $O_1$ / he: $S_2$ / put: $V_2$ / him: $O_2$)

그는 ______________________ 이제 그를 의자에 앉혔다.

dress 옷을 입히다
tip 옷을 입힌(had dressed) 시점이 의자에 앉힌(put) 시점보다 더 이전이야.

★☆
**135** Sally understood the musical [because she had read the book].
(Sally: S / understood: V / the musical: O / because: 부사절 / she: S′ / had read: V′ / the book: O′)

Sally는 ______________________ 그 뮤지컬을 이해했다.

musical 뮤지컬

★☆
**136** The movie had ended [by the time Susan got to the cinema].
(The movie: S / had ended: V / by the time Susan got to the cinema: 부사절)

Susan이 영화관에 도착했을 즈음에 ______________________.

cinema 영화관
tip 「by the time+주어+동사」는 '~할 즈음에'라는 뜻이야.

★☆
**137** Carol hurried [because she had prepared another secret surprise for Nancy].
(Carol: S / hurried: V / because: 부사절 / she: S′ / had prepared: V′ / another secret surprise: O′)

Carol은 ______________________ 서둘렀다.

prepare 준비하다
secret surprise 비밀 깜짝 선물(파티)

Answers p. 20

## S(주어) + had p.p. S가 ~했었다/해 본 적이 있었다/해 왔었다

❶ 과거완료는 had p.p.의 형태로 쓰며, 과거의 특정 시점에 일어난 일이 과거 어느 시점까지 영향을 미칠 때 사용해.

❷ 과거완료는 문맥에 따라 완료(막 ~했었다), 경험(~해 본 적이 있었다), 계속(~해 왔었다) 등의 의미를 나타내.

The bus / **had** (already) **left** [when I got to the bus stop]. 그 버스는/이미 떠났었다/내가 버스 정류장에 도착했을 때 〈완료〉
→ 과거 시점(got) 이전에 이미 완료된 일을 나타내.

Jane / **had** (never) **traveled** (abroad) (until last year). Jane은/여행해 본 적이 없었다/해외로/작년까지 〈경험〉
→ 과거 시점(last year) 이전에 경험해 보지 못한 일을 나타내.

I / **had lived** (in New York) [before we moved to Seoul]. 나는/살아왔었다/뉴욕에서/우리가 서울로 이사하기 전에 〈계속〉
→ 과거 시점에서 과거의 특정 시점(moved)까지 계속된 일을 나타내.

❸ 과거의 일보다 더 이전에 일어난 과거의 일을 '대과거'라고 하며 had p.p.의 형태로 써.

I / **lost** / the umbrella [I **had bought** the day before]. 나는/잃어버렸다/우산을/내가 그 전날에 샀었던
→ 과거 시점(lost)보다 더 이전에 일어난 일을 나타내.

**B** 다음 기출 문장을 해석하시오.

★★
**138** After the conversations had ended, the researchers asked the participants what they thought of each other.

conversation 대화
participant 참가자
tip the participants는 간접목적어로, what절은 직접목적어로 쓰였어.

★★☆
**139** I was shocked to learn that she [CHOOSE! has been / had been] the top player for the national high school team.

national 국가의
tip to learn 이하가 감정의 원인을 나타내.

POP QUIZ! 밑줄 친 두 개의 표현 중에서 먼저 일어난 것을 찾아봐!

★★☆
**140** She also wanted to know if her grandmother had ever actually seen an angel.

actually 실제로, 정말로

★★★
**141** Their trip to France was Carol's surprise gift for the sixtieth birthday of her mother who had sacrificed all her life for her only daughter.

sacrifice 희생하다
tip who ~ only daughter는 선행사 her mother를 수식하는 관계대명사절이야.

Twin Workbook p. 19

**» 시험 빈출 POINT 현재완료 *vs.* 과거완료**

현재완료는 '현재'를 기준으로 '과거'와의 연관성을, 과거완료는 '과거'를 기준으로 '과거 이전'과의 연관성을 나타낸다.

Mike **has lived** in New York since he **moved** there in 2011. Mike는 2011년에 뉴욕으로 이사 간 이후로 쭉 그곳에 산다. 〈현재완료〉
→ 이사 간(moved) 과거부터 현재까지 살았다는 뜻

Mike **had gone** to the party when Lucy **arrived** at home. Lucy가 집에 도착했을 때 Mike는 파티에 가고 없었다. 〈과거완료〉
→ Lucy가 집에 도착하기(arrived) 전에 이미 Mike는 파티에 갔다는 뜻

# Unit Exercise

MP3 듣기 

Answers p. 22

## A

네모 안에서 알맞은 것을 고르고, 문장을 해석하시오.

★
**142** I can't believe I'm going to [see / seeing] her in person.

★
**143** I have been [used / using] your coffee machines for several years.

★☆
**144** He had never [realize / realized] that an animal also felt the pain of loss.

★★
**145** The data reveals that the news of the king's death has been widely socially [share / shared].

## B

우리말과 의미가 같도록 어법상 틀린 부분을 찾아 바르게 고치시오. 서술형 훈련

★☆
**146** 지금까지 약 900명의 사람들이 에베레스트산 정상에 오르는 데 성공했다.
→ So far, about 900 people have succeed in climbing to the top of Mt. Everest.

★★
**147** 더욱 놀라운 것은, 그들 중 누구도 그때까지 칫솔을 사용한 적이 없었다는 것이다!
→ More surprisingly, none of them has ever used a toothbrush until then!

★★☆
**148** 여러분이 세우는 어떤 목표든 달성하기 어려울 것이고, 여러분은 도중에 어느 시점에서 실망하게 될 것이다.
→ Any goal you set is going to be difficult to achieve, and you were disappointed at some points along the way.

### Grammar Check

Choose or Complete

「be going to+ [동사원형/동명사]」는(은) '~할 예정이다'라는 뜻으로 미래의 일을 나타낸다.

과거에 시작된 일이 현재에도 진행 중임을 강조할 때, [have been p.p./have been v-ing] 형태로 나타낸다.

과거에 일어난 어떤 일보다 더 이전의 사건을 나타낼 때 [현재완료/과거완료]로 나타낸다.

현재완료 수동태는 주어가 동작의 [주체/대상]일 때 사용한다.

과거에 시작된 일이 현재까지 영향을 줄 때 [현재완료/과거완료]를 사용하여 나타낸다.

과거 이전부터 과거의 한 시점까지 경험한 일을 나타낼 때 [have p.p./had p.p.] 형태로 쓴다.

미래를 나타내는 표현인 will과 be going to 뒤에는 ______ 을 쓴다.

Twin Workbook p. 20

**Words** A **142** in person 직접, 몸소 **143** several 몇몇의 **144** realize 깨닫다 pain 아픔, 고통 loss 분실, 상실 **145** data 자료, 데이터 reveal 드러내다, 밝히다 widely 널리 socially 사회적으로 share 공유하다 B **146** so far 지금까지 **147** surprisingly 놀랍게도 none of ~ 중 아무(것)도 (…않다) **148** achieve 성취하다, 달성하다 point 시점, 단계 along the way 그 과정에서

# PART 2
# 형용사절·부사절의 이해



종속접속사가 이끄는 종속절은 크게 명사절, 형용사절, 부사절로 나뉜다. 형용사절은 관계사절로, 관계대명사나 관계부사가 이끄는 형용사절이 앞에 있는 명사(선행사)를 수식한다. 부사절은 문장 속에서 부사의 역할을 하며 시간, 이유, 조건, 양보 등의 의미를 나타내는 접속사가 이끈다.

## STUDY GOAL

학습목표를 이해합니다.

## STUDY PLAN

학습 계획을 세워 봅시다.

| 학습목표 | 학습진도 | | 학습날짜 |
|---|---|---|---|
| □ **명사를 수식하는 관계사절이 쓰인 문장을 이해한다.** | □ **DAY 16** | 문장공식 16 | . . |
| | □ **DAY 17** | 문장공식 17 | . . |
| | □ **DAY 18** | 문장공식 18 | . . |
| | □ **DAY 19** | 문장공식 19 | . . |
| | □ **Unit Exercise** | 문장공식 16~19 | . . |
| □ **부사 역할을 하는 부사절과 부사구가 쓰인 문장을 이해한다.** | □ **DAY 20** | 문장공식 20 | . . |
| | □ **DAY 21** | 문장공식 21 | . . |
| | □ **DAY 22** | 문장공식 22 | . . |
| | □ **Unit Exercise** | 문장공식 20~22 | . . |

UNIT

# 5 명사를 수식하는 관계사절

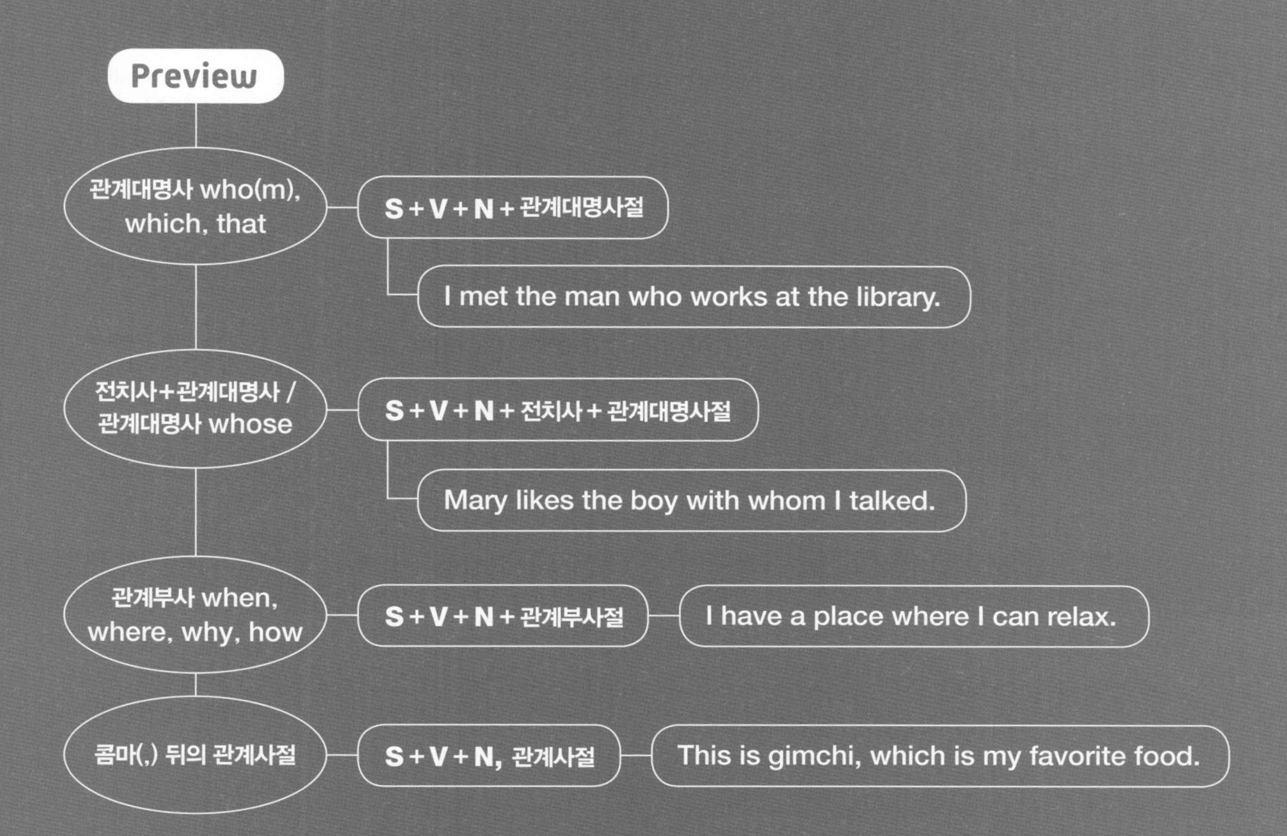
Preview
관계대명사 who(m), which, that
S + V + N + 관계대명사절
I met the man who works at the library.
전치사+관계대명사 / 관계대명사 whose
S + V + N + 전치사 + 관계대명사절
Mary likes the boy with whom I talked.
관계부사 when, where, why, how
S + V + N + 관계부사절
I have a place where I can relax.
콤마(,) 뒤의 관계사절
S + V + N, 관계사절
This is gimchi, which is my favorite food.

## 문장공식 16

### 관계대명사 who(m), which, that

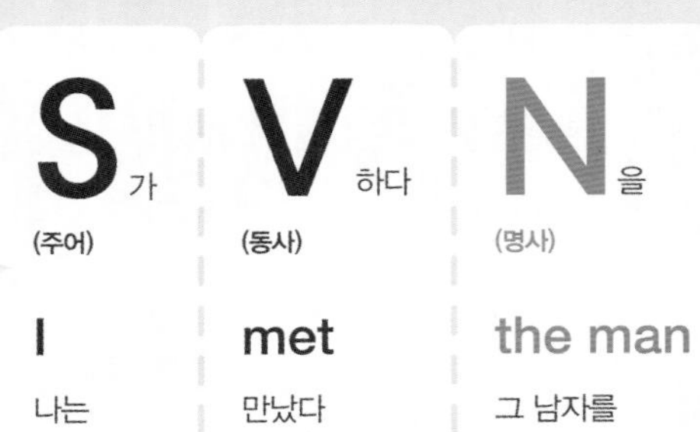

S 가
(주어)
V 하다
(동사)
N 을
(명사)
I
나는
met
만났다
the man
그 남자를


관계대명사절 하는

who works at the library.

도서관에서 일하는

MP3 듣기

✔QUICK QUIZ 위 문장공식에 유의하여, 어법상 알맞은 것을 고르시오.

(1) An orange is a fruit [which / what] has a lot of vitamin C.

(2) We need people [who / which] can foretell the future.

## 기출로 Practice

**A** 다음 문장성분에 유의하여 해석을 완성하시오.

★☆
**149** A person [who never made a mistake] (never) tried anything new.
(A person: S / who never made a mistake: 관계대명사절 / tried: V / anything new: O)

______________________ 사람은 어떤 새로운 것을 전혀 시도하지 않은 것이다.

make a mistake 실수하다
tip anything과 같이 -thing으로 끝나는 대명사는 형용사가 뒤에서 수식해.

★☆
**150** The app suggests some music [which matches how you feel].
(The app: S / suggests: V / some music: O / which matches how you feel: 관계대명사절)

그 앱은 ______________________ 몇 가지 음악을 제안한다.

app(application) 앱, 응용 프로그램
match 어울리다, 맞다
tip 관계대명사절 내의 목적어 how you feel은 의문사가 이끄는 명사절로 '당신이 어떻게 느끼는지' 또는 '당신의 기분'으로 해석할 수 있어.

★☆
**151** Students [who sit at the front of the classroom] (usually) achieve higher exam scores.
(Students: S / who sit at the front of the classroom: 관계대명사절 / achieve: V / higher exam scores: O)

______________________ 보통 더 높은 시험 점수를 받는다.

front (맨) 앞쪽
achieve 달성하다, 성취하다
score 점수

★★
**152** School counselors can help you (with the things [that you are worried about]).
(School counselors: S / can help: V / you: O / the things: N / that you are worried about: 관계대명사절)

학교 상담 교사들은 ______________________ 것들과 관련하여 당신을 도와줄 수 있다.

counselor 상담자
tip 「help+목적어+with」는 '(목적어)가 ~하는 것을(것과 관련하여) 돕다'라고 해석해.

Answers p. 23

## S(주어) + V(동사) + N(명사) + 관계대명사절 S가 ~하는 N을 V하다

- 관계대명사 who(m), which, that은 앞에 있는 명사(선행사)를 수식하는 형용사절을 이끌어.

❶ **주격 관계대명사절:** 「주격 관계대명사+V' ~」의 형태로 선행사를 뒤에서 수식하며 'V'하는'으로 해석해.

The girl [**who is** talking to the children] **is** / my sister. 소녀는/아이들에게 말하고 있는/~이다/내 여동생

S (선행사) 관계대명사 V' └→ 선행사에 수 일치 V SC └→ 주어에 수 일치

❷ **목적격 관계대명사절:** 「(목적격 관계대명사+)S'+V' ~」의 형태로 선행사를 뒤에서 수식하며 'S'가 V'하는'으로 해석해.

Tom / is wearing / a sweater [(**which**) his mom made for him]. Tom은/입고 있다/스웨터를/그의 엄마가 그에게 만들어 주신

S V O (선행사) 관계대명사 S' V'

목적격 관계대명사는 생략 가능해.

**＊관계대명사의 종류:**

| 격 \ 선행사 | 사람 | 동물/사물 | 모두 |
|---|---|---|---|
| 주격 | who | which | that |
| 목적격 | who(m) | | |
| 소유격 | whose | | |

**B** 다음 기출 문장을 해석하시오.

★★
**153** We sincerely apologize for any inconveniences [CHOOSE! who / that] may be experienced.

sincerely 진심으로
apologize 사과하다
inconvenience 불편
tip may be experienced는 조동사가 쓰인 수동태로 '겪게 될 수도 있다'의 의미야.

POP QUIZ! 밑줄 친 주어를 수식하는 부분을 찾아봐!

★★☆
**154** An old teapot which has lost its lid becomes an ideal container for a bunch of roses picked from the garden.

teapot 찻주전자
lid 뚜껑
container 용기, 그릇
tip 과거분사구 picked from the garden이 앞에 있는 명사 roses를 수식하고 있어.

★★☆
**155** Great scientists, the pioneers [CHOOSE! that / which] we admire, are not concerned with results, but with the next questions.

pioneer 선구자
admire 존경하다
concerned 관심이 있는
tip 콤마(,) 사이에 있는 the pioneers ~ admire는 앞의 주어에 대한 추가 정보를 알려 주는 동격어구야.

★★☆
**156** Reducing the amount of water and energy used in your house is the first step you can take for the environment.

reduce 줄이다
step 조치, 단계
tip used in your house는 water and energy를 수식하는 과거분사구야.

Twin Workbook p. 21

**» 시험 빈출 POINT 관계대명사 that을 주로 쓰는 경우**

- 선행사가 「사람+사물/동물」일 때: I saw a man and his dog **that** were taking a walk. 나는 산책 중인 한 남자와 그의 개를 봤다.
- 선행사 앞에 「the+최상급/서수」, the only 등이 있을 때: Sam is the only one **that** really understands me. Sam은 나를 진정으로 알아주는 사람이다.
- 선행사가 -thing 등을 포함할 때: Give her something **that** she values. 그녀에게 그녀가 가치 있게 여기는 것을 줘라.

## 문장공식 17

### 전치사+관계대명사 / 관계대명사 whose

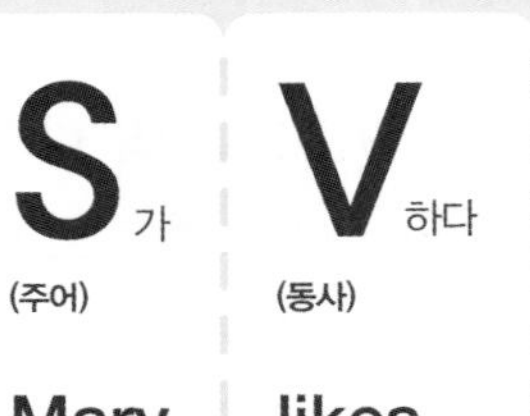

| S가 (주어) | V하다 (동사) | N을 (명사) | 전치사+관계대명사절하는 |
|---|---|---|---|
| Mary | likes | the boy | with whom I talked. |
| Mary는 | 좋아한다 | 그 소년을 | 내가 대화를 나눈 |

MP3 듣기

✔QUICK QUIZ 위 문장공식에 유의하여, 밑줄 친 명사를 수식하는 부분에 [ ]를 표시하시오.

(1) He was the person to whom I wrote a letter.

(2) That's a mistake for which I am responsible.

## 기출로 Practice

**A** 다음 문장성분에 유의하여 해석을 완성하시오.

★
**157** (Today) he met a woman [whose last name is Mann].
S V O 관계대명사절

오늘 그는 ______________________________ 만났다.

last name 성(姓)

★☆
**158** The Green Store is the best place [at which you can buy fresh vegetables].
S V SC 관계대명사절

Green Store는 ______________________________이다.

vegetable 채소

tip 전치사 at을 vegetables 뒤로 보내면 선행사(the best place)가 관계대명사절 내에서 at의 목적어 역할을 한다는 것을 알 수 있어.

★☆
**159** A patient [whose heart has stopped] will lose consciousness.
S 관계대명사절 V O

______________________________ 의식을 잃을 것이다.

patient 환자
consciousness 의식

tip has stopped는 '(이미) 멈췄다'라는 의미를 나타내.

★★
**160** The context [in which a food is eaten] can be as important as the food itself.
S 관계대명사절 V SC

______________________________ 음식 자체만큼이나 중요할 수 있다.

context 맥락, 전후 사정

tip 「as+형용사의 원급+as」는 '…만큼 ~한'으로 해석해.

Answers p. 24

**S**(주어) + **V**(동사) + **N**(명사) + **전치사 + 관계대명사절** S가 ~하는 N을 V하다
**S**(주어) + **V**(동사) + **N**(명사) + **whose + N′**(다른 명사) ~ S가 ~하는 N을 V하다

❶ **전치사+관계대명사**: 선행사가 관계대명사절 내에서 전치사의 목적어일 때, 전치사는 관계대명사 앞이나 관계대명사절 끝에 올 수 있어. 전치사 뒤에 쓰이는 관계대명사로는 선행사가 사람이면 whom, 사물이면 which만 쓸 수 있으며, that은 쓸 수 없어.

New York / is / the city [**in which** my brother chose to live]. 뉴욕은/~이다/도시/나의 형이 살기로 결정한
S V SC(선행사) 전치사+관계대명사 → which는 생략 불가능해.

= New York is the city [(**which(that)**) my brother chose to live **in**].
생략 가능해.

❷ **소유격 관계대명사 whose**: 관계대명사 whose는 바로 뒤에 명사가 와서 「whose+명사」의 형태로 쓰이고, 그 명사가 선행사의 소유임을 나타내는 역할을 해. 관계대명사 whose는 선행사가 사람이든 사물, 동물이든 상관없이 쓰일 수 있어.

Jeff / took care of / a dog [**whose leg** was broken]. Jeff는/돌봐 줬다/개 한 마리를/다리가 부러진
선행사 「whose+명사」는 관계대명사절에서 주어나 목적어 역할을 해.

## B 다음 기출 문장을 해석하시오.

★☆
**161** His team took a group of five-month-olds whose families only spoke English.

take 데리고 가다

★★☆
**162** In order to learn language, an infant must make sense of the contexts in [CHOOSE! which / that] language occurs.

infant 유아(기)
make sense of ~을 이해하다
occur 발생하다
tip 「in order to+동사원형」은 '~하기 위해서'라는 뜻이야.

★★
**163** Take your receipt and the faulty toaster to the dealer [CHOOSE! from whom / whom] you bought it.

receipt 영수증
faulty 결함이 있는, 불완전한
dealer 판매인, 상인

★★☆
POP QUIZ! 밑줄 친 명사구를 수식하는 부분을 찾아봐!
**164** They do their best to create enjoyable and protective environments in which the children feel comfortable and safe.

do one's best 최선을 다하다
create 만들다, 창조하다
enjoyable 즐거운
protective 보호하는

Twin Workbook p. 22

**>> 시험 빈출 POINT** 「전치사+관계대명사절」에서의 관계대명사 생략

관계대명사가 전치사의 목적어일 때, 전치사가 관계대명사절 끝에 있으면 관계대명사를 생략할 수 있다. 단, 「전치사+관계대명사」 형태로 쓰일 때에는 관계대명사를 생략할 수 없다.

This is the backpack (**which(that)**) I was looking **for**. 이것은 내가 찾고 있던 배낭이다. → 목적격 관계대명사이므로 생략할 수 있다.
= This is the backpack **for which** I was looking. → 「전치사+관계대명사」 형태이므로 which는 생략할 수 없다.

## 문장공식 18

### 관계부사 when, where, why, how

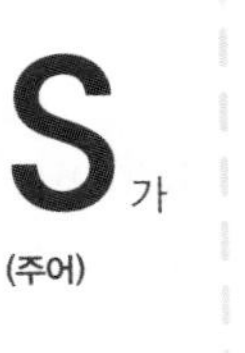

| S가 (주어) | V하다 (동사) | N을 (명사) | 관계부사절하는 |
|---|---|---|---|
| I<br>나는 | have<br>가지고 있다 | a place<br>장소를 | where I can relax.<br>내가 휴식을 취할 수 있는 |

MP3 듣기

✔QUICK QUIZ 위 문장공식에 유의하여, 관계부사절에 밑줄을 치시오.

(1) I remember the day when we first met.

(2) My mom doesn't like how my sister drives.

## 기출로 Practice

**A** 다음 문장성분에 유의하여 해석을 완성하시오.

★
**165** Tell(V) me(IO) the reason(DO) [why you were absent yesterday(관계부사절)].

______________________ 이유를 나에게 말해 줘.

absent 결석한

tip 선행사 the reason이나 관계부사 why 둘 중 하나는 생략해도 돼.

★☆
**166** Paris(S) is(V) a city(SC) [where many people can see famous paintings in museums(관계부사절)].

파리는 ______________________ 도시이다.

painting 그림

tip where는 in which로 바꿔 쓸 수 있어.

★☆
**167** There was(V) a time(S) [when we had to rely on our neighbors for survival(관계부사절)].

______________________ 때가 있었다.

rely on ~을 의지하다, 믿다
neighbor 이웃
survival 생존

★★
**168** We(S) need(V) a special playground(O) [where students like me can play and have fun like other students(관계부사절)].

우리는 ______________________가 필요하다.

playground 놀이터

tip like가 모두 '~와 같은'을 의미하는 전치사로 쓰였어.

Answers p. 26

## S(주어) + V(동사) + N(명사) + 관계부사절 S가 ~하는 N을 V하다

- 관계부사가 이끄는 형용사절은 앞의 명사(선행사)를 수식해. 관계부사는 「전치사+관계대명사」로도 바꿔 쓸 수 있어.

❶ **관계부사의 종류:**

| 선행사 | 시간 | 장소 | 이유 | 방법 |
|---|---|---|---|---|
| 관계부사 | when(= at/in which) | where(= at/in/on/to which) | why(= for which) | how(= in which) |

I / remember / the time [**when** we were both happy]. 나는/기억한다/그때를/우리 둘 다 행복했던 〈시간〉

School / is / the place [**where** you can learn foreign languages]. 학교는/~이다/장소/네가 외국어를 배울 수 있는 〈장소〉

I / know / the reason [**why** you laughed out loud]. 나는/안다/이유를/네가 큰 소리로 웃었던 〈이유〉

❷ **관계부사의 생략:** the time, the place, the reason 등과 같이 일반적인 선행사가 쓰이면 선행사나 관계부사 중 하나를 생략할 수 있어. 특히 관계부사 how와 선행사 the way는 함께 쓰이지 않으며, 둘 중 하나는 생략해야 해.

Tell / me / the way [you can smile again]. 말해라/나에게/방법을/네가 다시 웃을 수 있는 〈방법〉

↳ '방법'을 나타내는 선행사 (관계부사 how는 선행사 the way와 함께 쓰이지 않아!)

**B** 다음 기출 문장을 해석하시오.

**POP QUIZ!** 밑줄 친 부분을 수식하는 표현을 찾아봐!

★☆
**169** Life is a game where there are multiple winners.

multiple 다수의, 복수의

tip a game은 물리적 장소는 아니지만 공간의 개념으로 생각해서 관계부사 where를 썼어.

★★
**170** This is why trying to stop an unwanted habit can be an extremely frustrating task.

extremely 극도로
frustrating 좌절감을 주는
task 일, 과업

tip 관계부사 why 앞에 선행사 the reason이 생략되어 있다는 것을 추측할 수 있어.

★★
**171** To his surprise, the stick caught on fire, and this is [CHOOSE! how / that] the match was invented.

to one's surprise 놀랍게도
catch on fire 불이 붙다
match 성냥
invent 발명하다

★★☆
**172** This is one of the main reasons [CHOOSE! how / why] technology is often resisted and why some perceive it as a threat.

resist 저항하다, 반대하다
perceive *A* as *B* A를 B로 인식하다
threat 위협

Twin Workbook p. 23

**>> 시험 빈출 POINT 관계대명사 vs. 관계부사**

관계대명사 뒤에는 주어나 목적어가 없는 불완전한 문장이 이어지는 반면, 관계부사 뒤에는 완전한 문장이 이어진다.

We need someone **who** can do some volunteer work. 우리는 자원봉사를 할 수 있는 사람이 필요하다. 〈관계대명사+주어가 없는 불완전한 문장〉

We went to the beach **where** my parents first met. 우리는 부모님이 처음 만났던 해변에 갔다. 〈관계부사+완전한 문장〉

# 문장공식 19

## 콤마(,) 뒤의 관계사절

| S 가 (주어) | V 하다 (동사) | N, (명사) | 관계사절 그리고(그런데) ~하다 |
|---|---|---|---|
| This | is | gimchi, | which is my favorite food. |
| 이것은 | ~이다 | 김치 | 그리고 그것은 내가 가장 좋아하는 음식이다 |

MP3 듣기

**QUICK QUIZ** 위 문장공식에 유의하여, 어법상 알맞은 것을 고르시오.

(1) My best friend is Seho, [who / which] is very kind and funny.

(2) Sumin loves her new cap, [where / which] she bought on sale.

## 기출로 Practice

**A** 다음 문장성분에 유의하여 해석을 완성하시오.

★
**173** This book(S) is(V) (about King Sejong(N)), [who invented Hangeul(관계대명사절)].

이 책은 세종대왕에 관한 것인데, ________________.

tip 콤마(,) 뒤의 관계대명사절이 King Sejong에 대해 보충 설명을 해.

★☆
**174** Many students(S) were(V) late(SC) (for class), [which disappointed the teacher(관계대명사절)].

많은 학생들이 수업에 지각했는데, ________________.

disappoint 실망시키다

tip 콤마(,) 뒤의 관계대명사절은 앞 문장 전체에 대해 보충 설명할 수도 있어.

★☆
**175** (In 1907), he(S) moved(V) (to Paris(N)), [where he worked in the dining room of the Marriott Hotel(관계부사절)].

1907년에 그는 파리로 이사했는데, ________________.

dining room 식당

★★
**176** Plants(S) can't move(V), [which means they can't escape the creatures that feed on them(관계대명사절)].

식물들은 움직일 수 없고, ________________.

escape 탈출하다, 벗어나다
creature 생물
feed on ~을 먹고 살다

tip 앞 문장 전체에 대한 보충 설명을 하는 관계대명사절의 경우, 관계대명사를 「접속사(and, but 등)+it」으로 바꿔서 생각하면 해석하기 쉬워.

Answers p. 27

## S(주어) + V(동사) + N(명사), 관계사절 S가 N을(이) V하다, 그리고(그런데) ~하다

- 선행사 다음에 「콤마(,)+관계사절」이 오면 관계사절이 선행사를 수식하는 것이 아니라, 선행사나 앞 절 전체에 대해 보충 설명을 해.

We / saw / a fancy car, [which was parked here]. 우리는/보았다/고급 자동차를/그리고 그 차는 여기에 주차되어 있었다
S V O (선행사) 관계대명사절 (보충 설명)

❶ 「콤마(,)+관계대명사절」: 관계대명사절이 선행사나 앞 절 전체를 보충 설명하며, 관계대명사를 「접속사(and, but 등)+(대)명사」로 바꿔 쓸 수 있어. 콤마(,) 뒤에는 관계대명사 which와 who(m)만 쓸 수 있고, that은 쓸 수 없어.

I / visited / my grandfather, [who wasn't home]. 나는/방문했다/할아버지를/그런데 그는 집에 안 계셨다
S V O (선행사) (= but he wasn't home)

❷ 「콤마(,)+관계부사절」: 관계부사절이 선행사를 보충 설명하며, 관계부사를 「접속사(and, but 등) ~ 부사(구)」로 바꿔 쓸 수 있어. 콤마(,) 뒤에 관계부사 why나 how는 쓰이지 않아.

He / went (to the park), [where he walked his dog]. 그는/갔다/그 공원에/그리고 그곳에서 그는 개를 산책시켰다
S V 선행사 (= and he walked his dog there(at that park))

**B** 다음 기출 문장을 해석하시오.

POP QUIZ! 밑줄 친 부분이 보충 설명하고 있는 대상을 찾아봐!

★★
**177** He developed his passion for photography in his teens, <u>when he became a staff photographer for his high school newspaper.</u>

passion 열정
photography 사진(술)
teens 십 대 시절
staff 직원

★★
**178** Experiencing physical warmth promotes interpersonal warmth, CHOOSE! [that / which] happens in an automatic way.

physical 신체적인, 물리적인
warmth 온기, 따뜻함
promote 증진하다
interpersonal 대인 관계에 관련된
automatic 자동의

★★☆
**179** The home-team room was painted a bright red, which kept team members excited or even angered.

angered 화가 난
tip 「keep+목적어+형용사」는 '(목적어)를 ~하게 유지하다'라고 해석해.

★★☆
**180** Dr. Paul Odland travels frequently to South America, where he provides free medical treatment for disabled children of poor families.

frequently 자주
medical treatment 치료, 의료
disabled 장애를 가진

Twin Workbook p. 24

**» 한 줄 독해 POINT 선행사를 수식하는 관계사절 *vs.* 선행사를 보충 설명하는 관계사절**

관계사 앞에 콤마(,)가 없는 관계사절은 선행사를 수식하고, 콤마(,) 뒤에 이어지는 관계사절은 선행사나 앞 문장 전체에 대한 보충 설명을 한다.
I have a sister who is smart. 나에게는 똑똑한 여동생이 있다. →'(여동생이 여러 명 있을 수도 있지만) 똑똑한 여동생은 한 명'이라는 의미
I have a sister, who is smart. 나에게는 여동생이 한 명 있는데, 그녀는 똑똑하다. →'여동생이 한 명이며, 똑똑하다'라는 의미

# Unit Exercise

MP3 듣기

Answers p. 29

**A** 네모 안에서 알맞은 것을 고르고, 문장을 해석하시오.

★☆
**181** Gustav Klimt is an Austrian artist [whom / whose] paintings sell for millions of dollars.

★☆
**182** Her precious Blue Bunny was a gift from her father, [who / which] worked overseas.

★★
**183** The teacher wrote back a long reply [which / in which] he dealt with thirteen of the questions.

★★☆
**184** Knowing the reasons [why / how] you failed will help you improve your chances for success next time.

**B** 우리말과 의미가 같도록 어법상 틀린 부분을 찾아 바르게 고치시오. 서술형 훈련

★★
**185** 그녀는 Edgar Degas의 작품에 감탄했고 파리에서 그를 만날 수 있었는데, 그것은 큰 영감이 되었다.
→ She admired the work of Edgar Degas and was able to meet him in Paris, that was a great inspiration.

★★☆
**186** 현대 작가들이 쓴 책만 읽는 사람은 나에게 근시안적인 사람처럼 보인다.
→ Someone which reads only books by contemporary authors looks to me like a near-sighted person.

★★☆
**187** 자신이 편안함을 느끼는 지역을 벗어날 때까지는 자신에게 어떤 대단한 일이 일어날지 절대 알지 못한다.
→ You never know what great things will happen to you until you step outside the zone who you feel comfortable.

### Grammar Check

Choose or Complete

관계대명사 뒤의 명사가 선행사의 소유임을 나타내는 소유격 관계대명사로는 ______를 쓴다.

「콤마(,)+관계대명사」는 「[전치사/접속사]+(대)명사」로 바꿔 쓸 수 있다.

관계대명사가 전치사의 목적어일 때, 전치사는 목적격 관계대명사 ______ 또는 관계대명사절의 ______에 올 수 있다.

관계부사절은 앞에 있는 명사(구)를 수식하는 [부사절/형용사절] 역할을 한다.

관계대명사 [that/which]과(와) what은 「콤마(,)+관계대명사」의 형태로 쓸 수 없다.

선행사가 사람일 때는 관계대명사 ______나 ______을, 동물이나 사물일 때는 ______나 ______을 쓴다.

관계대명사 뒤에는 [완전한/불완전한] 문장이 이어지고, 관계부사 뒤에는 [완전한/불완전한] 문장이 이어진다.

Twin Workbook p. 25

**Words** **A** **181** sell 팔리다 millions of 수백만의 **182** precious 귀중한 overseas 해외에(서), 해외의 **183** reply 대답, 답장 deal with ~을 다루다, 처리하 **184** improve 개선하다, 향상시키다 chance 가능성, 기회 success 성공, 성과 **B** **185** inspiration 영감, 영감을 주는 것(사람) **186** contemporary 현대의, 당대 author 작가 near-sighted 근시안의 **187** step 발걸음을 떼다, 움직이다 zone 지역, 구역

UNIT

# 부사 역할을 하는 부사절과 부사구

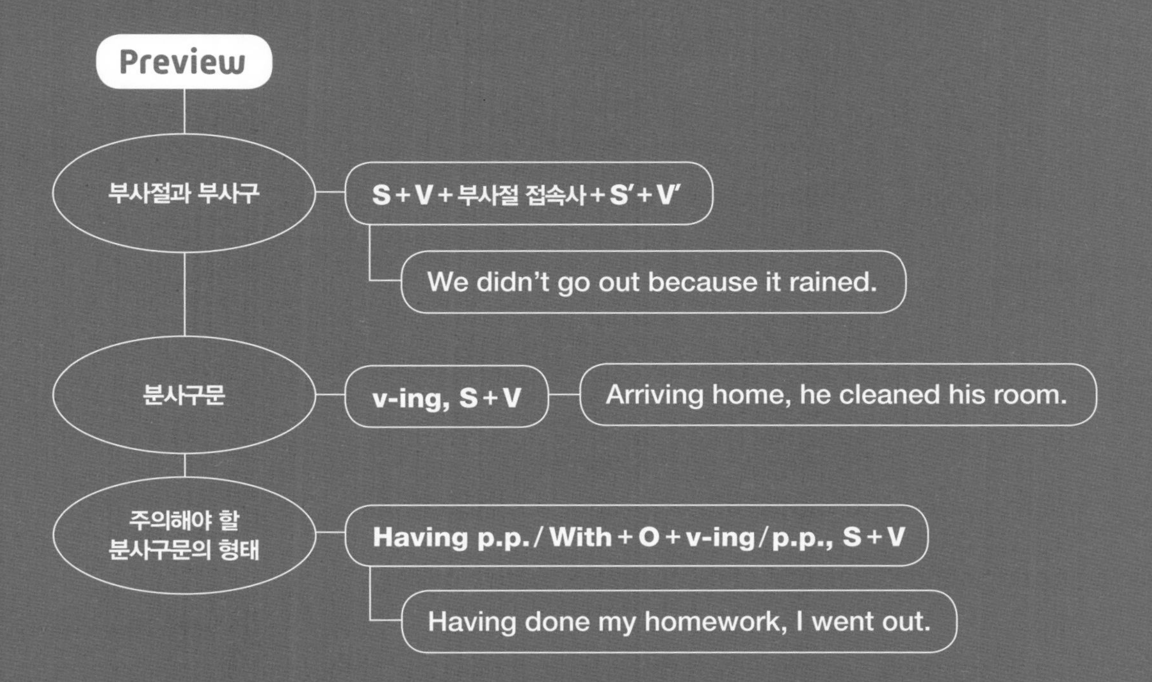
Preview
부사절과 부사구
S + V + 부사절 접속사 + S' + V'
We didn't go out because it rained.
분사구문
v-ing, S + V
Arriving home, he cleaned his room.
주의해야 할
분사구문의 형태
Having p.p. / With + O + v-ing / p.p., S + V
Having done my homework, I went out.

# 문장공식 20

## 부사절과 부사구

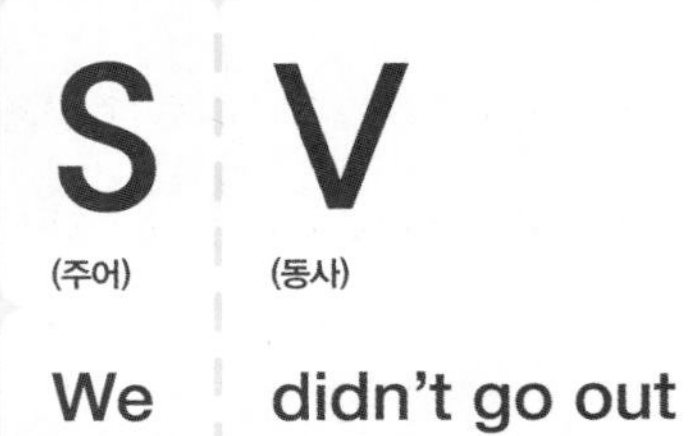

| S (주어) | V (동사) | 부사절 접속사 | S′ (주어) | V′ (동사) |
|---|---|---|---|---|
| We | didn't go out | because | it | rained. |
| 우리는 | 외출하지 않았다 | ~ 때문에 | | 비가 왔다 |

MP3 듣기

✔QUICK QUIZ 위 문장공식에 유의하여, 부사절을 찾아 밑줄을 그으시오.

(1) He met many foreigners while he was abroad.

(2) Although I was full, I ate the dessert.

## 기출로 Practice

**A** 다음 문장성분에 유의하여 해석을 완성하시오.

★
**188** [Although we speak different languages], we are all friends.
(부사절: Although we speak different languages / S: we / V: are / SC: all friends)

우리는 ______________________________ 모두 친구이다.

> tip 접속사 although가 이끄는 부사절은 '(비록) ~이지만'으로 해석해.

★☆
**189** (During this period), people worked (for more than eighty hours a week) (in factories).
(부사구: During this period / S: people / V: worked)

______________________ 사람들은 공장에서 일주일에 80시간 이상 일했다.

> period 기간, 시기
> tip 「시간+a week」는 '일주일에 ~ 시간'이라는 뜻이야.

★☆
**190** [If you walk regularly (in the morning)], you can keep your body and mind healthy.
(부사절: If you walk regularly (in the morning) / S: you / V: can keep / O: your body and mind / OC: healthy)

______________________________ 몸과 마음을 건강하게 유지할 수 있다.

> regularly 규칙적으로

★★
**191** Tsunamis happen (because of undersea earthquakes),//and earthquakes happen (because of shifts ⟨in the earth's plates⟩).
($S_1$: Tsunamis / $V_1$: happen / 부사구: because of undersea earthquakes / $S_2$: earthquakes / $V_2$: happen / 부사구: because of shifts ⟨in the earth's plates⟩)

쓰나미는 ______________ 발생하고, 지진은 ______________ 발생한다.

> tsunami 쓰나미
> undersea 해저의
> earthquake 지진
> shift 변동, 변화
> earth's plate 지각

Answers p. 30

## S(주어) + V(동사) + 부사절 접속사 + S′(주어) + V′(동사) S′가 V′할 때/하면서/하기 때문에/하면/하지만 S가 V하다

- 「접속사+주어+동사」 형태로 쓰는 부사절에서 접속사는 주절과의 문맥에 따라 시간, 원인, 조건, 양보 등의 의미로 나뉘어.

| | | |
|---|---|---|
| 시간 | when, as, while, before, after, since, until 등 | He watched TV [**while** he was eating]. 그는 식사를 하면서 TV를 봤다.<br>= (**during** his meal) → 전치사 during(~ 동안) + 명사(구) |
| 이유·원인 | because, since, as 등 | They stopped jogging [**because** it rained]. 비가 와서 그들은 조깅을 중단했다.<br>= (**because of** the rain) → 전치사 because of(~ 때문에) + 명사(구) |
| 조건 | if, unless 등 | [**If** you **don't** practice], you can't win the game. 너는 연습을 하지 않으면 경기에서 이길 수 없다.<br>= [**Unless** you practice] → if ~ not = unless |
| 양보 | (even) though, although, even if 등 | [**Although** I made an effort], I failed the test. 나는 노력했지만 시험에 탈락했다.<br>= (**Despite** my effort) → 전치사 despite(~에도 불구하고) + 명사(구) |
| 목적 | so that, in order that 등 | I'll give her a key [**so that** she can get in any time]. 나는 그녀가 언제든 들어갈 수 있도록 열쇠를 줄 것이다. |
| 결과 | so ~ that | He worked **so** hard [**that** he won first prize]. 그는 매우 열심히 노력한 결과 1등 상을 탔다. |
| 양태 | (just) as, as if 등 | [**As** the forecast predicted], it was very cold. 일기예보가 예상한 대로 매우 추웠다. |

**B** 다음 기출 문장을 해석하시오.

**POP QUIZ!** 다음 문장에서 부사절이나 부사구를 찾아봐!

★☆
**192** While the robotic vacuum is charging, the battery indicator light blinks red.

robotic 로봇식의
vacuum 진공청소기
charge 충전하다
indicator 표시, 지표
blink 깜박이다

★★
**193** Despite your efforts, it is beyond our facility's capacity to care for wild animals.

effort 노력
beyond (능력을) 넘어서는
facility 시설
capacity 역량, 능력
care for ~을 돌보다
tip it은 가주어로 사용되었어.

★★☆
**194** The butterflies help us grow some other plants **CHOOSE!** [because / because of] they carry pollen from flower to flower.

pollen 꽃가루, 화분
tip 「help+목적어+동사원형/to부정사」는 '(목적어)가 ~하는 것을 돕다'라는 의미로 쓰여.

★★☆
**195** **CHOOSE!** [Although / Despite] humans have been drinking coffee for centuries, it is not clear where coffee originated.

century 세기 (100년)
originate 유래하다
tip have been drinking은 현재완료 진행형으로, 과거부터 지금까지 계속되고 있는 동작을 나타내.

Twin Workbook p. 26

**» 시험 빈출 POINT** **이유와 양보의 부사구**

- This is all possible (**because of**(**due to**) big data). 이것은 모두 빅데이터 **때문에** 가능하다. 〈이유〉
- I wanted to participate (**despite**(**in spite of**) what he said). 그가 한 말**에도 불구하고** 나는 참여하고 싶었다. 〈양보〉

## 문장공식 21

### 분사구문

| v-ing, 할 때(때문에/하면서) (분사구문) | S 가 (주어) | V 하다 (동사) | |
|---|---|---|---|
| Arriving home, 집에 도착한 후에 | he 그는 | cleaned 청소했다 | his room. 그의 방을 |

MP3 듣기

✔QUICK QUIZ 위 문장공식에 유의하여, 밑줄 친 부분이 나타내는 의미로 적절한 것을 고르시오.

(1) Feeling tired, she took a long nap. ☐ 이유 ☐ 양보

(2) Taking off his coat, he said hello to me. ☐ 조건 ☐ 동시동작

## 기출로 Practice

**A** 다음 문장성분에 유의하여 해석을 완성하시오.

★☆
**196** (Listening to their stories), I (always) feel [like I learn a lot (from them)].
분사구문 / S / V / 부사절

_______________, 나는 항상 그들에게서 많은 것을 배우는 것 같다.

tip 「접속사 like+주어+동사」는 '~인 것처럼'으로 해석해.

★☆
**197** (Not knowing what to do ⟨in her life⟩), she was doing her best (to find it).
분사구문 / S / V / O

_______________ 그녀는 그것을 찾기 위해 최선을 다하고 있었다.

tip 분사구문은 주절과의 의미 관계에 따라 두 가지 이상의 의미로 해석될 수도 있어서 문맥을 잘 파악해야 해.

★☆
**198** (Getting worried), she tried calling Reiner's phone (again),// but there was no response.
분사구문 / $S_1$ / $V_1$ / O / $V_2$ / $S_2$

_______________ 그녀는 다시 Reiner에게 전화를 해 봤지만 아무런 응답이 없었다.

response 대답, 응답

tip 「get+형용사」는 '~하게 되다, ~해지다'로 해석해.

★★
**199** (Keeping this in mind), you'll have a lot more fun (drawing the unique art [that comes from you]).
분사구문 / S / V / O / 관계대명사절

_______________, 당신은 당신이 가진 독특한 예술성을 그림으로 그리는 것이 훨씬 더 재미있을 것이다.

keep ~ in mind ~을 명심하다

unique 독특한

tip a lot은 '훨씬'이라는 의미로 비교급을 강조해.

Answers p. 31

## v-ing, S(주어) + V(동사) ~할 때/때문에/하면서/라면/비록 ~이지만, S가 V하다

❶ 분사구문은 분사(v-ing/p.p.)가 이끄는 어구가 부사 역할을 하는 것으로, 주절과의 논리 관계에 따라 자연스러운 의미로 해석해.

- 시간(~할 때/하는 동안/한 후에): **Entering the room,** he saw his son. 방에 들어갔을 때, 그는 아들을 보았다.
  분사구문의 의미상 주어는 문장 전체의 주어와 같아.
- 원인(~ 때문에): **Not knowing the town well,** she got lost. 그 마을을 잘 몰라서 그녀는 길을 잃었다.
  분사구문의 부정은 분사구문 앞에 not이나 never를 써서 나타내.
- 동시동작(~하면서): **Reading the book,** I tapped my pen on the desk. 그 책을 읽으면서 나는 책상에 펜을 두드렸다.
- 조건(~라면): **Turning left,** you will see the park. 좌회전을 하면 공원이 보일 것이다.
- 양보(비록 ~이지만): **Living near the sea,** he still can't swim. 바닷가 근처에 살지만 그는 아직도 수영을 못한다.

❷ 분사구문은 문장의 주어와의 관계가 능동이면 현재분사(v-ing)로 시작하고, 수동이면 과거분사(p.p.)로 시작해.

**Having dinner with my family,** I heard my phone ring. 가족과 저녁을 먹다가 나는 내 전화기가 울리는 것을 들었다.

**Written in French,** the book was difficult for us to read. 프랑스어로 쓰여 있어서 그 책은 우리가 읽기에 어려웠다.

## B 다음 기출 문장을 해석하시오.

★★
**200** CHOOSE! [Be / Being] a hardworking scholar, he held academic positions in several universities in England.

hardworking 성실한
scholar 학자
hold a position 직책을 맡다
academic position 교수직

★★
**201** Learning English by watching movies, he soon managed to translate his jokes for the American audience.

translate 번역하다, (다른 언어로) 옮기다
audience 관객
tip 「manage to+동사원형」은 '(어떻게든) 해내다'라는 뜻이야.

★★☆
POP QUIZ! 결심한 이유가 드러난 부분을 찾아봐!
**202** Concerned about Jean idling around, Ms. Baker decided to change her teaching method.

concerned 걱정하는
idle around 빈둥대다
method 방법

★★☆
**203** CHOOSE! [Motivating / Motivated] by feelings of guilt, people are inclined to make amends for their actions.

motivate 동기를 부여하다, 자극하다
guilt 죄책감, 유죄
inclined ~하는 경향이 있는
make amends for ~에 대해 보상해 주다

Twin Workbook p. 27

### 시험 빈출 POINT 「부사절 → 분사구문」 전환

분사구문은 부사절의 접속사와 주어를 생략하고 동사를 분사(v-ing/p.p.)로 바꿔서 쓴다.

When(①) he(②) wrote the letter, he cried.
→ Writing(③) the letter, he cried.

① 부사절의 접속사 생략 → 분사구문의 의미를 명확하게 하고 싶을 때는 접속사를 생략하지 않기도 해.
② 부사절의 주어 생략 (주절의 주어와 같을 때)
③ 「부사절의 동사원형+-ing」 (주절과 부사절의 시제가 같을 때)

## 문장공식 22

### 주의해야 할 분사구문의 형태

| Having p.p., 했을 때(하고 나서/했기 때문에)<br>With+O+v-ing/p.p., 인 채로<br>(분사구문) | S 가<br>(주어) | V 하다<br>(동사) |
|---|---|---|
| Having done my homework,<br>숙제를 마치고 난 다음, | I<br>나는 | went out.<br>외출했다 |

MP3 듣기

✔QUICK QUIZ 위 문장공식에 유의하여, 어법상 알맞은 것을 고르시오.

(1) Having [meet / met] him before, I know him well.

(2) [With / By] the summer approaching, the weather kept getting hotter.

### 기출로 Practice

**A** 다음 문장성분에 유의하여 해석을 완성하시오.

★☆
**204** Mr. Brown(S) called(V) time out(O) (with two minutes left 〈on the clock〉)(분사구문).

Brown 씨는 ________________________ 타임아웃을 요청했다.

call time out 타임아웃을 요청하다

tip 「with+O+p.p.」는 '~가 …된 채'라고 해석해.

★☆
**205** (When faced with a problem)(분사구문), we(S) (instinctively) seek(V) to find a solution(O).

________________________, 우리는 본능적으로 해결책을 찾으려고 한다.

face 직면하다
instinctively 본능적으로

tip 「seek to+동사원형」은 '~하려고 (노력)하다'라는 의미야.

★☆
**206** Many people(S) make(V) the decision(O) (to become a teacher) (after having a deep personal experience 〈with a teacher〉)(분사구문).

많은 사람들이 ________________________ 교사가 되기로 결심한다.

personal 개인의, 개인적인

tip 분사구문의 의미를 명확히 하기 위해 분사구문 앞에 접속사를 쓰기도 해.

★★
**207** (Having watched the older children opening their gifts)(분사구문), I(S) realized(V) [that the big gifts were not necessarily the nicest ones](O (명사절)).

________________________, 나는 큰 선물이 반드시 가장 좋은 선물은 아니라는 것을 깨달았다.

necessarily 반드시, 필연적으로

tip ones는 앞에 나온 gifts를 가리켜.

Answers p. 33

## Having p.p./With+O+v-ing/p.p., S(주어)+V(동사)

~했을 때(하고 나서/했기 때문에)/O가 ~한(된) 채로 S가 V하다

❶ **Having p.p., S+V**: 분사구문이 주절보다 앞서 일어났을 때 사용하며, '~했을 때', '~하고 나서', '~했기 때문에' 등으로 해석해.

**Having lost her wallet,** she couldn't buy the book. 지갑을 잃어버려서 그녀는 그 책을 사지 못했다.

→ 주절의 시점(couldn't buy)보다 이전에 일어난 일을 나타내.

❷ **With+O+v-ing/p.p., S+V**: 분사구문 앞에 「With+O」를 써서 부연 설명을 할 수 있으며 'O가 ~한(된) 채로/하며/해서'라고 해석해.

**With her fingers tapping on the desk,** she kept studying. 손가락으로 책상을 두드리면서 그녀는 계속 공부했다.

→ 분사구문의 주체가 her fingers야.

**With her arms folded,** she fell asleep. 팔짱을 낀 채 그녀는 잠이 들었다.

→ 팔은 '접히는' 대상이므로 p.p.를 사용했어.

❸ **접속사+v-ing/p.p., S+V**: 분사구문의 뜻을 명확히 하기 위해 분사구문 앞에 접속사를 남겨 두기도 해.

**While brushing my teeth,** I listened to the radio. 양치하는 동안 나는 라디오를 들었다.

**B** 다음 기출 문장을 해석하시오.

POP QUIZ! 밑줄 친 부분의 의미를 말해봐!

★☆
**208** While surfing the Internet, she came across a review for the concert.

surf the Internet 인터넷을 검색하다
come across 우연히 발견하다

★★
**209** CHOOSE! [Having / Being] said positive things, they then liked the person more themselves.

positive 긍정적인
tip 재귀대명사 themselves가 문장의 맨 끝에서 주어 they를 강조하는 역할을 하고 있어.

★★☆
**210** With her mother CHOOSE! [sat / sitting] in the audience, Victoria felt proud of herself and delighted to see her mom so happy.

delighted 기뻐하는
tip 동사 felt 다음에 주격보어인 proud와 delighted가 접속사 and로 연결되었어.

★★☆
**211** If faced with the same situation, such as running into an obstacle, then the robot will go around the obstacle.

such as ~와 같은
run into ~와 (우연히) 마주치다
obstacle 장애물

Twin Workbook p. 28

**>> 시험 빈출 POINT** **문장의 주어와 분사구문의 주어가 다를 때**

문장 전체의 주어와 분사구문의 의미상 주어가 같을 때는 분사구문의 주어를 생략하지만, 다를 때에는 생략하지 않고 분사 앞에 쓴다.

The elevator being out of order, we had to use the stairs. 승강기가 고장 나서 우리는 계단을 이용해야 했다.

(The elevator ≠ we)

# Unit Exercise

MP3 듣기 

Answers p. 34

**A** 〈보기〉에서 적절한 것을 골라 빈칸에 쓰고, 문장을 해석하시오.

〈보기〉
with was not being

★☆
**212** I had booked the tour because the palace ________ accessible only on a guided tour.

★☆
**213** ________ looking out the bus window, Jonas could stay calm and relaxed.

★☆
**214** ________ considerate people, they stopped to help the lost boy find his parents.

★★
**215** ________ my guests waiting at the table, I opened the oven and saw a raw chicken.

**B** 우리말과 의미가 같도록 어법상 틀린 부분을 찾아 바르게 고치시오. 서술형 훈련

★☆
**216** 화성에 관한 영화는 많지만, 아직 아무도 그곳에 가 보지 못했다.
→ Despite there are many movies about Mars, no one has been there yet.

★★
**217** 여러 가지 화학약품을 나무 막대기로 섞은 후에, 그는 그 막대기를 내려놓았다.
→ After mixed many different chemicals with a wooden stick, he put the stick down.

★★☆
**218** Henri Matisse는 늦게 그림에 입문했는데, 아버지를 기쁘게 해 드리기 위해 변호사가 되기 위한 훈련을 받았었기 때문이었다.
→ Henri Matisse came late to painting, training to be a lawyer to please his father.

**Grammar Check**
Choose or Complete

부사절은 「접속사/전치사+주어+동사」 형태로 쓰며, 문장에서 부사 역할을 한다.

분사구문의 부정은 분사 앞에 ______(이)나 never를 써서 나타낸다.

분사구문에서 ______은 생략 가능하다.

「______+목적어+분사」 구문은 '~가 …한(된) 채로'라는 의미를 나타내는 분사구문이다.

despite는 '~에도 불구하고'의 의미를 나타내는 접속사/전치사이다.

분사구문의 의미를 명확히 나타내기 위해서 분사 앞에 접속사/전치사를 남겨 두는 경우도 있다.

주절보다 먼저 일어난 일을 나타내는 분사구문은 「______ p.p., S+V ~」 형태로 쓴다.

Twin Workbook p. 29

**Words** A **212** book 예약하다 palace 궁전 accessible 접근(이용) 가능한 guided 가이드가 안내하는 **213** calm 차분한, 침착한 relaxed 여유로운, 편안 **214** considerate 사려 깊은, 배려하는 **215** raw 날것의, 익히지 않은 B **216** Mars 화성 **217** chemical 화학약품 wooden 나무로 된 stick 막대기 put dow ~을 내려놓다 **218** train 훈련받다 lawyer 변호사 please 기쁘게 하다

# PART 3
# 가정법의 이해



영어에는 '가정, 상상, 소망'하는 내용을 나타내는 방법으로 **가정법**이 있다. 가정법에는 현재의 사실과 반대되는 상황을 가정하여 말하는 **가정법 과거** 표현과 과거의 사실과 반대되는 상황을 가정하여 말하는 **가정법 과거완료** 표현이 있다.

## STUDY GOAL

학습목표를 이해합니다.

| 학습목표 |
| --- |
| ☐ 가정법 문장을 이해한다. |

## STUDY PLAN

학습 계획을 세워 봅시다.

| 학습진도 | | 학습날짜 |
| --- | --- | --- |
| ☐ **DAY 23** | 문장공식 23 | . . |
| ☐ **DAY 24** | 문장공식 24 | . . |
| ☐ **DAY 25** | 문장공식 25 | . . |
| ☐ **Unit Exercise** | 문장공식 23~25 | . . |

UNIT

# 7 가정, 상상, 소망을 나타내는 가정법

**가정법 과거**

- **If + S′ + V′(과거형), S + would/could/might + v**
  - If I had wings, I would fly to you.

**가정법 과거완료**

- **If + S′ + had p.p., S + would/could/might have p.p.**
  - If it had snowed, we would have had more fun.

**that절에 가정법 현재를 쓰는 경우**

- **S + suggest/insist … (+ that) + S′(+ should) + v**
  - I suggested that the work be done today.

문 장 공 식
# 23

## 가정법 과거

If (접속사) ~라면
S′ 가 (주어) 내가
V′(과거형), 한다면 (동사) had wings, 날개가 있다면
S 가 (주어) I 나는
조동사 과거형+V 할 텐데 (동사) would fly to you. 너에게 날아갈 텐데


MP3 듣기

**✔QUICK QUIZ** 위 문장공식에 유의하여, 어법상 알맞은 것을 고르시오.

(1) If she [had / has] a car, she would drive everywhere.

(2) The planet [froze / would freeze] if the Sun did not exist.

## 기출로 Practice

**A** 다음 문장성분에 유의하여 해석을 완성하시오.

★
**219** [If I made lots of money], I would help poor children (in Africa).
부사절 (가정법 과거) S V O

______________________________, 나는 아프리카의 가난한 아이들을 도울 것이다.

make money 돈을 벌다

★☆
**220** [If the Earth were closer (to the Sun)], it would be too hot.
부사절 (가정법 과거) S V SC

______________________________ 너무 더울 것이다.

close 가까운

tip 가정법 과거 If절의 동사가 be동사인 경우, 주어가 3인칭 단수이더라도 were를 쓸 수 있어.

★☆
**221** [If they didn't wear gloves], their hands would get (terribly) hurt.
부사절 (가정법 과거) S V

______________________________ 손을 심하게 다칠 것이다.

glove 장갑
get hurt 다치다
terribly 대단히, 심하게

★★
**222** [If you were crossing a rope bridge over a valley], you would (likely) stop talking.
부사절 (가정법 과거) S V O

______________________________ 아마 말하는 것을 멈출 것이다.

cross 건너다
rope 밧줄
valley 계곡, 협곡
likely 아마, 어쩌면

tip 「stop+동명사」는 '~하는 것을 멈추다'라는 의미야.

Answers p. 36

## If + S′(주어) + V′(과거형), S(주어) + would / could / might + v(동사원형)

S′가 V′한다면, S가 V할 텐데

- 가정법 과거는 '현재의 사실과 반대되는 일'이나 '현재에 실현되기 어렵거나 불가능한 일'을 가정하여 말할 때 사용해.

❶ 가정법 과거는 「If+S′+V′(과거형) ~, S+조동사 과거형(would / could / might)+동사원형 …」의 형태이며, '(만약) ~한다면(라면) …할 텐데.'라고 해석해.

→ 현재 사실: 나는 그의 전화번호를 모름

[**If** I **knew** his phone number], I / **would call** / him. 만약 내가 그의 전화번호를 안다면 / 나는 / 전화를 할 텐데 / 그에게

S′ V′ O′ S V O

❷ 가정법 과거 if절의 동사가 be동사인 경우에는 주어의 인칭이나 수에 관계없이 주로 were를 써.

[**If** I **were** a popular singer], I / **would hold** / a free concert. 만약 내가 인기 있는 가수라면 / 나는 / 개최할 텐데 / 무료 콘서트를

❸ 가정법 과거는 정중하고 덜 단정적인 요청이나 제안을 할 때도 사용돼.

**Would** it be all right **if** I **came** at about six tomorrow? 제가 내일 6시쯤에 와도 될까요?

## B 다음 기출 문장을 해석하시오.

★☆

**223** If teenagers didn't build up conflicts with their parents, they CHOOSE! [will / would] never want to leave.

build up 쌓아 올리다, 키우다
conflict 갈등

POP QUIZ! 현재 사실과 반대되는 상황을 가정한 부분을 찾아봐!

★★

**224** If we lived on a planet where nothing ever changed, there would be little to do.

planet 행성
little 거의 없음
tip where nothing ever changed는 장소를 나타내는 선행사 a planet을 수식하는 관계부사절이야.

★★☆

**225** If she woke up every time one of the babies screamed for food, she CHOOSE! [will / might] get no sleep at all.

scream 비명을 지르다, 울어 대다
tip 「every time+주어+동사」는 '~할 때마다'라는 의미야.

★★☆

**226** I would really appreciate it if you could allow my son to register additionally.

appreciate 감사하다
register 등록하다
additionally 추가로
tip 「allow+목적어+to부정사」는 '~가 …하는 것을 허락하다'라고 해석해.

Twin Workbook p. 30

**» 시험 빈출 POINT 가정법 if절 *vs.* 조건을 나타내는 if절**

조건을 나타내는 if절은 실제로 일어날 가능성이 있는 일을 나타내고, 가정법 if절은 실현 가능성이 희박한 일을 나타낸다.

[**If** I'm not busy], I **will travel** to Canada. 만약 내가 바쁘지 않으면 캐나다로 여행을 갈 거야. 〈조건절〉

[**If** I **were** a bird], I **would fly** to Canada. 만약 내가 새라면 캐나다로 날아갈 텐데. 〈가정법〉

## 문장공식 24

### 가정법 과거완료

| If | S′가 | had p.p., 했다면 | S가 | 조동사 과거형+have p.p. 했을 텐데 |
|---|---|---|---|---|
| (접속사) | (주어) | (동사) | (주어) | (동사) |
| If ~라면 | it | had snowed, 눈이 왔다면 | we 우리는 | would have had more fun. 더 재미있게 놀았을 텐데 |

MP3 듣기

**✔QUICK QUIZ** 위 문장공식에 유의하여, 어법상 알맞은 것을 고르시오.

(1) If Mina had practiced more, she would [won / have won].

(2) If he [studied / had studied] hard, he would have gotten a better job.

## 기출로 Practice

**A** 다음 문장성분에 유의하여 해석을 완성하시오.

★☆
**227** [If the wind had not been so strong], we could have had tea (outside).
부사절 (가정법 과거완료) / we: S / could have had: V / tea: O

만약 바람이 그렇게 강하지 않았더라면, ______________________.

tip 가정법 과거완료는 '~했다면 …했을 텐데.'로 해석해.

★
**228** I wish [you had been kinder (to my friends)].
I: S / wish: V / O (명사절 – 가정법 과거완료)

______________________ 좋았을 텐데.

kinder 더 친절한

tip 「I wish+가정법 과거완료」는 과거에 이뤄지지 않았던 상황에 대한 소망을 나타내.

★★
**229** [If I had told you that], you might have panicked // and none of us would have made it.
부사절 (가정법 과거완료) / you: $S_1$ / might have panicked: $V_1$ / none of us: $S_2$ / would have made: $V_2$ / it: O

______________, 너는 기겁했을 테고 ______________.

panic 기겁하다, 겁에 질려 어쩔 줄 모르다

make it 성공하다

★☆
**230** I wish [I had gone to the electronics market (with you)].
I: S / wish: V / O (명사절 – 가정법 과거완료)

______________________ 좋았을 텐데.

electronics 전자 장치

tip I wish와 I 사이에 접속사 that이 생략되었어.

Answers p. 37

## If + S′(주어) + had p.p., S(주어) + would / could / might have p.p.

S′가 had p.p.했다면, S가 have p.p.했을 텐데

- 가정법 과거완료는 '과거의 사실과 반대되는 일'이나 '과거에 실현되기 어렵거나 불가능했던 일'을 가정하여 말할 때 사용해.

❶ **가정법 과거완료:** 「If+S′+had p.p. ~, S+조동사 과거형(would / could / might)+have p.p. ….」로 쓰며, '(만약) ~했다면, …했을 텐데.'라고 해석해.

→ 과거 사실: 나는 일찍 일어나지 않아서 그 버스를 타지 못함

[**If I had gotten up** early], I / **could have caught** / the bus. 만약 내가 일찍 일어났더라면/나는/탈 수 있었을 텐데/그 버스를
(S′: I, V′: had gotten up, S: I, V: could have caught, O: the bus)

❷ **I wish 가정법:** '~하면(했다면) 좋을(좋았을) 텐데'의 의미로 현재나 과거의 이루어질 수 없는 일에 대한 소망을 나타낼 때 사용하는 표현이야.

〈과거〉 「**I wish+S′+V′(과거형) ~.**」 (that) I wish [someone **cleaned** my room]. 누군가가 내 방을 청소해 준다면 좋을 텐데.

〈과거완료〉 「**I wish+S′+had p.p. ~.**」 (that) I wish [I **had brought** my umbrella]. 내가 우산을 가져왔다면 좋았을 텐데.

**B** 다음 기출 문장을 해석하시오.

**POP QUIZ!** 과거의 사실과 반대되는 일을 가정한 부분을 찾아봐!

★☆ **231** If I had not met Shawn, I might never have developed my love of literature and writing.

literature 문학
tip 가정법 과거완료의 부정문은 If절은 had 뒤에, 주절은 조동사 과거형 뒤에 not이나 never를 써서 나타내.

★★ **232** If I [CHOOSE! haven't / hadn't] come along, he would have eventually died of starvation.

come along 도착하다
eventually 결국
die of starvation 굶어 죽다

★★☆ **233** If Dante and Shakespeare had died before they wrote those works, nobody ever [CHOOSE! will / would] have written them.

tip 가정법 과거완료 If절에 시간을 나타내는 부사절(before ~ works)이 포함되어 있어.

★★☆ **234** I wished the night would have been longer so that I could stay here longer.

tip 「so that+주어+동사」는 '~하기 위해서'라는 뜻으로 쓰이는 부사절이야.

Twin Workbook p. 31

**» 시험 빈출 POINT If it were not for ~ / If it had not been for ~**

가정법 과거 If it were not for ~(~이 없다면)나 가정법 과거완료 If it had not been for ~(~이 없었다면)는 But for ~나 Without ~과 같은 의미를 가진다.

**If it were not for(= Without(But for)) water, all living creatures on earth would die.** 물이 없다면, 지상의 모든 생명체는 죽을 것이다.

**If it had not been for(= Without(But for)) his help, I would have failed.** 그의 도움이 없었더라면, 나는 실패했을 것이다.

## 문장공식 25

### that절에 가정법 현재를 쓰는 경우

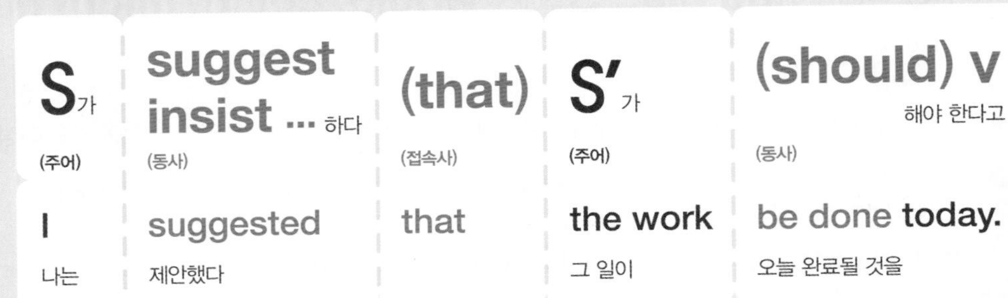

S가
(주어)
suggest
insist … 하다
(동사)
(that)
(접속사)
S′가
(주어)
(should) v
해야 한다고
(동사)
I
나는
suggested
제안했다
that
the work
그 일이
be done today.
오늘 완료될 것을


MP3 듣기

**✓QUICK QUIZ** 위 문장공식에 유의하여, 어법상 알맞은 것을 고르시오.

(1) I recommend that you should [are / be] there on time.

(2) Clara proposed that John [leave / leaves] early.

### 기출로 Practice

**A** 다음 문장성분에 유의하여 해석을 완성하시오.

★
**235** John(S) recommended(V) [that the work should be done (at once)](O (명사절)).

John은 ______________________________ 권했다.

recommend 권하다, 추천하다
at once 즉시

★☆
**236** It(S) is(V) essential(SC) [that every child have the same educational opportunities](S′ (명사절)).

모든 아이들이 ______________________________ 필수적이다.

essential 필수적인
educational 교육적인
opportunity 기회
tip It은 가주어이고, that절이 진주어인 문장이야.

★☆
**237** Swedish law(S) requires(V) [that at least two newspapers be published (in every town)](O (명사절)).

스웨덴 법은 ______________________________ 요구한다.

require 요구하다
at least 적어도
publish 출간하다, 출판하다
tip be published 앞에 조동사 should가 생략되어 있어.

★☆
**238** The coach(S) suggested(V) [that he practice harder (to master the advanced skills)](O (명사절)).

그 감독은 ______________________________ 제안했다.

suggest 제안하다
master 숙달하다, 완전히 익히다
advanced 고급의, 상급의

Answers p. 39

## S(주어) + suggest/insist ...(동사) + (that +) S′(주어) + (should +) v(동사원형) S′가 v해야 한다고 S가 ~하다

❶ 제안·권유, 요구, 주장, 충고, 명령 등을 나타내는 동사 다음에 오는 that절의 동사는 주절의 시제와 관계없이 「(should+)동사원형」의 형태로 쓰며, 'S가 (that절) 해야 한다고 V(요구/주장/명령 …)하다'로 해석해.

**제안·권유**: suggest, propose, recommend
**요구·요청**: demand, require, ask, desire
**주장**: insist, argue, claim **충고**: advise
**명령**: order, command

The soldiers / **insist** [(**that**) their pay (**should**) **be** increased].
S V (that+)S′+(should+) 동사원형
군인들은/주장한다/그들의 봉급이 인상되어야 한다고
→ 이때 that절은 사실이 아니거나 실현되지 않은 일을 나타내.

❷ 이성적 판단을 나타내는 형용사(important, necessary, essential, vital, natural, reasonable 등) 뒤에 that절이 오는 경우에도 「It+be동사+형용사+(that+)S′+(should+)동사원형」 형태로 '의무'나 '당연'의 의미를 나타낼 수 있어.

It / is / **important** [(**that**) you (**should**) **bond** with her]. 중요하다/네가 그녀와 유대감을 형성하는 것은
S V SC (that+)S′+(should+)동사원형

**B** 다음 기출 문장을 해석하시오.

POP QUIZ! 밑줄 친 부분에서 생략 가능한 부분을 찾아봐!

★★
**239** It is necessary that <u>we should learn</u> to hear what our body is telling us.

necessary 필요한
tip that절에서 to hear의 목적어 역할을 하는 관계대명사 what절은 '~하는 것을'이라고 해석해.

★★
**240** The United Nations asks that all companies CHOOSE! [remove / removed] their satellites from orbit) within 25 years.

the United Nations 국제연합, 유엔
remove 제거하다
satellite 위성
orbit 궤도

★★☆
**241** They insist that parents stimulate their children in the traditional ways through reading, sports, and play—instead of computers.

insist 주장하다
stimulate 자극하다
instead of ~ 대신에

★★★
**242** Linda was so uncomfortable about being in the contest that she demanded her name CHOOSE! [be / is] removed from the list.

demand 요구하다
tip that절 내 demanded의 목적어인 명사절에서 접속사 that이 생략되었어.

Twin Workbook p. 32

# Unit Exercise

MP3 듣기 

Answers p. 40

**A** 〈보기〉에서 적절한 것을 골라 빈칸에 쓰고, 문장을 해석하시오.

〈보기〉
were go had required

★☆
**243** I would have called you earlier if my phone battery ________ not died.

★☆
**244** School assignments have typically ________ that students work alone.

★☆
**245** If my sister ________ at home, I would ask her to pick me up.

★☆
**246** The U.N. ambassador recommended that doctors ________ to Africa to volunteer.

**B** 우리말과 의미가 같도록 어법상 틀린 부분을 찾아 바르게 고치시오. 서술형 훈련

★★
**247** 그녀가 자신의 우상이 우승하지 못했다는 것을 알게 되면, 그녀는 몹시 실망할 텐데.
→ If she finds out that her hero hadn't won, she would be terribly disappointed.

★★
**248** 나는 지구를 보호하기 위해 우리 학교 화장실에 자동 손 건조기를 두는 것을 제안한다.
→ I suggest we putting automatic hand dryers in our school bathrooms in order to save the Earth.

★★☆
**249** 소방관들이 제시간에 현장에 도착할 수 있었다면, 화재가 그렇게 빠르게 번지지 않았을 텐데.
→ The fire would not have spread so quickly if our firefighters have been able to arrive at the scene in time.

**Grammar Check**

Choose or Complete

가정법 과거완료는 현재/과거의 사실과 반대되는 상황을 가정하여 말할 때 사용한다.

요구나 주장을 나타내는 동사의 목적어로 쓰인 that절에서 should는 생략 가능/불가능하다.

가정법 과거 if절의 동사가 be동사인 경우, 주어의 인칭과 수 일치에 관계없이 주로 ______를 쓴다.

권고의 의미를 가지는 동사의 목적어로 쓰인 that절의 동사는 시제와 수 일치에 관계없이 과거형/동사원형으로 쓴다.

가정법 과거는 현재/과거의 사실과 반대되는 상황을 가정하여 말할 때 사용한다.

제안·권유의 의미를 가지는 동사의 목적어로 쓰인 that절에서는 that과 ______가(이) 생략 가능하다.

가정법 과거완료 문장은 「If+S'+have p.p./had p.p. ~, S+조동사 과거형+have p.p.」의 형태로 쓴다.

Twin Workbook p. 33

**Words** **A** **243** battery 건전지, 배터리 **244** assignment 과제 typically 전형적으로, 일반적으로 **245** pick up ~를 (차에) 태우러 가다 **246** ambassador 대 volunteer 자원봉사하다, 자원하다 **B** **247** find out 알아내다, 알게 되다 hero 우상, 영웅 **248** automatic 자동의 dryer 건조기, 드라이어 in order to ~하기 위 **249** spread 퍼지다 firefighter 소방관 scene 현장, 장면 in time 제시간에

Answers p. 43

## S(주어) + V(동사) + N(명사) + that절(동격) S가 (that절)이라는(인) N을 V하다

- 명사나 대명사에 대한 구체적인 설명을 접속사 that이나 콤마(,)를 사용하여 동격으로 덧붙일 수 있어.

❶ **동격의 접속사 that**: 「명사+that+S'+V'」 형태로 쓰이며, that절이 앞에 있는 명사의 내용을 자세히 풀어서 설명해.

The fact [that she had to leave] broke / my heart. 그 사실은/그녀가 떠나야 했다는/아프게 했다/나의 마음을
S ㄴ=ㄴ 동격 V O
→ 동격의 that절과 자주 쓰이는 명사: fact, idea, belief, rumor, news, proof, notion, evidence, possibility, information 등

❷ **동격의 콤마(,)**: 「*A* 명사(구), *B* 명사(구)」의 형태로 A와 B가 동일한 대상임을 나타내거나 A에 대한 정보를 추가로 알려 줄 때 사용해.

She / is / J. K. Rowling, the famous writer. 그녀는/~이다/J. K. Rowling/유명한 작가인
S V SC ㄴ=ㄴ 동격

**B** 다음 기출 문장을 해석하시오.

★★
**262** There is strong research evidence [CHOOSE!] that / which children perform better in mathematics with music.

evidence 근거, 증거
perform 수행하다
tip that절의 전치사구 with music은 '음악과 함께 하면'으로 해석하면 돼.

POP QUIZ! 동격구문을 찾아봐!
★★
**263** Rapid heartbeat and quick breathing are simply the body's declaration that we are ready to fight.

rapid (속도가) 빠른
breathing 호흡
simply 그저, 단순히
declaration 선언, 선포

★★☆
**264** This decline in newspaper reading has been due to the fact [CHOOSE!] what / that we are doing more of our newspaper reading online.

decline 감소, 쇠퇴
due to ~에 기인하는
tip 관계대명사 that절과 달리 동격의 that절은 절 내에 주어와 동사를 포함하여 완전한 문장 구조를 갖춰.

★★☆
**265** Simón Bolívar, the general who had led the liberating forces, called a meeting to write the first version of the constitution for the new country.

general 장군
liberating force 해방군
call a meeting 회의를 소집하다
constitution 헌법

Twin Workbook p. 35

**>> 한 줄 독해 POINT 동격의 또 다른 표현**

동격의 접속사 that절이나 동격의 콤마(,)와 같이 앞에 나온 명사의 의미를 보충하거나 바꾸어 말하는 표현으로 「*A* of+(동)명사(구)」가 있다.
We are planning a trip to the windy island of Jeju next week. 우리는 다음 주에 바람이 많이 부는 섬인 제주로 갈 여행을 계획 중이다.
ㄴ=ㄴ

## 문장공식 28

### 강조구문

**It is** **강조 대상** **that ~** 인 것은 (바로)

(명사/부사(구))

| It is | the vase | that Tim broke. |
|---|---|---|
| 바로 ~이다 | 그 화병 | Tim이 깬 것은 |

MP3 듣기

QUICK QUIZ 위 문장공식에 유의하여, 어법상 알맞은 것을 고르시오.

(1) It is trust [what / that] is most important in friendship.

(2) [It / This] was yesterday that a bird broke the window.

## 기출로 Practice

**A** 다음 문장성분에 유의하여 해석을 완성하시오.

★
**266** It was a guitar [that I wanted to receive (for my birthday)].

내가 ______________________________ 기타였다.

receive 받다

tip It ~ that 강조구문에서 It은 해석하지 않아.

★
**267** Ted($S_1$) doesn't like($V_1$) spicy food($O_1$) (much), // but he($S_2$) does(강조) like($V_2$) gimchi($O_2$).

Ted는 매운 음식을 많이 좋아하지는 않지만, ______________________________.

spicy 매운, 양념이 강한

★☆
**268** It was in 1969 [that Apollo 11 landed (on the moon)].

______________________________ 1969년이었다.

land 착륙하다, 내려앉다

★★
**269** [As both research and real life show](부사절), many others(S) do(강조) make(V) important changes(O).

연구와 실생활 둘 다가 보여 주듯이, ______________________________.

tip 부사절의 접속사 As는 '~하듯이'의 의미로 쓰였어.

Answers p. 44

## It + be동사 + 강조 대상 + that ~ ~인 것은 바로 (강조 대상)이다
## S(주어) + do/does/did + V(동사원형) S는 정말 V하다

❶ **It ~ that 강조구문:** 「It+be동사+강조 대상+that ~」 형태로 쓰며 '~인 것은 (바로) …이다'로 해석해. 강조 대상으로는 주어, 목적어, 보어, 부사(구/절)가 올 수 있고, 강조 대상에 따라 that 대신 who(m), which, when, where 등을 사용할 수도 있어.

Tom is watching a soccer game now. Tom은 지금 축구 경기를 시청하고 있다.

→ **It is** Tom [**that** is watching a soccer game now]. 〈주어 강조〉 지금 축구 경기를 시청하고 있는 사람은 바로 Tom이다.
→ that 이하에는 강조 대상이 빠진 나머지 문장이 와.

→ **It is** a soccer game [**that** Tom is watching now]. 〈목적어 강조〉 Tom이 지금 시청하고 있는 것은 바로 축구 경기이다.

❷ **동사를 강조하는 do:** 「do/does/did+동사원형」의 형태로 쓰며, '정말 ~하다(했다)'라는 의미로 동사를 강조해.

She **does play** the piano well. 그녀는 피아노를 정말 잘 친다.

They **did have** a good time at the party. 그들은 파티에서 정말로 좋은 시간을 보냈다.

**B** 다음 기출 문장을 해석하시오.

POP QUIZ! 강조하는 대상을 찾아봐!

★☆
**270** It is our parents who have given us our sense of right and wrong.

sense 감각
right and wrong 옳고 그름
tip It ~ that 강조구문에서 강조하는 대상이 사람일 경우, that 대신 who(m)를 쓸 수 있어.

★★
**271** In some cases, fish exposed to these chemicals do appear to hide.

case 경우
expose 노출하다
tip 과거분사구가 주어 fish를 뒤에서 수식하고 있어.

★★☆
**272** It is only when water levels reach 3 meters above normal that steel gates close shut.

water level 수위
normal 평균, 정상
steel gate 철제 수문
close shut 완전히 닫히다
tip 「only+when절」은 '오직 ~할 때만'이라고 해석해.

★★☆
**273** CHOOSE! [It / That] was not until he discovered some of the principles of marketing that he found increased success.

discover 발견하다
principle 원칙, 원리
tip it is not until ~ that … 구문은 '~하고 나서야 비로소 …하다'라고 해석할 수 있어.

Twin Workbook p. 36

**» 시험 빈출 POINT It ~ that 강조구문 *vs.* It(가주어) ~ that절(진주어)**

강조 대상이 명사(구)인 「It ~ that」 강조구문에서는 that 뒤에 문장 성분이나 의미가 불완전한 구조가 이어지고, 「It(가주어) ~ that절(진주어)」 구문의 that 뒤에는 완전한 문장 구조가 이어진다.

**It was** a chocolate cake **that** Jina had for dessert. 지나가 디저트로 먹은 것은 바로 초콜릿 케이크였다. 〈It ~ that 강조구문〉
강조 대상 / → 목적어가 없는 불완전한 구조가 이어짐

**It is** true **that** he was the first president of the club. 그가 그 동호회의 초대 회장이었다는 것은 사실이다. 〈가주어 It ~ 진주어 that절〉
→ 완전한 문장 구조가 이어짐

문 장 공 식

# 29

## 도치구문

| 부정어 ~아닌 / 부사(구) ~에(서) | V 하다 (동사) | S 가 (주어) | |
|---|---|---|---|
| Never | is | my sister | late for school. |
| 결코 ~ 아닌 | ~이다 | 내 여동생은 | 학교에 늦은 |

MP3 듣기

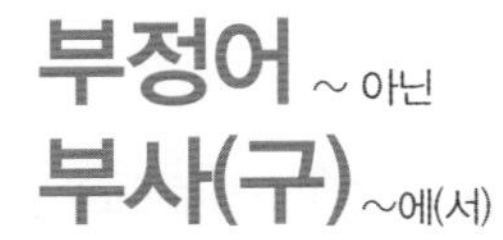

✔QUICK QUIZ 위 문장공식에 유의하여, 어법상 알맞은 것을 고르시오.

(1) Never [I have / have I] seen such a remarkable place.

(2) Hardly [I / did I] think that she would fail.

### 기출로 Practice

**A** 다음 문장성분에 유의하여 해석을 완성하시오.

★
**274** (There) sat a wonderful lady.
부사 V S

그곳에 ______________________________.

tip 부사인 there(그곳에)가 문장 앞에 와서 도치가 일어났어.

★☆
**275** (Little) did I expect [that I would ever meet him again].
부정어 조동사 S V O (명사절)

내가 그를 다시 만날 것이라고는 ______________________________.

tip Little은 부정의 의미를 지닌 부사로, '조금도[전혀] ~ 않다'라고 해석할 수 있어.

★☆
**276** (Next to the doll) was a small box (containing tiny combs and a silver mirror).
장소 부사구 V S

그 인형 옆에 ______________________________.

contain ~이 들어 있다
comb 빗
tip containing ~ mirror는 문장의 주어인 a small box를 수식하는 현재분사구야.

★★
**277** (Only after some time) did the student begin to develop the necessary insights.
부정어 조동사 S V O

시간이 좀 지난 후에야 ______________________________.

insight 통찰력
tip Only는 부사로서 '오직, ~밖에 없는'이라는 부정의 의미를 표현해.

Answers p. 45

## 부정어 + V(동사) + S(주어) S가 V하는 것이 ~ 않다 부사(구) + V(동사) + S(주어) ~에(서) S가 V하다

- 특정 어구가 문장 앞으로 나가 강조되면, 뒤에 나오는 주어와 동사의 순서가 바뀌게 되는데 이를 '도치'라고 해.

❶ **부정어 도치:** 부정어를 문장의 앞에서 강조할 때, 「부정어+be동사+주어」, 「부정어+조동사+주어+동사원형」, 「부정어+do(does/did)+주어+동사원형」의 어순이 돼.

**부정어:** not, never, nothing, nor, not only, neither, few, little, hardly, rarely, seldom, only 등

(**Never**) **does** / **she** / **keep** / her promises. 그녀는 전혀 약속을 지키지 않는다.
부정어 조동사 S V O

(**Only** by reading broadly) **can** / **we** / **understand** / other cultures. 오직 폭넓은 독서에 의해서만 우리는 다른 문화들을 이해할 수 있다.
부정어 조동사 S V O

❷ **부사구·보어 도치:** 장소나 방향을 나타내는 부사구나 보어가 문장의 앞에서 강조될 때도 도치가 일어나.

(**On the hill**) stands / our school. 그 언덕 위에/서 있다/우리 학교가
부사구 V S → 단, 자동사가 쓰인 문장에서 부사구 도치가 일어나고, 주어가 대명사일 때는 도치되지 않아.

❸ **here/there 도치:** 부사인 here나 there가 문장 앞에서 강조될 때도 도치가 일어나.

(**Here**) comes / the train! 기차가 여기로 오고 있다!
V S

*cf.* (**Here**) she / comes! 그녀가 여기로 오고 있어!
S V → 주어가 대명사일 때는 도치되지 않아.

**B** 다음 기출 문장을 해석하시오.

★★
**278** Since they moved in, never have I had a good night's sleep.

move in 이사 오다(가다)
have a good night's sleep 잠을 잘 자다
tip since가 '~ 이후로'라는 의미의 접속사로 쓰였어.

★★
**279** Along the coast of British Columbia [CHOOSE! lie / lies] a land of forest green and sparkling blue.

coast 해안
lie 위치하다
forest green 짙은 황록색
sparkling 반짝이는

★★☆
POP QUIZ! 문장의 주어와 동사를 찾아봐!
**280** Rarely is a computer more sensitive than a human in managing the same environmental factors.

sensitive 민감한
manage 관리하다
factor 요인
tip Rarely로 시작하는 문장은 '~하는 것은 드물다'로 해석하면 자연스러워.

★★★
**281** Among the most fascinating natural temperature-regulating behaviors [CHOOSE! is / are] those of social insects such as bees and ants.

fascinating 매력적인
temperature-regulating 온도 조절
behavior 행동

Twin Workbook p. 37

**» 시험 빈출 POINT 가정법 if의 생략과 도치**

가정법 if절의 동사가 had, were, should를 포함하면 if를 생략하고, 주어와 동사를 도치하여 쓸 수 있다.
**Had you slept** earlier, you could have arrived at school on time. 네가 더 일찍 잤더라면 학교에 제시간에 도착할 수 있었을 텐데.
(= If you **had** slept earlier)

## 문장공식 30

### 병렬구조

| S | V1 | and / but / or | (S) | V2 |
|---|---|---|---|---|
| (주어) | (동사) | (등위접속사) | (주어) | (동사) |
| They | baked cakes | and | | drank juice. |
| 그들은 | 케이크를 구웠다 | 그리고 | | 주스를 마셨다 |

MP3 듣기

✔QUICK QUIZ 위 문장공식에 유의하여, 어법상 알맞은 것을 고르시오.

(1) The students gathered all the trash and [taking / took] it outside.

(2) I like not only reading books but also [watch / watching] movies.

## 기출로 Practice

**A** 다음 문장성분에 유의하여 해석을 완성하시오.

★☆
**282** Mongolia(S) has(V) high mountain ranges($O_1$) / as well as vast desert plains($O_2$).

몽골에는 광활한 사막 초원 ______________________________ 있다.

> mountain range 산맥
> vast 광활한
> plain 평원, 초원
> tip *A* as well as *B*는 'B뿐만 아니라 A도'라는 뜻으로 B부터 해석해.

★☆
**283** The building(S) is(V) not only beautiful($SC_1$) / but also environmentally friendly($SC_2$).

그 건물은 ______________________________.

> environmentally friendly 환경친화적인
> tip 보통 -ly로 끝나는 단어는 부사지만 friendly는 형용사야.

★★
**284** Staying connected (online)(S) is(V) not an option($SC_1$) / but a must($SC_2$) (for many travelers) (these days).

요즘 온라인상에 접속되어 있는 것은 ______________________________.

> connected 연결된, 접속된
> option 선택
> traveler 여행자, 관광객
> tip must는 조동사가 아니라 '꼭 해야 하는 것, 필수'라는 의미의 명사로 쓰였어.

★★
**285** (Throughout the late 1950s and early 1960s), Forman(S) acted(V) (as either writer(명사1) or assistant director(명사2)) (on several films).

1950년대 후반과 1960년대 초에 걸쳐 Forman은 ____________________ 역할을 했다.

> throughout ~ 동안 쭉
> assistant director 조감독
> tip 전치사 as가 '~으로(서)'의 의미로 쓰였어.

Answers p. 47

## S + $V_1$ + and/but/or + (S) + $V_2$ S가 $V_1$하고/하지만/하거나 $V_2$하다

- 등위접속사 또는 상관접속사로 단어나 구, 절이 연결된 것을 병렬구조라고 해.

❶ 등위접속사 and, but, or는 명사(구), 동사(구), 절, 전치사구를 대등하게 연결해.

Deforestation destroys forests **and** pollutes rivers. 삼림 벌채는 숲을 파괴하고 강을 오염시킨다. 〈동사구 연결〉
→ 접속사로 연결된 대상은 문법적 구조나 성질이 같아야 해.

I like coffee, **but** my husband prefers tea. 나는 커피를 좋아하지만 남편은 차를 더 좋아한다. 〈절 연결〉

We can go by bus **or** by taxi. 우리는 버스로 또는 택시로 갈 수 있다. 〈전치사구 연결〉

❷ 두 개 이상의 단어나 구가 짝을 이루어 하나의 접속사 역할을 하는 상관접속사로 연결된 A와 B 자리에는 문장 성분이 같은 어구가 쓰여 병렬구조를 이뤄.

| | | | |
|---|---|---|---|
| both *A* and *B* | A와 B 둘 다 | not *A* but *B* | A가 아니라 B |
| not only *A* but also *B* (= *B* as well as *A*) | A뿐만 아니라 B도 | either *A* or *B* | A 혹은 B |
| | | neither *A* nor *B* | A와 B 둘 다 아닌 |

**B** 다음 기출 문장을 해석하시오.

★☆
**286** Like fragments from old songs, clothes can evoke both cherished [CHOOSE! and / also] painful memories.

fragment 조각, 파편
evoke 불러일으키다
cherished 소중한
painful 고통스러운
tip Like는 '~처럼'을 의미하는 전치사로 쓰였어.

★★☆
POP QUIZ! 병렬구조를 이루는 부분을 두 군데 찾아봐!
**287** The new policy not only makes the economy strong but also helps unite the community.

policy 정책
economy 경제
unite 결속시키다

★★☆
**288** Until then, imaginary friends should be respected and [CHOOSE! welcome / welcomed] by parents because they signify a child's developing imagination.

imaginary 상상에만 존재하는
signify 의미하다, 나타내다
developing 자라나는
imagination 상상력

★★☆
**289** An emergency room doctor may wear special clothes to protect herself from infectious agents as well as to protect patients from germs.

emergency room 응급실
infectious agent 감염원
patient 환자
germ 세균

Twin Workbook p. 38

**시험 빈출 POINT 상관접속사와 동사의 수 일치**

상관접속사가 주어 자리에 쓰일 때 both *A* and *B*는 복수 취급하고, 나머지는 모두 B에 동사의 수를 일치시킨다.
**Both** music **and** PE are school subjects. 음악과 체육은 둘 다 학교 과목이다.
**Not** Eric **but** Suji is my best friend. Eric이 아니라 수지가 내 가장 친한 친구이다.

# Unit Exercise

MP3 듣기 

Answers p. 48

## A
네모 안에서 알맞은 것을 고르고, 문장을 해석하시오.

★
**290** Safety is the [more / most] important thing in camping.

★☆
**291** The fact [that / which] he had suspected the old man pained his heart.

★★
**292** It was in Washington, D.C. [that / when] she started to develop an interest in astronomy.

★★
**293** At no point in human history [we have / have we] used more elements.

## B
우리말과 의미가 같도록 어법상 틀린 부분을 찾아 바르게 고치시오. 서술형 훈련

★☆
**294** 풍선을 불거나 고무줄을 잡아당길 때, 당신은 물질을 늘리고 있는 것이다.
→ When you blow up a balloon or pulls on a rubber band, you are stretching material.

★★☆
**295** 그 대신, 사람들 앞에서 말하는 것에 대해 당신이 아마 긴장해 있다는 신호로 당신의 불안을 받아들이도록 노력해라.
→ Instead, try to accept your anxiety as a signal what you are probably nervous about public speaking.

★★☆
**296** 노르웨이는 에너지에서 나오는 배출 가스에 대한 탄소세를 도입했고, 그것은 정말 환경적인 혁신을 장려하는 것처럼 보였다.
→ Norway introduced a carbon tax on emissions from energy, and it did seemed to encourage environmental innovation.

### Grammar Check
Choose or Complete

「the+______」은 '가장 ~한(하게)'를 의미한다.

동격구문을 이끄는 접속사는 ______이다.

「______+be동사+강조 대상+______ ~」의 형태로 '~인 것은 바로 …이다'의 의미를 나타낼 수 있다.

부정어가 있는 어구가 문장 앞에서 강조되면, 「______+______」의 순서로 도치가 일어난다.

and, but, or는 단어, 구, 절을 대등하게 연결하는 [등위접속사 / 상관접속사]이다.

동격구문은 앞에 있는 [명사 / 동사]를 풀어서 설명한다.

「do/does/did+______」의 형태로 동사의 의미를 강조할 수 있다.

Twin Workbook p. 39

**Words** **A** **290** safety 안전 **291** suspect 의심하다 pain 아프게 하다 **292** develop 개발하다 astronomy 천문학 **293** point 지점 element 원소 **B** **294** blow 불다 pull on 잡아당기다 rubber band 고무줄 stretch 늘이다 material 물질 **295** instead 대신에 accept 받아들이다 anxiety 불안, 걱정 signal 신호 proba 아마도 public speaking 공개 연설 **296** introduce 도입하다 carbon tax 탄소세 emission 배출 encourage 격려하다, 장려하다 innovation 혁신

# Final Test

MP3 듣기 

Answers p. 50

• 다음 기출 문장을 해석하시오.

CHOOSE! 어법에 맞는 것 고르기

**297** The growth in the size and complexity of human populations [was / were] the driving force in the evolution of science.

**298** Rumors published on the Internet now have a way of becoming facts.

CORRECT 어법에 맞게 고쳐 쓰기

**299** Get meaningful feedback on your performance is a powerful strategy for learning anything.

FILL IN 빈칸 채우기

**300** __________ is said that although people laugh in the same way, they don't necessarily laugh at the same things.

**301** Though we don't know a lot about dinosaurs, what we do know is fascinating to children of all ages.

**302** How the native inhabitants have adapted to their way of life will help you to understand the environment.

**Words** 297 growth 성장, 증가 complexity 복잡성 population 인구 driving force 추진력 evolution 진화, 발전 298 rumor 소문 publish 발표(공표)하다 have a way of 흔히 ~하게 되어가다 299 meaningful 의미 있는 feedback 피드백 performance 수행, 성과 strategy 전략 300 not necessarily 반드시 ~은 아닌 301 fascinating 매력적인 age 연령 302 native 토착의 inhabitant 주민 adapt 적응하다

# Final Test

**303** We may no longer need to communicate with other human beings in order to entertain ourselves.

**304** Michael likes to invent things to make life more comfortable and help out people in need.

CHOOSE! 어법에 맞는 것 고르기

**305** One founder of a famous broadcasting company believed [that / what] social media would unite us.

**306** The most remarkable thing is that our internal body clocks can be readjusted by environmental cues.

**307** A spirit of community makes all participants happier.

CORRECT 어법에 맞게 고쳐 쓰기

**308** Walked up the path and back to the car, they could still hear the fish splashing in the water.

**309** I will post an ad for a drone club that I'm going to make.

FILL IN 빈칸 채우기

**310** Humans have __________ replacing diverse natural habitats with artificial monoculture* for millennia.

*monoculture 단일 경작

**Words** 303 no longer 더이상 ~ 않다 entertain 즐겁게 해 주다 304 in need 도움이 필요한 305 founder 설립자 broadcasting 방송 unite 통합(결합)시ㅋ 306 remarkable 놀라운 internal 내부의 body clock 체내 시계 readjust 다시 조정하다 cue 신호, 단서 307 spirit 정신, 의식 community 공동체 3 path 길 splash 첨벙거리다 309 ad(advertisement) 광고 310 replace *A* with *B* A를 B로 대체하다 diverse 다양한 habitat 서식지 artificial 인위ㅈ monoculture 단일 경작 millennium 천 년 (*pl.* millennia)

**311** Andrew, whom nobody had noticed before the tournament this year, came to progress to the final match.

**312** Children who wear protective gear during their games have a tendency to take more physical risks.

CORRECT 어법에 맞게 고쳐 쓰기

**313** An ecosystem is a community of all the living things, their habitats, and the climate in that they live.

CHOOSE! 어법에 맞는 것 고르기

**314** His father owned an extensive library [that / where] Turner became fascinated with reading about the habits and behavior of insects.

**315** The visiting-team room was painted a blue-green, which had a calming effect on the team members.

CHOOSE! 어법에 맞는 것 고르기

**316** [Despite / Although] most people recognize it as a jewel, the diamond most directly affects our daily lives as a tool.

**317** We frequently overestimate agreement with others, believing that everyone else thinks and feels exactly like we do.

**318** When asked by psychologists, most people rate themselves above average on all manner of measures including intelligence, looks, health, and so on.

**Words** 311 notice 알아보다 tournament 토너먼트 progress 나아가다, 진출하다 312 protective gear 보호 장비 tendency 경향 physical 신체적인, 물리적인 risk 위험 313 ecosystem 생태계 climate 기후, 날씨 314 own 소유하다 extensive 광활한, 넓은 fascinated 매료된 behavior 행동 315 calming effect 진정 효과 316 recognize 알아보다, 인식하다 affect 영향을 미치다 tool 도구 317 frequently 빈번하게 overestimate 과대평가하다 agreement 동의, 합의 318 psychologist 심리학자 rate 평가하다 average 평균의, 보통의 measure 척도, 기준 intelligence 지능

# Final Test

▶ Answers p. 52

**CORRECT** 어법에 맞게 고쳐 쓰기

**319** If children were required to excel only in certain areas, they <u>may</u> be better able to cope with their parents' expectations.

**FILL IN** 빈칸 채우기

**320** Can you imagine what the world today would be like if Leonardo da Vinci ________ become a farmer?

**321** From Dworkin's view, justice requires that a person's fate be determined by things that are within that person's control, not by luck.

**322** Positive expectations are more effective than fantasizing about a desired future and they are likely to increase your chances of success.

**323** The number of unsuccessful people who come from successful parents is proof that genes have nothing to do with success.

**CHOOSE!** 어법에 맞는 것 고르기

**324** [It / This] is the presence of the enemy that gives meaning and justification to war.

**325** Only in terms of the physics of image formation do the eye and camera have anything in common.

**326** Conflict is not only unavoidable but actually crucial for the long-term success of the relationship.

**Words** 319 excel 뛰어나다 certain 특정한 cope with ~에 대응(대처)하다 expectation 기대 320 imagine 상상하다 321 view 견해, 관점 justice 정의 f
운명 determine 결정하다 control 지배, 통제 322 effective 효과적인 fantasize 공상하다 desired 바랐던 323 proof 증거 gene 유
324 presence 있음, 존재 enemy 적 justification 정당한 이유 325 in terms of ~ 측면에서 physics 물리학 formation 형성 in common 공통적
326 conflict 갈등 unavoidable 불가피한 crucial 중대한, 중요한 long-term 장기적인

# Vocabulary List

## 문장공식 01

| | | | |
|---|---|---|---|
| arrangement | 정리, 배치 | neat | 정돈된 |
| boundary | 경계, 경계선 | need | 필요, 욕구 |
| challenge | 도전, 문제 | organize | 정리하다, 조직하다 |
| connect | 연결하다 | overcome | 극복하다 |
| face | 겪다, 직면하다 | reduce | 줄이다 |
| farming | 농업, 영농 | remain | 여전히 ~이다 |
| fundamental | 근본적인 | selling | 판매 |
| hunting | 수렵, 사냥 | shift | 전환, 변화 |
| marketing | 마케팅 | state | 주(州) |
| mountain range | 산맥 | tidy | 깔끔한 |

## 문장공식 02

| | | | |
|---|---|---|---|
| accuracy | 정확(도) | move into | ~로 이동하다, 이사하다 |
| complete | 완전한, 완벽의 | perform | 수행하다 |
| direct | 감독하다 | prompt | 유도하다, 촉발하다 |
| elsewhere | 다른 곳에서(으로) | relive | 다시 체험하다, 다시 살다 |
| express | 표현하다 | rough | 거친 |
| gain | 얻다 | seek | 찾다, 구하다 |
| housework | 가사, 집안일 | stimulating | 자극이 되는 |
| imprecisely | 부정확하게 | tone | 어조, 말투 |
| intellectually | 지적으로 | Western | 서양의 |
| a member of a household | 가족 구성원 | widespread | 광범위한, 폭넓은 |

## 문장공식 03

| | | | |
|---|---|---|---|
| allow | 허용하다 | improve | 향상시키다 |
| circumstance | 상황, 환경 | learning | 학습 |
| communicate | 의사소통하다 | make an effort | 노력하다 |
| courageous | 용감한 | male | 수컷의, 남성의 |
| determination | 결단력 | management | 관리 |
| distinguish | 구분하다 | original | 원본의 |
| enough | 충분한 | require | 필요로 하다 |
| exhibition hall | 전시회장 | respect | 존중, 존경 |
| female | 암컷의, 여성의 | support | 지지, 지원 |
| fight | 맞서 싸우다 | work of art | 미술품 |

# Vocabulary List

## 문장공식 04

| | | | |
|---|---|---|---|
| academic | 학업의 | exposure | 노출 |
| achievement | 성취, 달성 | failure | 실패 |
| assume | 추정하다, 가정하다 | messy | 지저분한, 어질러진 |
| be related to | ~와 관계가 있다 | method | 방법 |
| brain tissue | 뇌 조직 | mind | 마음, 정신 |
| clear | 분명한, 확실한 | movement | 움직임, 동작 |
| constant | 지속적인, 끊임없는 | reason | 판단하다 |
| conversation | 대화 | subject | 주제, 사안 |
| discourage | 의욕을 꺾다 | technology | 기술 |
| excitement | 흥분, 신남 | widely | 널리 |

## 문장공식 05

| | | | |
|---|---|---|---|
| appear | ~처럼 보이다 | junk | 쓰레기 |
| bring back | ~을 되살리다 | may well | 아마도 ~일 것이다 |
| challenging | 도전 의식을 북돋우는 | medium | 매체, 도구 |
| chill one's blood | 간담을 서늘하게 하다 | nature | 본성 |
| consider | 여기다 | original | 원래의 |
| differ | 다르다 | status symbol | 지위의 상징 |
| fall into | ~에 빠지다 | unpredictable | 예측할 수 없는 |
| for a while | 한동안 | valuable | 값진, 귀중한 |
| happen | 발생하다, 일어나다 | watercolor | 수채화 물감 |
| intent | 의도 | worthless | 쓸모없는 |

## 문장공식 06

| | | | |
|---|---|---|---|
| accept | 받아들이다 | equally | 동등하게, 똑같이 |
| at that time | 그 당시에 | existing | 기존의, 존재하는 |
| clearly | 명확하게 | explain | 설명하다 |
| compatibility | 양립 가능성 | extinct | 멸종한 |
| consideration | 고려 사항 | harvest | 수확하다, 추수하다 |
| cross the finish line | 결승선을 통과하다 | issue | 쟁점, 문제 |
| cultural item | 문화 항목 | sugarcane | 사탕수수 |
| debate | 논의하다, 토론하다 | to this day | 지금까지도 |
| depend on | ~에 달려 있다 | trait | 특성 |
| earn | (돈을) 벌다 | universe | 우주 |

# Vocabulary List

## Unit Exercise

### 문장공식 01~06

| | | | |
|---|---|---|---|
| a long line of | 길게 줄지어진 ~ | enormous | 엄청난, 거대한 |
| according to | ~에 따라 | given | 주어진 |
| backyard | 뒤뜰, 뒷마당 | hotly | 뜨겁게 |
| barn | 헛간 | make a living | 생계를 꾸리다 |
| bike | 자전거 | piece | 조각 |
| brake | 브레이크, 제동 장치 | researcher | 연구가 |
| catch up on sleep | 밀린 잠을 몰아 자다 | sense | 감각 |
| circumstance | 환경, 상황 | tone | 어조, 톤 |
| debated | 논의되는, 토론되는 | topic | 주제 |
| decision | 결정, 결심 | track racing | 경륜, 자전거 경주 |

### 문장공식 07

| | | | |
|---|---|---|---|
| bother | 신경 쓰이게 하다, 괴롭히다 | in vain | 헛되이 |
| comfortably | 편안하게 | interact | 상호 작용을 하다 |
| communicate | 소통하다 | introduce | 소개하다 |
| concern | 우려, 걱정거리 | rational | 합리적인 |
| consider *A* as *B* | A를 B로 여기다 | rush | 급속히 움직이다 |
| creatively | 창의적으로 | salesman | 판매원 |
| decision maker | 의사 결정자 | salmon | 연어 |
| executive | 경영 간부 | take a deep breath | 심호흡을 하다 |
| flu | 독감 | take a picture | 사진을 찍다 |
| immunity-booster | 면역력 촉진제 | ultimate | 궁극의, 최고의 |

### 문장공식 08

| | | | |
|---|---|---|---|
| billions of | 수십억의 ~ | park | 주차하다 |
| business world | 실업계 | photograph | 사진을 찍다 |
| castle | 성 | planet | 행성 |
| decision | 결정 | protect | 보호하다 |
| exclude | 제외하다 | save | 모으다 |
| further | 더 나아간, 추가적인 | shine | 빛나다, 비추다 |
| historical | 역사적인 | take care of | ~을 돌보다 |
| knee | 무릎 | unnecessary | 불필요한 |
| mental | 정신의 | unwanted | 원치 않는 |
| monument | 기념물, 건축물 | waste | 낭비하다 |

# Vocabulary List

## 문장공식 09

| | | | |
|---|---|---|---|
| amazing | 놀라운 | recycle | 재활용하다 |
| answer | 대답, 답 | resident | 주민, 거주자 |
| audience | 청중, 관중 | run for | ~에 출마하다 |
| competitor | 경쟁자 | science | 과학 |
| feedback | 피드백 | speaker | 말하는 사람, 화자 |
| figure out | 알아내다 | student president | 학생회장 |
| for a moment | 잠시 동안 | throw away | 버리다 |
| gondola ride | 곤돌라 타기 | understand | 이해하다 |
| indicate | 나타내다, 보여 주다 | visitor | 방문객 |
| listener | 듣는 사람, 청자 | way | 방법 |

## Unit Exercise

### 문장공식 07~09

| | | | |
|---|---|---|---|
| blood pressure | 혈압 | regularly | 규칙적으로 |
| celebrity | 유명 인사 | solve | 풀다, 해결하다 |
| control | 통제하다, 조절하다 | starve | 굶주리다 |
| describe | 묘사하다 | strength | 강점, 장점 |
| energize | 활기를 북돋우다 | supply | 공급하다, 제공하다 |
| film | 촬영하다 | teen | 십 대 |
| flavor | 풍미, 맛 | tell | 알다, 판단하다 |
| honest | 솔직한 | tons of | 수십 톤의, 수많은 |
| lessen | 줄이다 | weakness | 약점 |
| Polish | 폴란드의 | wonder | 궁금하다 |

## 문장공식 10

| | | | |
|---|---|---|---|
| appreciate | (제대로) 인식하다 | key | 가장 중요한, 핵심적인 |
| attractive | 매력적인 | license | 면허, 자격증 |
| compare | 비교하다 | light | 빛 |
| competence | 능력, 능숙도 | living organism | 생물 |
| concern | 관심사 | matter | 중요하다 |
| driverless | 운전자가 없는 | operate | 조작하다, 작동하다 |
| effective | 효율적인 | product | 제품 |
| expect | 기대하다 | quality | 질 |
| failure | 실패 | reliable | 신뢰할 수 있는 |
| issue | 쟁점, 사안 | social | 사회적인 |

# Vocabulary List

## 문장공식 11

| | | | |
|---|---|---|---|
| amnesia | 기억 상실증 | plastic bag | 비닐봉지 |
| aware of | ~을 알고 있는 | rating | 평점, 등급 |
| beneficial | 유익한, 이로운 | result from | ~에서 비롯되다 |
| brain injury | 뇌 손상 | review | 후기, 논평 |
| customer | 고객, 소비자 | support | 지원하다, 지지하다 |
| form | 형성하다 | task | 일, 과업 |
| fulfilling | 성취감을 주는 | unable | ~하지 못하는 |
| name | 이름을 지어주다 | victim | 희생자, 환자 |
| pack | 포장하다 | vision | 시력, 시야 |
| pet visit | 애완동물의 방문 | worse | 더 나쁜 |

## 문장공식 12

| | | | |
|---|---|---|---|
| acquire | 얻다, 습득하다 | observe | 관찰하다 |
| advice | 충고 | occasional | 가끔의, 때때로의 |
| behavior | 행동, 태도 | receive | 받다 |
| crop | 농작물 | rejection | 거절 |
| discouraged | 낙심한 | rich | 비옥한, 풍부한 |
| evaluate | 평가하다 | soil | 토양 |
| expert | 전문가 | subject | 실험(연구) 대상 |
| fade | 서서히 사라지다 | try out | 시도하다 |
| insightful | 통찰력 있는 | value | 가치 |
| multiple-choice problem | 선다형 문제 | welcoming | (장소가) 안락한 |

## Unit Exercise
### 문장공식 10~12

| | | | |
|---|---|---|---|
| attractive | 매력적인, 멋진 | lifetime | 일생, 평생 |
| blind | 눈이 먼, 시각장애인인 | non-swimmer | 수영을 못하는 사람 |
| board | 판자 | notice | ~을 알아차리다 |
| choose | 선택하다, 고르다 | obstacle | 장애, 장애물 |
| cross | 건너다 | order | 지시하다, 명령하다 |
| education | 교육 | participant | 참가자 |
| experiment | 실험 | reality | 현실 |
| face | 얼굴 | researcher | 연구자 |
| hold back | 억제하다 | true | 진정한, 참된 |
| later on | 나중에 | wander | 거닐다, 돌아다니다 |

# Vocabulary List

## 문장공식 13

| | | | |
|---|---|---|---|
| annual | 연례의, 매년의 | female | 여성 |
| area | 구역, 지역 | grab | 붙잡다, 움켜쥐다 |
| as soon as | ~하자마자 | habitat | 서식지 |
| chocolate bar | 초코바 | lecture | 강의 |
| come up | 다가오다 | move forward | 나아가다 |
| comfort zone | 안락 지대 | path | 길 |
| competition | 경연 대회 | set | 정하다 |
| continue | 계속하다 | stretch out | (몸을) 뻗다 |
| destroy | 파괴하다 | trail | 산책로 |
| excess | 과도한 | wildlife | 야생 동물 |

## 문장공식 14

| | | | |
|---|---|---|---|
| creation | 창조, 탄생 | observe | 관찰하다 |
| daily life | 일상생활 | participation | 참여 |
| dam | 댐 | permission | 허가, 허락 |
| decade | 10년 | play a role | 역할을 하다 |
| effect | 영향, 효과 | recycling | 재활용 |
| increase | 증가하다 | salmon | 연어 |
| industry | 산업 | shellfish | 조개류, 갑각류 |
| intentionally | 의도적으로 | take a deep breath | 심호흡을 하다 |
| marketer | 마케팅 담당자 | traffic | 교통(량) |
| near-accident | 거의 일어날 뻔한 사고 | work | 작동되다, 운영되다 |

## 문장공식 15

| | | | |
|---|---|---|---|
| actually | 실제로, 정말로 | only daughter | 외동딸 |
| angel | 천사 | participant | 참가자 |
| by the time | ~할 즈음에 | player | 선수 |
| cinema | 영화관 | prepare | 준비하다 |
| conversation | 대화 | put | 놓다, 두다 |
| dress | 옷을 입히다 | researcher | 연구원 |
| end | 끝나다 | sacrifice | 희생하다 |
| hurry | 서두르다 | secret surprise | (비밀) 깜짝 선물(파티) |
| musical | 뮤지컬 | shocked | 충격을 받은, 깜짝 놀란 |
| national | 국가의 | sixtieth | 60번째의 |

# Vocabulary List

## Unit Exercise
### 문장공식 13~15

| | | | |
|---|---|---|---|
| achieve | 성취하다, 달성하다 | point | 시점, 단계 |
| along the way | 그 과정에서 | realize | 깨닫다 |
| climb | 오르다 | reveal | 드러내다, 밝히다 |
| data | 자료, 데이터 | several | 몇몇의 |
| death | 죽음 | share | 공유하다 |
| goal | 목표 | so far | 지금까지 |
| in person | 직접, 몸소 | socially | 사회적으로 |
| loss | 분실, 상실 | succeed | 성공하다 |
| none of | ~중 아무(것)도 (…않다) | surprisingly | 놀랍게도 |
| pain | 아픔, 고통 | widely | 널리 |

## 문장공식 16

| | | | |
|---|---|---|---|
| admire | 존경하다 | make a mistake | 실수하다 |
| apologize | 사과하다 | match | 어울리다, 맞다 |
| app(application) | 앱, 응용 프로그램 | pioneer | 선구자 |
| concerned | 관심이 있는 | reduce | 줄이다 |
| container | 용기, 그릇 | result | 결과 |
| counselor | 상담자 | score | 점수 |
| front | (맨) 앞쪽 | sincerely | 진심으로 |
| ideal | 이상적인 | step | 조치, 단계 |
| inconvenience | 불편 | suggest | 제안하다 |
| lid | 뚜껑 | teapot | 찻주전자 |

## 문장공식 17

| | | | |
|---|---|---|---|
| comfortable | 편안한 | last name | 성(姓) |
| consciousness | 의식 | make sense of | ~을 이해하다 |
| context | 맥락, 전후 사정 | occur | 발생하다 |
| create | 만들다, 창조하다 | patient | 환자 |
| dealer | 판매자, 상인 | protective | 보호하는 |
| do one's best | 최선을 다하다 | receipt | 영수증 |
| enjoyable | 즐거운 | safe | 안전한 |
| faulty | 결함이 있는, 불완전한 | take | 데리고 가다 |
| fresh | 신선한 | toaster | 토스터 |
| infant | 유아(기) | vegetable | 채소 |

# Vocabulary List

## 문장공식 18

| | | | |
|---|---|---|---|
| absent | 결석한 | perceive *A* as *B* | A를 B로 인식하다 |
| catch on fire | 불이 붙다 | playground | 놀이터 |
| extremely | 극도로 | rely on | ~을 의지하다, 믿다 |
| frustrating | 좌절감을 주는 | resist | 저항하다, 반대하다 |
| habit | 습관 | stick | 막대기 |
| invent | 발명하다 | survival | 생존 |
| match | 성냥 | task | 일, 과업 |
| multiple | 다수의, 복수의 | technology | 과학 기술 |
| neighbor | 이웃 | threat | 위협 |
| painting | 그림 | to one's surprise | 놀랍게도 |

## 문장공식 19

| | | | |
|---|---|---|---|
| angered | 화가 난 | interpersonal | 대인 관계에 관련된 |
| automatic | 자동의 | medical treatment | 치료, 의료 |
| bright | 밝은 | passion | 열정 |
| creature | 생물 | photography | 사진(술) |
| dining room | 식당 | physical | 신체적인, 물리적인 |
| disabled | 장애를 가진 | promote | 증진하다 |
| disappoint | 실망시키다 | provide | 제공하다 |
| escape | 탈출하다, 벗어나다 | staff | 직원 |
| feed on | ~을 먹고 살다 | teens | 십 대 시절 |
| frequently | 자주 | warmth | 온기, 따뜻함 |

## Unit Exercise
### 문장공식 16~19

| | | | |
|---|---|---|---|
| Austrian | 오스트리아(인)의 | near-sighted | 근시안의 |
| author | 작가 | overseas | 해외에(서), 해외의 |
| be able to | ~ 할 수 있는 | person | 사람 |
| chance | 가능성, 기회 | precious | 귀중한 |
| contemporary | 현대의, 당대의 | reply | 대답, 답장 |
| deal with | ~을 다루다, 처리하다 | sell | 팔리다 |
| fail | 실패하다 | step | 발걸음을 떼다, 움직이다 |
| improve | 개선하다, 향상시키다 | success | 성공, 성과 |
| inspiration | 영감, 영감을 주는 것(사람) | write back | 답장을 쓰다 |
| millions of | 수백만의 | zone | 지역, 구역 |

# Vocabulary List

## 문장공식 20

| | | | |
|---|---|---|---|
| beyond | (능력을) 넘어서는 | indicator | 표시, 지표 |
| blink | 깜박이다 | originate | 유래하다 |
| capacity | 역량, 능력 | period | 기간, 시기 |
| care for | ~을 돌보다 | pollen | 꽃가루, 화분 |
| century | 세기 (100년) | regularly | 규칙적으로 |
| charge | 충전하다 | robotic | 로봇식의 |
| earthquake | 지진 | shift | 변동, 변화 |
| earth's plate | 지각 | tsunami | 쓰나미 |
| effort | 노력 | undersea | 해저의 |
| facility | 시설 | vacuum | 진공청소기 |

## 문장공식 21

| | | | |
|---|---|---|---|
| academic position | 교수직 | keep ~ in mind | ~을 명심하다 |
| action | 행동 | make amends for | ~에 대해 보상해 주다 |
| audience | 관객 | manage | (어떻게든) 해내다 |
| concerned | 걱정하는 | method | 방법 |
| guilt | 죄책감, 유죄 | motivate | 동기를 부여하다, 자극하다 |
| hardworking | 성실한 | response | 대답, 응답 |
| hold a position | 직책을 맡다 | scholar | 학자 |
| idle around | 빈둥대다 | several | 몇몇의, 다수의 |
| inclined | ~하는 경향이 있는 | translate | 번역하다, (다른 언어로) 옮기다 |
| joke | 우스개, 농담 | unique | 독특한 |

## 문장공식 22

| | | | |
|---|---|---|---|
| call time out | 타임아웃을 요청하다 | personal | 개인의, 개인적인 |
| come across | 우연히 발견하다 | positive | 긍정적인 |
| deep | 깊은 | proud | 자랑스러워하는 |
| delighted | 기뻐하는 | realize | 깨닫다 |
| experience | 경험 | review | 논평, 감상평 |
| face | 직면하다 | run into | ~와 (우연히) 마주치다 |
| instinctively | 본능적으로 | situation | 상황 |
| make a decision | 결정하다 | solution | 해법, 해결책 |
| necessarily | 반드시, 필연적으로 | such as | ~와 같은 |
| obstacle | 장애물 | surf the Internet | 인터넷을 검색하다 |

# Vocabulary List

## Unit Exercise
### 문장공식 20~22

| | | | |
|---|---|---|---|
| accessible | 접근(이용) 가능한 | oven | 오븐 |
| book | 예약하다 | palace | 궁전 |
| calm | 차분한, 침착한 | please | 기쁘게 하다 |
| chemical | 화학약품 | put down | ~을 내려놓다 |
| considerate | 사려 깊은, 배려하는 | raw | 날것의, 익히지 않은 |
| guest | 손님 | relaxed | 여유로운, 편안한 |
| guided | 가이드가 안내하는 | stick | 막대기 |
| lawyer | 변호사 | tour | 여행, 관광 |
| Mars | 화성 | train | 훈련받다, 훈련하다 |
| mix | 섞다 | wooden | 나무로 된 |

## 문장공식 23

| | | | |
|---|---|---|---|
| additionally | 추가로 | little | 거의 없음 |
| appreciate | 감사하다 | make money | 돈을 벌다 |
| build up | 쌓아 올리다, 키우다 | planet | 행성 |
| close | 가까운 | poor | 가난한 |
| conflict | 갈등 | register | 등록하다 |
| cross | 건너다 | rope | 밧줄 |
| get hurt | 다치다 | scream | 비명을 지르다, 울어 대다 |
| glove | 장갑 | teenager | 십 대 |
| leave | 떠나다 | terribly | 대단히, 심하게 |
| likely | 아마, 어쩌면 | valley | 계곡, 협곡 |

## 문장공식 24

| | | | |
|---|---|---|---|
| come along | 도착하다 | nobody | 아무도 (…않다) |
| develop | 개발하다 | none | 아무도 (…않다) |
| die of starvation | 굶어 죽다 | outside | 밖에서 |
| electronics | 전자 장치 | panic | 기겁하다, 겁에 질려 어쩔 줄 모르다 |
| eventually | 결국 | stay | 머무르다 |
| kinder | 더 친절한 | strong | 강한, 센 |
| literature | 문학 | tea | 차 |
| longer | 더 긴 | wind | 바람 |
| make it | 성공하다 | work | 작품 |
| night | 밤 | writing | 글쓰기 |

# Vocabulary List

## 문장공식 25

| | | | |
|---|---|---|---|
| advanced | 고급의, 상급의 | opportunity | 기회 |
| at least | 적어도 | orbit | 궤도 |
| at once | 즉시 | publish | 출간하다, 출판하다 |
| demand | 요구하다 | recommend | 권하다, 추천하다 |
| educational | 교육적인 | remove | 제거하다 |
| essential | 필수적인 | require | 요구하다 |
| insist | 주장하다 | satellite | 위성 |
| instead of | ~ 대신에 | stimulate | 자극하다 |
| master | 숙달하다, 완전히 익히다 | suggest | 제안하다 |
| necessary | 필요한 | the United Nations | 국제 연합, 유엔 |

## Unit Exercise 문장공식 23~25

| | | | |
|---|---|---|---|
| alone | 혼자 (힘으로) | hero | 우상, 영웅 |
| ambassador | 대사 | in order to | ~하기 위하여 |
| arrive | 도착하다 | in time | 제시간에 |
| assignment | 과제 | pick up | ~를 (차에) 태우러 가다 |
| automatic | 자동의 | put | 놓다, 두다 |
| battery | 건전지, 배터리 | save | 보호하다 |
| disappointed | 실망한 | scene | 현장, 장면 |
| dryer | 건조기, 드라이어 | spread | 퍼지다 |
| find out | 알아내다, 알게 되다 | typically | 전형적으로, 일반적으로 |
| firefighter | 소방관 | volunteer | 자원봉사하다, 자원하다 |

## 문장공식 26

| | | | |
|---|---|---|---|
| bottled | 병에 담긴 | owl | 올빼미 |
| brain | 뇌 | perceive | 인식하다 |
| customer | 고객 | rock | 바위 |
| ecosystem | 생태계 | satisfaction | 만족 |
| feeling | 감정, 기분 | share | 공유하다 |
| huge | 거대한 | social | 사회적인 |
| in fact | 사실, 실은 | the number of | ~의 수 |
| interaction | 상호작용 | tiny | 아주 작은 |
| invitation | 초대 | useful | 유용한 |
| native speaker | 원어민 | weigh | 무게가 ~이다 |

# Vocabulary List

## 문장공식 27

| | | | |
|---|---|---|---|
| author | 작가 | evidence | 근거, 증거 |
| basis | 기반, 기초 | exist | 존재하다 |
| be based on | ~에 근거하다 | general | 장군 |
| belief | 믿음 | globalization | 세계화 |
| breathing | 호흡 | good and evil | 선과 악 |
| call a meeting | 회의를 소집하다 | make a fortune | 돈을 많이 벌다 |
| constitution | 헌법 | notion | 개념, 생각 |
| declaration | 선언, 선포 | rapid | (속도가) 빠른 |
| decline | 감소, 쇠퇴 | relativism | 상대주의 |
| due to | ~에 기인하는 | standard | 기준, 표준 |

## 문장공식 28

| | | | |
|---|---|---|---|
| appear | ~인 것 같다 | principle | 원칙, 원리 |
| case | 경우 | reach | ~에 도달하다 |
| chemical | 화학물질 | real life | 실생활 |
| close shut | 완전히 닫히다 | receive | 받다 |
| discover | 발견하다 | research | 연구 |
| expose | 노출하다 | right and wrong | 옳고 그름 |
| hide | 숨다 | sense | 감각 |
| increased | 증가한 | spicy | 매운, 양념이 강한 |
| land | 착륙하다, 내려앉다 | steel gate | 철제 수문 |
| normal | 평균, 정상 | water level | 수위 |

## 문장공식 29

| | | | |
|---|---|---|---|
| behavior | 행동 | insect | 곤충 |
| coast | 해안 | insight | 통찰력 |
| comb | 빗 | lie | 위치하다 |
| contain | ~이 들어 있다 | manage | 관리하다 |
| environmental | 환경의 | mirror | 거울 |
| expect | 예상하다 | move in | 이사 오다(가다) |
| factor | 요인 | rarely | 좀처럼 ~하지 않는 |
| fascinating | 매력적인 | sensitive | 민감한 |
| forest green | 짙은 황록색 | sparkling | 반짝이는 |
| have a good night's sleep | 잠을 잘 자다 | temperature-regulating | 온도 조절 |

# Vocabulary List

## 문장공식 30

| | | | |
|---|---|---|---|
| assistant director | 조감독 | imagination | 상상력 |
| cherished | 소중한 | infectious agent | 감염원 |
| connected | 연결된, 접속된 | painful | 고통스러운 |
| economy | 경제 | patient | 환자 |
| emergency room | 응급실 | plain | 평원, 초원 |
| environmentally friendly | 환경친화적인 | policy | 정책 |
| evoke | 불러일으키다 | signify | 의미하다, 나타내다 |
| fragment | 조각, 파편 | throughout | ~ 동안 쭉 |
| germ | 세균 | unite | 결속시키다 |
| imaginary | 상상에만 존재하는 | vast | 광활한 |

## Unit Exercise

### 문장공식 26~30

| | | | |
|---|---|---|---|
| accept | 받아들이다 | material | 물질 |
| anxiety | 불안, 걱정 | pain | 아프게 하다 |
| astronomy | 천문학 | probably | 아마도 |
| blow up | 불다 | public speaking | 공개 연설 |
| carbon tax | 탄소세 | pull on | 잡아당기다 |
| element | 원소 | rubber band | 고무줄 |
| emission | 배출 | safety | 안전 |
| encourage | 격려하다, 장려하다 | signal | 신호 |
| innovation | 혁신 | stretch | 늘이다 |
| introduce | 도입하다 | suspect | 의심하다 |

MEMO

공식으로 통하는
문장독해 완성

# Twin Workbook

# TWIN WORKBOOK

문장공식으로 내신 서술형 완성

## S(주어) + 전치사구/to-v + V(동사) | (수식어구)인(할) S는 V하다

Answers p. 53

## A 다음 우리말과 의미가 같도록 〈A〉, 〈B〉, 〈C〉에서 각각 알맞은 말을 골라 빈칸을 완성하시오.

| 〈A〉 | 〈B〉 | 〈C〉 |
|---|---|---|
| the difference<br>another simple way<br>many countries | around the world<br>between selling and marketing<br>to reduce the use of energy | is<br>is<br>are facing |

**001** 전 세계의 많은 국가들이 에너지 문제를 겪고 있다.

________ ________ ________ energy challenges.

**002** 에너지 사용을 줄이는 또 다른 간단한 방법은 전등을 끄는 것이다.

________ ________ ________ to turn off lights.

**003** 판매와 마케팅 사이의 차이점은 매우 간단하다.

________ ________ ________ very simple.

## B 다음 우리말과 의미가 같도록 괄호 안의 말을 바르게 배열하여 구문을 완성하시오.

**004** 이 문제를 극복할 수 있는 유일한 방법은 다른 사람들과 더 연결되는 것이다.

→ ________________ to others.

( this problem, to, is, the only way, to, more connected, overcome, be )

**005** 그녀의 책상에 놓인 책들의 정리는 말끔해 보였다.

→ ________________.

( of the books, neat and tidy, looked, the arrangement, on her desk )

**006** 우리의 삶을 정리하려는 인간의 욕구는 여전히 강력하다.

→ ________________ strong.

( organize, the human need, our lives, to, remains )

## C 다음 우리말과 의미가 같도록 제시된 말을 사용하여 영작하시오. (단, 필요시 형태를 바꿀 것)

**007** 주나 국가 사이의 자연적 경계는 강과 호수, 사막, 산맥을 따라 나타난다.

→ ________________

( lakes, along rivers, between states or countries, found, be, deserts, and mountain ranges, natural boundaries )

**008** 수렵에서 농업으로의 변화는 인간과 동물 사이의 관계에 근본적인 변화를 가져왔다.

→ ________________

( from hunting to farming, produce, the shift, in the relationships, a fundamental change, between humans and animals )

Answers p. 53

## A 다음 우리말과 의미가 같도록 〈A〉, 〈B〉, 〈C〉에서 각각 알맞은 말을 골라 빈칸을 완성하시오.

| 〈A〉 | 〈B〉 | 〈C〉 |
|---|---|---|
| an old man<br>many Japanese<br>the positive words | spoken in a positive tone<br>moving into Seoul<br>holding a puppy | were building<br>can relive<br>prompted |

**009** 서울로 이사하는 많은 일본인들이 서양식 집을 짓고 있었다.

_______ _______ _______ Western houses.

**010** 강아지를 안고 있는 노인은 완전히 정확하게 어린 시절의 순간을 다시 체험할 수 있다.

_______ _______ _______ a childhood moment with complete accuracy.

**011** 긍정적인 어조로 말하는 긍정적인 말은 개의 뇌에서 가장 강력한 활동을 촉진시켰다.

_______ _______ _______ the strongest activity in the dogs' brains.

## B 다음 우리말과 의미가 같도록 괄호 안의 말을 바르게 배열하여 구문을 완성하시오.

**012** 가족에 의해 행해진 가사는 GDP에 포함되지 않는다.

→ _______ in the GDP.

( by members, included, of the household, housework, not, performed, is )

**013** 먹이와 물을 찾는 코끼리들은 다른 곳을 찾아야 했다.

→ _______ elsewhere.

( look, food and water, seeking, had to, elephants )

**014** Coppola가 제작하고 감독한 그 영화는 폭넓은 인기를 얻었다.

→ _______.

( by Coppola, the film, widespread popularity, produced, gained, and, directed )

## C 다음 우리말과 의미가 같도록 제시된 말을 사용하여 영작하시오. (단, 필요시 형태를 바꿀 것)

**015** 부정확하게 표현된 생각은 듣는 이에게 지적으로 자극이 될 수도 있다.

→ _______

( imprecisely, ideas, for listeners, intellectually stimulating, may be, expressing )

**016** 1월 10일에, 거친 바다를 항해하던 배 한 척이 화물 컨테이너 12개를 분실했다.

→ _______

( travel, lost, on January 10, through rough seas, a ship, 12 cargo containers )

## S(v-ing/to-v) + V(동사) | v-ing/to-v하는 것은 V하다

Answers p. 53

## A 다음 우리말과 의미가 같도록 〈A〉, 〈B〉, 〈C〉에서 각각 알맞은 말을 골라 빈칸을 완성하시오.

| 〈A〉 | 〈B〉 | 〈C〉 |
|---|---|---|
| taking photos<br>giving support<br>to be courageous | requires<br>is allowed<br>is | the best way<br>strong determination<br>inside the exhibition hall |

**017** 지지해 주는 것은 종종 지지를 받는 최선의 방법이다.

__________ __________ often __________ to get it.

**018** 전시회장 내에서는 사진 촬영이 허용된다.

__________ __________ __________.

**019** 모든 상황에서 용감한 것은 강한 결단력을 필요로 한다.

__________ under all circumstances __________ __________.

## B 다음 우리말과 의미가 같도록 괄호 안의 말을 바르게 배열하여 구문을 완성하시오.

**020** 수컷과 암컷 새를 구분하는 것은 쉽지 않다.

→ ____________________ between male and female birds.

( to, is, easy, distinguish, not, it )

**021** 충분한 수면을 취하는 것은 스트레스에 맞서 싸우는 데 중요하다.

→ ____________________ for fighting stress.

( important, enough sleep, getting, is )

**022** 박물관에서 미술품 원작을 보는 것은 우리 모두가 노력해야 할 일이다.

→ ____________________ we should all try to do.

( is, original works of art, something, seeing, in a museum )

## C 다음 우리말과 의미가 같도록 제시된 말을 사용하여 영작하시오. (단, 필요시 형태를 바꿀 것)

**023** 다른 사람의 언어로 의사소통하려고 노력하는 것은 그 사람에 대한 존중을 보여 준다.

→ ______________________________

( in another person's language, making an effort, show, for that person, to communicate, your respect )

**024** 학습 관리 능력을 향상시키기 위해서는 학생들이 숙제를 하는 것이 중요하다.

→ ______________________________

( for students, be, learning management skills, do homework, to, improve, important, to, it )

## A 다음 우리말과 의미가 같도록 〈A〉와 〈B〉에서 각각 알맞은 말을 골라 빈칸을 완성하시오.

| 〈A〉 |
|---|
| that his methods were not working<br>whether I liked living in a messy room or not<br>that 85% of our brain tissue is water |

| 〈B〉 |
|---|
| was<br>is known<br>became |

**025** 그의 방법이 효과가 없었다는 것이 분명해졌다.

______________________________ __________ clear.

**026** 우리 뇌 조직의 85%가 물이라는 사실이 알려져 있다.

It __________ ______________________________.

**027** 내가 어질러진 방에서 지내는 것을 좋아했느냐 아니냐는 또 다른 사안이었다.

______________________________ __________ another subject.

## B 다음 우리말과 의미가 같도록 괄호 안의 말을 바르게 배열하여 구문을 완성하시오.

**028** 기술이 우리의 삶을 훨씬 더 쉽게 만들어 줄 것이라고 널리 추정된다.

→ ______________________________________________.

( will make, a lot easier, that, technology, it, widely assumed, our lives, is )

**029** 눈의 움직임이 마음을 들여다보는 창이라고들 말해 왔다.

→ ________________________________________ into the mind.

( that, windows, eye movements, said, are, has been, it )

**030** 지속적으로 소음에 노출되는 것이 아이들의 학업 성취와 관계가 있다는 것은 놀랍지 않다.

→ ________________________________________ to children's academic achievement. ( surprising, is, to noise, not, is related, it, constant exposure, that )

## C 다음 우리말과 의미가 같도록 제시된 말을 사용하여 영작하시오. (단, 필요시 형태를 바꿀 것)

**031** 대화를 하다가 흥분해서, 우리가 롤빵을 두 개 먹었는지 세 개 먹었는지는 잊혀졌다.

→ ______________________________________________

( whether, ate, two bread rolls or three, in the excitement of the conversation, forgotten, were, we )

**032** 실패의 경험은 학생들이 앞으로 공부하고자 하는 의욕을 꺾을 것으로 판단되었다.

→ ______________________________________________

( would, from future study, discourages, it, the experience of failure, students, was reasoned, that )

Answers p. 54

## A 다음 우리말과 의미가 같도록 〈A〉와 〈B〉에서 각각 알맞은 말을 골라 빈칸을 완성하시오.

| 〈A〉 |
| --- |
| what happened next<br>what he said<br>what I liked most about this book |

| 〈B〉 |
| --- |
| different<br>something<br>the last part |

**033** 그가 한 말은 내 생각과 달랐다.

______________ was ________ from my thinking.

**034** 내가 이 책에서 가장 좋아한 것은 마지막 부분이었다.

______________ was ______________.

**035** 다음에 일어난 일은 나의 간담을 서늘하게 한 것이었다.

______________ was ________ that chilled my blood.

## B 다음 우리말과 의미가 같도록 괄호 안의 말을 바르게 배열하여 구문을 완성하시오.

**036** 지위의 상징이라고 여겨지는 것은 나라마다 다를 것이다.

→ ______________ among countries.

( a status symbol, considered, differ, what, will, is )

**037** 중요한 것은 그림을 화가의 원래 의도에 맞춰 되돌려 놓는 것이다.

→ ______________ back to an artist's original intent.

( a painting, is, to, important, what, bring, is )

**038** 그녀가 한 말은 Victoria를 한동안 깊은 생각에 잠기게 했다.

→ ______________ for a while.

( what, made, into a deep thought, said, Victoria, she, fall )

## C 다음 우리말과 의미가 같도록 제시된 말을 사용하여 영작하시오. (단, 필요시 형태를 바꿀 것)

**039** 수채화 물감을 그렇게 도전 의식을 북돋우는 도구로 만드는 것은 그것의 예측할 수 없는 본성이다.

→ ______________

( is, such a challenging medium, its unpredictable nature, make, what, watercolor )

**040** 흔히 쓸모없는 낡은 쓰레기 조각처럼 보이는 것이 아마도 꽤 귀중한 것일 것이다.

→ ______________

( may well, what, a piece of worthless old junk, is, quite valuable, be, often appears, to )

## A 다음 우리말과 의미가 같도록 〈A〉, 〈B〉, 〈C〉에서 각각 알맞은 말을 골라 빈칸을 완성하시오.

| 〈A〉 | 〈B〉 | 〈C〉 |
|---|---|---|
| what I don't know<br>who baked the cake<br>how the universe began | is<br>was not<br>cannot be explained | clearly<br>a problem<br>where I'm going |

**041** 누가 그 케이크를 구웠는지는 그 당시에 문제가 아니었다.

______ ______ ______ at that time.

**042** 우주가 어떻게 시작되었는지는 명확하게 설명될 수 없다.

______ ______ ______.

**043** 내가 모르겠는 것은 내가 어디로 가고 있는가 하는 것이다.

______ ______ ______.

## B 다음 우리말과 의미가 같도록 괄호 안의 말을 바르게 배열하여 구문을 완성하시오.

**044** 그 동물이 왜 멸종했는지는 오늘날까지도 여전히 논의되고 있다.

→ ______ to this day.

( the animal, still, why, debated, extinct, is, became )

**045** 진짜 문제는 누가 먼저 결승선을 통과하느냐이다.

→ ______.

( the finish line, who, first, is, the real issue, crosses )

**046** 사탕수수가 어떻게 수확되는지가 오늘 쇼의 주제이다.

→ ______ of today's show.

( harvested, the topic, is, sugarcane, is, how )

## C 다음 우리말과 의미가 같도록 제시된 말을 사용하여 영작하시오. (단, 필요시 형태를 바꿀 것)

**047** 사람이 얼마나 벌 수 있는지도 중요하지만, 똑같이 중요한 다른 고려 사항들도 있다.

→ ______

( can, be, there, how much, other equally important considerations, one, but, are, earn, important )

**048** 어떤 문화 항목이 받아들여지는가는 그 항목의 용도 및 이미 존재하는 문화적 특성들과의 양립 가능성에 대체로 달려 있다.

→ ______

( which, the item's use, compatibility, depend largely on, and, with already existing cultural traits, is accepted, cultural item )

## Unit Exercise 문장공식 01~06

Answers p. 54

• 우리말과 일치하도록 주어진 단어를 사용하여 영작하시오.

**049** 다른 사람의 음성에 담긴 어조는 우리에게 엄청난 양의 정보를 준다.

→ ______ (S) ______ (V) ______ (IO) ______ (DO).

( in another's voice, us, gives, of information, the sense of tone, an enormous amount )

**050** 경륜에 사용되는 자전거는 브레이크 없이 만들어진다.

→ ______ (S) ______ (V) ______.

( built, the bicycles, without brakes, are, for track racing, used )

**051** 새집에서 나를 가장 흥미롭게 한 것은 뒷마당에 있는 헛간이었다.

→ ______ (S (관계대명사 what절)) ______ (V) ______ (SC)

______.

( was, the most, in the backyard, interested, what, the barn, about the new house, me )

**052** 사람들은 주어진 환경에 따라 생계를 꾸린다고들 흔히 말한다.

→ ______ (S) ______ (V) ______ (S' (that절)).

( often, make a living, said, people, is, according to given circumstances, it, that )

**053** 자전거를 타는 것은 재미있을 수 있지만 안전을 유지하는 것이 중요하다.

→ ______ ($S_1$ (동명사구)) ______ ($V_1$) ______ ($SC_1$), ______ ______ ($S_2$)

______ ($V_2$) ______ ($SC_2$) ______ ($S_2$' (to부정사구)).

( fun, is, riding, safe, it, important, stay, to, can, a bike, but, be )

**054** 오늘날 세상에서 일어나는 모든 일은 길게 줄지어진 사건과 결정, 그리고 삶의 한 조각이다.

→ ______ (S) ______ (V) ______ (SC).

( is, and lives, in the world, everything, of events, decisions, happening, today, a piece of a long line )

**055** 우리가 잠을 몰아서 잘 수 있는지 없는지는 수면 연구가들 사이에서 뜨겁게 논의되는 주제이다.

→ ______ (S (whether절)) ______ (V) ______ (SC)

______.

( among sleep researchers, catch up, whether or not, we, is, a hotly debated topic, can, on sleep )

## S(주어) + V(동사) + O(재귀대명사) | S가 자신을 V하다

Answers p. 55

## A 다음 우리말과 의미가 같도록 〈A〉, 〈B〉, 〈C〉에서 각각 알맞은 말을 골라 빈칸을 완성하시오.

| 〈A〉 | 〈B〉 | 〈C〉 |
|---|---|---|
| the man<br>you<br>Lily and Kate | took<br>don't have to bother<br>introduces | yourself<br>themselves<br>himself |

**056** Lily와 Kate는 자신들의 사진을 찍었다.

__________ __________ a picture of __________.

**057** 그 남자는 자신을 판매원이나 경영 간부로 소개한다.

__________ __________ __________ as a salesman or an executive.

**058** 당신은 이런 걱정거리에 대해 신경 쓸 필요가 없다.

__________ __________ __________ with these concerns.

## B 다음 우리말과 의미가 같도록 괄호 안의 말을 바르게 배열하여 문장을 완성하시오.

**059** 그녀는 심호흡을 하고 자신을 물속으로 밀어 넣었다.

→ ______________________________ into the water.

( herself, a deep breath, and, took, she, pushed )

**060** 우리는 우리 자신을 합리적인 의사 결정자로 여겨야 한다.

→ ______________________________ as rational decision makers.

( we, consider, have to, ourselves )

**061** 커다란 연어는 자신을 솟구쳐 빠르게 흐르는 물 위로 넘어가려고 했지만, 소용없었다.

→ ______________________________, but in vain.

( itself, over the rushing water above, threw, up, and, the big salmon )

## C 다음 우리말과 의미가 같도록 제시된 말을 사용하여 영작하시오. (단, 필요시 형태를 바꿀 것)

**062** 그들은 음악과 상호 작용을 할 때 편안하게 소통하고 자신을 창의적으로 표현한다.

→ ______________________________

( creatively, comfortably, with music, they, theirs, express, interact, communicate, they, when, and )

**063** 당신이 감기와 독감으로부터 스스로를 보호하고 싶다면, 규칙적인 운동이 최고의 면역력 촉진제이다.

→ ______________________________

( from colds and flu, you, is, protect, the ultimate immunity-booster, want, your, regular exercise, to, if )

## A 다음 우리말과 의미가 같도록 〈A〉, 〈B〉, 〈C〉에서 각각 알맞은 말을 골라 빈칸을 완성하시오.

| 〈A〉 | 〈B〉 | 〈C〉 |
|---|---|---|
| teenagers<br>you<br>the sun | will keep<br>should start<br>need | shining on our planet<br>to make smart decisions<br>taking care of their own mental health |

**064** 스스로를 보호하기 위해 당신은 현명한 결정을 하는 것을 필요로 한다.

__________ __________ ______________________ to protect yourself.

**065** 십 대들은 스스로의 정신 건강을 돌보기 시작해야 한다.

__________ __________ ______________________.

**066** 태양은 수십억 년 동안 계속하여 우리의 행성을 비출 것이다.

__________ __________ ______________________ for billions of years.

## B 다음 우리말과 의미가 같도록 괄호 안의 말을 바르게 배열하여 문장을 완성하시오.

**067** 나의 13살짜리 아들은 주차된 차 위로 뛰어오르려고 하다가 무릎을 다쳤다.

→ ______________________________ and hurt his knee.

( jump, tried, over a parked car, my 13-year-old son, to )

**068** Jonas는 몇몇 오래된 성과 역사적인 기념물들을 보기를 기대했다.

→ Jonas ______________________________.

( see, and, to, some old castles, expected, historical monuments )

**069** 사람의 사진을 찍을 때, 원치 않는 사물들을 제외시키기 위해 그들에게 더 가까이 다가갈 것을 기억해라.

→ When you photograph people, ______________________ to exclude unwanted items.

( to, to them, closer, get, remember )

## C 다음 우리말과 의미가 같도록 제시된 말을 사용하여 영작하시오. (단, 필요시 형태를 바꿀 것)

**070** Barnes는 의사로 일하지 않기로 결심하고, 공부를 더 한 후에 실업계에 뛰어들었다.

→ ______________________________

( entered, as a doctor, and after further study, Barnes, not, working, the business world, he, decided, to )

**071** 젊은 사람들은 불필요한 것에 돈을 낭비하는 것을 멈추고 돈을 모으기 시작해야 한다.

→ ______________________________

( should, it, young people, on unnecessary things, saving, stop, and, waste, start, their money )

## S(주어) + V(동사) + O(that절 / whether(if)절 / 관계대명사 what절 / 의문사절)

| S가 (that절)이라는 것을 / (whether(if)절)인지를 / (관계대명사 what절)하는 것을 / (의문사절)하는지를 V하다

Answers p. 55

### A 다음 우리말과 의미가 같도록 〈A〉, 〈B〉, 〈C〉에서 각각 알맞은 말을 골라 빈칸을 완성하시오.

| 〈A〉 | 〈B〉 | 〈C〉 |
|---|---|---|
| science | tells | that |
| many people | believe | where |
| we | shouldn't throw away | what |

**072** 많은 사람들이 '예'라고 말하는 것이 항상 최고의 대답은 아니라고 믿는다.

______ ______ ______ "yes" is not always the best answer.

**073** 우리는 재활용할 수 있는 것을 버리지 말아야 한다.

______ ______ ______ we can recycle.

**074** 과학은 우리가 어디에 있으며 우리가 무엇인지 우리에게 말해 준다.

______ ______ us ______ we are and what we are.

### B 다음 우리말과 의미가 같도록 괄호 안의 말을 바르게 배열하여 문장을 완성하시오.

**075** 그녀는 Steve에게 학생회장에 출마하기를 원하는지 물었다.

→ She asked Steve ______________________.

( run, if, wanted, for student president, he, to )

**076** 하고 있는 일을 잠시 멈추고 그가 말하고 있는 것을 들어라.

→ ______________ for a moment and ______________.

( is, are, what, stop, he, doing, listen to, saying, what, you )

**077** 우리는 누가 우리의 경쟁자가 될지 알아내는 게 좋겠다.

→ ______________________________.

( we, who, our competitors, had better, be, figure out, will )

### C 다음 우리말과 의미가 같도록 제시된 말을 사용하여 영작하시오. (단, 필요시 형태를 바꿀 것)

**078** 방문객과 주민들은 곤돌라를 타는 것이 베니스를 보는 놀라운 방법이라는 것에 동의한다.

→ ______________________________

( agree, Venice, an amazing way, be, a gondola ride, that, see, visitors and residents, to )

**079** 청중의 피드백은 흔히 청중들이 말하는 사람의 생각을 이해하는지를 보여 준다.

→ ______________________________

( whether, the speaker's ideas, indicates, audience feedback, often, listeners, understanding )

# Unit Exercise 문장공식 07~09

Answers p. 55

• 우리말과 일치하도록 주어진 단어를 사용하여 영작하시오.

**080** 많은 십 대들이 자신들이 가장 좋아하는 유명 인사들이 하는 것을 따라 한다.

→ ________ (S) ________ (V) ________ (O (관계대명사 what절)).

( do, many teens, what, their favorite celebrities, follow )

**081** 그는 굶주리고 있는 폴란드 국민들에게 수십 톤의 식량을 공급하는 것에 동의했다.

→ ________ (S) ________ (V) ________ (O).

( to the starving Polish people, supply, he, tons of food, agreed, to )

**082** 당신은 당신의 강점과 약점에 대하여 스스로에게 솔직한가?

→ ________ (V) ________ (S) ________ (SC) ________ ________?

( with, and weaknesses, you, yourself, about your strengths, are, honest )

**083** 나는 하루 동안 교실과 학교 여기저기에서 아이들을 촬영하는 것이 가능한지 궁금하다.

→ ________ (S) ________ (V) ________ (O (if절)).

( and around school, wonder, it, for a day, I, film, in classes, is, children, to, if, possible )

**084** 이제, 그는 컴퓨터로 지도를 읽고 어려운 단어 퍼즐을 푸는 것을 즐긴다.

→ ________, ________ (S) ________ (V) ________ (O)

________.

( reading, on his computer, he, difficult word puzzles, now, solving, enjoys, and, maps )

**085** 과학에 의하면 아침에 규칙적으로 걷는 것은 혈압을 조절하고, 스트레스를 줄여 주며, 활기를 북돋아 준다고 한다.

→ Science (S) ________ (V) ________ (O (that절))

________.

( says, in the morning, and, blood pressure, controls, stress, walking regularly, that, you, energizes, lessens )

**086** 그의 일은 여러 사탕의 맛과 향을 묘사하고 어떤 것이 아이들에게 인기가 있을지 판단하는 것이다.

→ His job (S) ________ (V) ________ ($SC_1$)

and ________ ($SC_2$).

( tell, of different candies, with children, is, the flavor and smell, popular, to, describe, might, which, be )

## S(주어) + V(동사) + SC(that절 / whether절 / what절 / 의문사절)

| S는 ~라는(하는) 것 / 인지(하는지)이다

Answers p. 56

### A 다음 우리말과 의미가 같도록 〈A〉와 〈B〉에서 각각 알맞은 말을 골라 빈칸을 완성하시오.

| 〈A〉 |
| --- |
| the key issue<br>one issue<br>learning from failure |

| 〈B〉 |
| --- |
| what really matters<br>whether viruses are<br>who you compare yourself |

**087** 한 가지 쟁점은 바이러스가 생물인가 하는 것이다.

__________________ is ______________________________ living organisms.

**088** 실패로부터 배우는 것이 정말 중요한 것이다.

______________________________ is ______________________________.

**089** 핵심 쟁점은 여러분이 스스로를 누구와 비교하느냐 하는 것이다.

______________________________ is ______________________________ with.

### B 다음 우리말과 의미가 같도록 괄호 안의 말을 바르게 배열하여 문장을 완성하시오.

**090** 당신이 인식하지 못할 수도 있는 것은 빛의 질 또한 중요할 수 있다는 것이다.

→ ______________________________________________.

( the quality of light, may, you, important, appreciate, not, is, what, that, also be, may )

**091** 우리가 보는 것의 많은 부분은 우리가 볼 것이라 기대하는 것이다.

→ A large part ______________________________________________.

( what, see, of, is, we, expect, what, to, see, we )

**092** 한 가지 중요한 사회적 능력은 사람들이 자신의 감정을 얼마나 잘 표현하는가이다.

→ One key social competence ______________________________________________.

( express, how well, is, their own feelings, people )

### C 다음 우리말과 의미가 같도록 제시된 말을 사용하여 영작하시오. (단, 필요시 형태를 바꿀 것)

**093** 무인 자동차의 가장 좋은 점은 사람들이 그것을 조작하는 데 면허가 필요 없을 것이라는 점이다.

→ ______________________________________________

( be, people, operate, about driverless cars, that, need, the best thing, a license, to, won't, them )

**094** 그녀의 주된 관심사는 제품이 효율적인가 또는 믿을 만한가가 아니라 매력적으로 보이는가 하는 것이었다.

→ ______________________________________________

( her main concern, looked, whether, effective, were, they, reliable, is, the products, or, not whether, attractive )

## S(주어)+V(동사)+O(목적어)+OC(명사(구)/형용사(구))

| S가 O를 (명사(구))로/(형용사(구))하게 V하다

Answers p. 56

## A 다음 우리말과 의미가 같도록 〈A〉, 〈B〉, 〈C〉에서 각각 알맞은 말을 골라 빈칸을 완성하시오.

| 〈A〉 | 〈B〉 | 〈C〉 |
|---|---|---|
| could call<br>makes<br>consider | vision problems<br>the dog<br>online customer ratings and reviews | important<br>worse<br>anything we wanted |

**095** 어두운 곳에서 스마트폰을 사용하는 것은 시력 문제를 더 악화시킨다.

Using a smartphone in the dark ________ ______________ ________.

**096** 미국 쇼핑객들은 온라인 고객 평점과 후기를 중요하게 여긴다.

American shoppers ________ ____________________ ________.

**097** 우리는 그 개를 우리가 원하는 어떤 것으로든 부를 수 있었고, 그래서 우리는 그 개를 Blaze로 이름 짓기로 결정했다.

We ____________ ____________ __________________, so we decided to name him Blaze.

## B 다음 우리말과 의미가 같도록 괄호 안의 말을 바르게 배열하여 문장을 완성하시오.

**098** 점점 더 많은 사람들이 그것이 성취감을 주는 일이며 매우 유익하다고 생각한다.

→ More and more people ________________________________________.

( very, it, a fulfilling task, beneficial, find, and )

**099** Mary는 캠퍼스 내 애완동물의 방문이 학생들을 지원하는 훌륭한 방법이라고 생각한다.

→ Mary ________________________________________________.

( support, pet visits, a great way, considers, to, on campus, students )

**100** 그 경험은 그녀가 세상에 무슨 일이 일어나고 있는지 더 잘 알게 했다.

→ ____________________________________________ in the world.

( the experience, what, her, of, going on, made, was, more aware )

## C 다음 우리말과 의미가 같도록 제시된 말을 사용하여 영작하시오. (단, 필요시 형태를 바꿀 것)

**101** 저희는 물고기들을 편안하게 할 정도로 충분한 물을 담은 비닐봉지 안에 각각의 물고기를 포장합니다.

→ ________________________________________________

( in a plastic bag, pack, comfortably, each fish, with enough water, to, we, the fish, keep )

**102** 기억 상실증은 희생자(환자)가 새로운 기억을 형성할 수 없게 두는 뇌 손상에서 흔히 비롯된다.

→ ________________________________________________

( often results, the victim, that, new memories, amnesia, leaves, from a brain injury, forming, to, unable )

## S(주어) + V(동사) + O(목적어) + OC(to부정사(구) / 원형부정사(구) / 분사(구))

| S가 O를 ~하도록 V하다

Answers p. 56

## A 다음 우리말과 의미가 같도록 〈A〉, 〈B〉, 〈C〉에서 각각 알맞은 말을 골라 빈칸을 완성하시오.

| 〈A〉 | 〈B〉 | 〈C〉 |
| --- | --- | --- |
| saw<br>observed<br>could help | farmers<br>the rain<br>a person | beginning to fade<br>grow enough crops<br>solve 30 multiple-choice problems |

**103** 한 실험에서, 실험 대상자들은 한 사람이 30개의 선다형 문제를 푸는 것을 관찰했다.

In one experiment, subjects ________ ________ ________________.

**104** 그녀는 창밖을 내다보고 비가 서서히 잦아들기 시작하는 것을 보았다.

She looked out her window and ________ ________ slowly ________________.

**105** 비옥한 토양은 농부들이 도시 사람들을 먹여 살리기에 충분한 작물을 재배하는 것을 도울 수 있었다.

The rich soil ________ ________ ________________ to feed the people in the cities.

## B 다음 우리말과 의미가 같도록 괄호 안의 말을 바르게 배열하여 문장을 완성하시오.

**106** 가끔씩 간식을 제공하는 것은 사무실이 더 안락한 느낌이 들게 할 수 있다.

→ ________________________________________.

( make, an occasional snack, more welcoming, can, providing, the office, feel )

**107** 당신의 마음을 바꿀 수도 있는 충고를 하나 하겠다.

→ ________________________________ that might change your mind.

( me, a piece of advice, give, let, you )

**108** 그 편지는 Adams에게 초기에 거절을 당하더라도 낙심하지 말라고 조언했다.

→ ________________________________ if he received early rejections.

( discouraged, to, Adams, the letter, not, advised, be )

## C 다음 우리말과 의미가 같도록 제시된 말을 사용하여 영작하시오. (단, 필요시 형태를 바꿀 것)

**109** 놀이는 또한 아이들이 사회적 행동을 시도하고 배우며, 중요한 가치를 습득하도록 한다.

→ ________________________________________

( important values, children, also allows, and, learning, social behaviors, to, try out, acquire, play, and, to )

**110** 당신은 당신의 작품을 경험이 많은 전문가에게 평가받고, 통찰력 있는 제안을 받을 것이다.

→ ________________________________________

( by experienced experts, you, have, will, insightful suggestions, evaluating, and, your work, receive )

Answers p. 56

• 우리말과 일치하도록 주어진 단어를 사용하여 영작하시오.

**111** 한 가지 장애물은 그런 여행은 수년이 걸릴 것이라는 점이다.

→ ______ (S) ______ (V) ______ (SC (that절)).

( years, is, such a trip, take, one obstacle, that, will )

**112** 그녀는 수영을 못하는 사람에게 자신과 나무판을 함께 쓰도록 명령했다.

→ ______ (S) ______ (V) ______ (O) ______ (OC).

( a piece of board, ordered, to, she, with her, the non-swimmer, share )

**113** 당신의 진짜 감정을 억누르는 것은 나중에 상황을 더 악화시킬 뿐일 것이다.

→ ______ (S) ______ (V) ______ (O) ______ (OC)

______.

( only make, later on, your true feelings, will, things, holding back, worse )

**114** 실상은 대부분의 사람들이 평생 동안 절대 충분한 교육을 받지 못할 것이라는 점이다.

→ ______ (S) ______ (V) ______ (SC (that절)).

( in their lifetime, will, enough education, have, is, the reality, that, never, most people )

**115** 피곤한 눈을 감기 전에 그는 자신의 낡고 작은 방을 눈으로 둘러보았다.

→ ______ (부사절), ______ (S) ______ (V) ______ (O)

______ (OC).

( his old small room, closed, them, he, wander, his tired eyes, around, let, he, before )

**116** Tom이 버스를 기다리고 있었을 때, 그는 한 시각 장애인이 길을 건너려고 하는 것을 알아차렸다.

→ ______ (부사절), ______ (S) ______ (V) ______ (O)

______ (OC).

( as, the street, a bus, a blind man, noticed, Tom, waiting for, cross, was, he, to, try )

**117** 한 실험에서, 연구자들은 참가자들에게 두 장의 얼굴 사진을 보여 주고 그들에게 매력적이라고 생각하는 사진을 고르라고 요청했다.

→ In an experiment, ______ (S) ______ ($V_1$) ______ (IO) ______ (DO)

and ______ ($V_2$) ______ (O) ______ (OC) that they thought was attractive.

( researchers, two photos of faces, asked, showed, the photo, to, them, choose, participants )

Answers p. 57

## A 다음 우리말과 의미가 같도록 〈A〉, 〈B〉, 〈C〉에서 각각 알맞은 말을 골라 빈칸을 완성하시오.

| 〈A〉 | 〈B〉 | 〈C〉 |
|---|---|---|
| leaving<br>will let<br>stretching out | early<br>you<br>is about to grab | know<br>a chocolate bar<br>tomorrow morning |

**118** 날짜가 정해지자마자 내가 너에게 알려 줄게.

I ________ ________ ________ as soon as the date is set.

**119** 마침내 나는 내일 아침 일찍 떠날 것이다!

I'm ________ ________ ________, finally!

**120** Brian은 팔을 뻗어서 초코바 하나를 막 움켜쥐려는 참이다.

Brian is ________ his arm and ________ ________.

## B 다음 우리말과 의미가 같도록 괄호 안의 말을 바르게 배열하여 문장을 완성하시오.

**121** 학교 연례 축제의 마지막에 학생들을 위한 노래 경연 대회가 있을 예정이다.

→ At the end of the school's annual festival, ________________.

( for the students, is going to, a singing competition, be, there )

**122** 흰색 드레스를 입은 여성은 막 결혼하려는 참이다.

→ ________________.

( is about to, married, wearing, the female, be, the white dress )

**123** 당신은 또 다른 강의가 있을지 알고 있나요?

→ ________________?

( you, if, another lecture, do, coming up, know, is )

## C 다음 우리말과 의미가 같도록 제시된 말을 사용하여 영작하시오. (단, 필요시 형태를 바꿀 것)

**124** 당신이 안락 지대에서 머무르고 있다면, 당신은 자신의 길에서 나아가지 않을 것이다.

→ ________________

( in your comfort zone, staying, moving forward, if, on your path, you're, going to, not, you're )

**125** 만약 우리가 계속해서 과도한 산책로들로 서식지를 파괴한다면, 야생 동물들은 이 지역들을 이용하는 것을 중단할 것이다.

→ ________________

( we, use, with excess trails, these areas, if, destroy, will, the wildlife, stop, habitats, to, continue )

# S(주어) + have p.p. / have been v-ing / have been p.p.

| S가 ~해 왔다[해 본 적이 있다/했다] / 해 오고 있다 / 되어 왔다[되었다]

Answers p. 57

## A 다음 우리말과 의미가 같도록 〈A〉, 〈B〉, 〈C〉에서 각각 알맞은 말을 골라 빈칸을 완성하시오.

| 〈A〉 | 〈B〉 | 〈C〉 |
|---|---|---|
| fish and shellfish | has been working | successfully |
| music | has played | a key role |
| our recycling program | have been intentionally introduced | all over the world |

**126** 음악은 몇몇 예술품의 창작에 있어 핵심적인 역할을 해 왔다.

______ ______ ______ in the creation of some artwork.

**127** 우리의 재활용 프로그램은 당신의 참여 덕분에 성공적으로 운영되어 오고 있습니다.

______ ______ ______ thanks to your participation.

**128** 어패류는 양식을 위해 전 세계에 의도적으로 도입되었다.

______ ______ ______ for aquaculture.

## B 다음 우리말과 의미가 같도록 괄호 안의 말을 바르게 배열하여 문장을 완성하시오.

**129** 로봇 산업은 빠르게 성장해 오고 있으며 우리의 일상생활을 여러 면에서 바꾸어 놓았다.

→ ______ in many ways.

( our daily lives, been, fast, changed, it, the robot industry, has, and, has, growing )

**130** 댐의 가장 나쁜 영향은 연어에게서 관찰되어 왔다.

→ ______ on salmon.

( been, of dams, observed, the worst effect, has )

**131** 마케팅 담당자들은 당신이 먼저 보는 것을 산다는 것을 수십 년 동안 알고 있었다.

→ ______.

( for decades, you, marketers, first, buy, that, known, see, have, you, what )

## C 다음 우리말과 의미가 같도록 제시된 말을 사용하여 영작하시오. (단, 필요시 형태를 바꿀 것)

**132** 교통량이 지난 3년 동안 증가해 오고 있고, 나는 거의 사고가 날 뻔한 경우를 많이 봐 왔다.

→ ______

( for the past three years, many near-accidents, have, been, and, the traffic, increase, I, seen, has )

**133** Joe는 심호흡을 하고 말했다, "저는 콘서트에서 연주해 달라는 요청을 받아 왔고, 먼저 당신의 허락을 받고 싶습니다."

→ Joe took a deep breath and said, " ______."

( would like, to, in a concert, ask, I, your permission, been, and, play, I, have, first )

## S(주어) + had p.p. | S가 ~했었다/해 본 적이 있었다/해 왔었다

Answers p. 57

## A 다음 우리말과 의미가 같도록 〈A〉, 〈B〉, 〈C〉에서 각각 알맞은 말을 골라 빈칸을 완성하시오.

| 〈A〉 | 〈B〉 | 〈C〉 |
|---|---|---|
| the movie<br>she<br>he | had ended<br>had dressed<br>had read | the baby<br>the book<br>by the time |

**134** 그는 그 아기에게 옷을 입혔고 이제 그를 의자에 앉혔다.

________ ________ ________ and now he put him in his chair.

**135** Sally는 그 책을 읽었었기 때문에 그 뮤지컬을 이해했다.

Sally understood the musical because ________ ________ ________.

**136** Susan이 영화관에 도착했을 즈음에 그 영화는 끝이 나 있었다.

________ ________ ________ Susan got to the cinema.

## B 다음 우리말과 의미가 같도록 괄호 안의 말을 바르게 배열하여 문장을 완성하시오.

**137** Carol은 Nancy를 위해 또 다른 비밀 깜짝 선물을 준비해 놓았기 때문에 서둘렀다.

→ Carol ________________________ for Nancy.

( prepared, because, another secret surprise, had, she, hurried )

**138** 대화가 끝난 후, 연구원들은 참가자들에게 서로에 대해 어떻게 생각하는지 물었다.

→ ____________, the researchers asked the participants ____________.

( ended, each other, the conversations, they, after, thought of, had, what )

**139** 나는 그녀가 고등학교 국가대표팀의 최고 선수였었다는 것을 알고 깜짝 놀랐다.

→ ________________________ for the national high school team.

( she, to, the top player, that, shocked, I, been, was, had, learn )

## C 다음 우리말과 의미가 같도록 제시된 말을 사용하여 영작하시오. (단, 필요시 형태를 바꿀 것)

**140** 그녀는 또한 할머니가 실제로 천사를 본 적이 있었는지 알고 싶었다.

→ ________________________________

( an angel, also, wanted, her grandmother, had ever, if, know, actually see, to, she )

**141** 그들의 프랑스 여행은 하나밖에 없는 딸을 위해 일생을 바쳐 오셨던 어머니의 60번째 생신을 위한 Carol의 깜짝 선물이었다.

→ ________________________________

( who, Carol's surprise gift, sacrifice, of her mother, had, for the sixtieth birthday, to France, for her only daughter, their trip, was, all her life )

Answers p. 57

• 우리말과 일치하도록 주어진 단어를 사용하여 영작하시오.

**142** 내가 그녀를 직접 볼 것이라는 것을 믿을 수 없다.

→ ______ (S) ______ (V) ______ (O (명사절)).

( in person, I, her, see, going to, can't, I'm, believe )

**143** 나는 네 커피 기계를 수년간 사용해 오고 있다.

→ ______ (S) ______ (V) ______ (O) ______.

( have, your coffee machines, using, I, for several years, been )

**144** 그는 동물 역시 상실의 고통을 느낀다는 것을 전혀 깨닫지 못했었다.

→ ______ (S) ______ (V) ______ (O (명사절)).

( the pain of loss, he, also felt, realized, an animal, that, never, had )

**145** 그 자료는 왕의 사망 소식이 널리 사회적으로 공유되어 왔다는 것을 나타낸다.

→ ______ (S) ______ (V) ______ (O (명사절)).

( shared, the data, been, the news of the king's death, has, widely socially, that, reveals )

**146** 지금까지 약 900명의 사람들이 에베레스트산 정상에 오르는 데 성공했다.

→ ______, ______ (S) ______ (V) ______.

( so far, succeeded, to the top of Mt. Everest, in, about 900 people, climbing, have )

**147** 더욱 놀라운 것은, 그들 중 누구도 그때까지 칫솔을 사용한 적이 없었다는 것이다!

→ ______, ______ (S) ______ (V) ______ (O) ______!

( used, none of them, had ever, a toothbrush, more surprisingly, until then )

**148** 여러분이 세우는 어떤 목표든 달성하기 어려울 것이고, 여러분은 도중에 어느 시점에서 실망하게 될 것이다.

→ Any goal you set (S1) ______ (V1) ______ (SC1), and ______ (S2) ______ (V2) ______ (SC2) ______ ______.

( along the way, disappointed, will, difficult, achieve, be, is going to, at some points, you, to, be )

## 문장 공식 16 S(주어) + V(동사) + N(명사) + 관계대명사절 | S가 ~하는 N을 V하다

Answers p. 58

## A 다음 우리말과 의미가 같도록 〈A〉, 〈B〉, 〈C〉에서 각각 알맞은 말을 골라 빈칸을 완성하시오.

| 〈A〉 | 〈B〉 | 〈C〉 |
| --- | --- | --- |
| the app | who never made a mistake | achieve |
| students | which matches how you feel | suggests |
| a person | who sit at the front of the classroom | never tried |

**149** 실수를 전혀 안 한 사람은 어떤 새로운 것을 전혀 시도하지 않은 것이다.

__________ __________ __________ anything new.

**150** 그 앱은 당신의 기분에 어울리는 몇 가지 음악을 제안한다.

__________ __________ some music __________.

**151** 교실 앞자리에 앉는 학생들은 보통 더 높은 시험 점수를 받는다.

__________ __________ usually __________ higher exam scores.

## B 다음 우리말과 의미가 같도록 괄호 안의 말을 바르게 배열하여 문장을 완성하시오.

**152** 학교 상담 교사들은 당신이 걱정하는 것들과 관련하여 당신을 도와줄 수 있다.

→ __________ with the things __________.

( you, can, worried about, that, school counselors, you, help, are )

**153** 저희는 귀하가 겪으실 수도 있는 불편에 대해 진심으로 사과드립니다.

→ __________.

( for any inconveniences, sincerely, be, that, we, may, experienced, apologize )

**154** 뚜껑이 없어진 낡은 찻주전자는 정원에서 꺾은 장미 한 다발을 위한 이상적인 용기가 된다.

→ __________ for a bunch of roses picked from the garden. ( an old teapot, lost, which, its lid, an ideal container, has, becomes )

## C 다음 우리말과 의미가 같도록 제시된 말을 사용하여 영작하시오. (단, 필요시 형태를 바꿀 것)

**155** 우리가 존경하는 선구자들인 위대한 과학자들은 결과가 아니라 다음 문제에 관심이 있다.

→ __________

( with results, the pioneers, admire, not, concerned, great scientists, is, we, but with the next questions, that )

**156** 당신의 집에서 사용되는 물과 에너지의 양을 줄이는 것은 환경을 위해 취할 수 있는 첫 번째 조치이다.

→ __________

( reducing, you, the first step, be, in your house, and energy, take, the amount of water, used, for the environment, can )

## 문장 공식 17 S(주어) + V(동사) + N(명사) + 전치사 + 관계대명사절 | S가 ~하는 N을 V하다
## S(주어) + V(동사) + N(명사) + whose + N′(다른 명사) ~ | S가 ~하는 N을 V하다

Answers p. 58

## A 다음 우리말과 의미가 같도록 〈A〉, 〈B〉, 〈C〉에서 각각 알맞은 말을 골라 빈칸을 완성하시오.

| 〈A〉 | 〈B〉 | 〈C〉 |
|---|---|---|
| is<br>met<br>will lose | a woman<br>the best place<br>consciousness | whose heart has stopped<br>whose last name is Mann<br>at which you can buy fresh vegetables |

**157** 오늘 그는 성이 Mann인 한 여성을 만났다.

Today he ________ ________ ________.

**158** Green Store는 당신이 신선한 채소를 살 수 있는 최고의 장소이다.

The Green Store ________ ________ ________.

**159** 심장이 멎은 환자는 의식을 잃을 것이다.

A patient ________ ________ ________.

## B 다음 우리말과 의미가 같도록 괄호 안의 말을 바르게 배열하여 문장을 완성하시오.

**160** 음식이 섭취되는 상황은 음식 자체만큼이나 중요할 수 있다.

→ ________________________________.

( is, the food itself, a food, be, the context, in, eaten, as important as, which, can )

**161** 그의 팀은 가족들이 영어로만 말하는 5개월 된 아기들 한 그룹을 데려갔다.

→ ________________________________.

( a group of five-month-olds, only spoke, his team, took, families, English, whose )

**162** 언어를 배우려면, 유아는 언어가 발생하는 맥락을 파악해야 한다.

→ In order to learn language, ________________________________.

( the contexts, must, in, occurs, make sense of, an infant, language, which )

## C 다음 우리말과 의미가 같도록 제시된 말을 사용하여 영작하시오. (단, 필요시 형태를 바꿀 것)

**163** 귀하의 영수증과 결함이 있는 토스터를 구매했던 판매인에게 가져가세요.

→ ________________________________

( the faulty toaster, you, from, take, to the dealer, who, and, it, your receipt, bought )

**164** 그들은 그 아이들이 편안하고 안전하다고 느끼는 즐겁고 보호적인 환경을 만들기 위해 최선을 다한다.

→ ________________________________

( create, which, felt, enjoyable and protective environments, in, they, the children, do their best, comfortable and safe, to )

Answers p. 58

## A 다음 우리말과 의미가 같도록 〈A〉, 〈B〉, 〈C〉에서 각각 알맞은 말을 골라 빈칸을 완성하시오.

| 〈A〉 | 〈B〉 | 〈C〉 |
| --- | --- | --- |
| was<br>me<br>is | a time<br>a city<br>the reason | why you were absent<br>when we had to rely on our neighbors<br>where many people can see famous paintings |

**165** 네가 어제 결석한 이유를 나에게 말해 줘.

Tell ________ ________ ________ yesterday.

**166** 파리는 많은 사람들이 미술관에서 유명한 그림들을 볼 수 있는 도시이다.

Paris ________ ________ ________ in museums.

**167** 우리가 생존을 위해 이웃에게 의지해야 했던 때가 있었다.

There ________ ________ ________ for survival.

## B 다음 우리말과 의미가 같도록 괄호 안의 말을 바르게 배열하여 문장을 완성하시오.

**168** 우리는 나 같은 학생들이 다른 학생들처럼 놀고 즐거운 시간을 보낼 수 있는 특별한 놀이터가 필요하다.

→ ________________________ like other students.

( have fun, can, a special playground, need, and, like me, students, where, play, we )

**169** 인생은 여러 명의 승자가 있는 게임이다.

→ ________________________.

( where, a game, there, life, multiple winners, are, is )

**170** 이것이 원하지 않는 습관을 멈추려고 노력하는 것이 극도로 좌절감을 주는 일일 수 있는 이유이다.

→ ________________________.

( an extremely frustrating task, to, is, can, an unwanted habit, why, this, stop, trying, be )

## C 다음 우리말과 의미가 같도록 제시된 말을 사용하여 영작하시오. (단, 필요시 형태를 바꿀 것)

**171** 놀랍게도 그 막대기에 불이 붙었고, 이것이 성냥이 발명된 방법이다.

→ ________________________

( this, the stick, invent, how, and, caught on fire, to his surprise, is, the match, was )

**172** 이것이 과학 기술이 흔히 저항을 받고 일부 사람들이 그것을 위협으로 인식하는 주된 이유 중 하나이다.

→ ________________________

( why, as a threat, is, resist, one of the main reasons, and, is often, perceive, technology, some, it, this, why )

Answers p. 59

## A 다음 우리말과 의미가 같도록 〈A〉, 〈B〉, 〈C〉에서 각각 알맞은 말을 골라 빈칸을 완성하시오.

| 〈A〉 | 〈B〉 | 〈C〉 |
|---|---|---|
| were | Paris | who invented Hangeul |
| is | late for class | where he worked in the dining room |
| moved | King Sejong | which disappointed the teacher |

**173** 이 책은 세종대왕에 관한 것인데, 그는 한글을 발명했다.

This book __________ about ______________, ______________________________.

**174** 많은 학생들이 수업에 지각했는데, 그것은 선생님을 실망시켰다.

Many students __________ ______________, ______________________________.

**175** 1907년에 그는 파리로 이사했는데, 그곳에서 그는 Marriott 호텔 식당에서 일을 했다.

In 1907, he __________ to __________, ______________________________ of the Marriott Hotel.

## B 다음 우리말과 의미가 같도록 괄호 안의 말을 바르게 배열하여 문장을 완성하시오.

**176** 식물들은 움직일 수 없고, 그것은 그것들이 자신을 먹이로 하는 생물로부터 도망갈 수 없다는 것을 의미한다.

→ ______________________________________________ that feed on them.

( the creatures, which, can't, means, plants, escape, move, can't, they )

**177** 그는 십 대 시절에 사진에 대한 열정을 키웠는데, 그때 그는 자신의 고등학교 신문의 직원 사진 기자가 되었다.

→ He developed his passion for photography ______________________________

______________________________.

( when, became, for his high school newspaper, a staff photographer, he, in his teens)

**178** 신체적 따뜻함을 경험하는 것은 대인 관계에서의 따뜻함을 증진시키는데, 이것은 자동적인 방식으로 발생한다.

→ Experiencing ______________________________________________.

( in an automatic way, which, physical warmth, happens, promotes, interpersonal warmth )

## C 다음 우리말과 의미가 같도록 제시된 말을 사용하여 영작하시오. (단, 필요시 형태를 바꿀 것)

**179** 홈 팀 라커룸은 밝은 빨간색으로 칠해졌는데, 이것이 팀원들을 흥분하거나 심지어 분노에 찬 상태로 있게 했다.

→ ______________________________________________

( the home-team room, even, a bright red, paint, team members, kept, was, angered, or, which, excited )

**180** Paul Odland 박사는 남미로 자주 여행하는데, 그곳에서 그는 가난한 가정의 장애가 있는 어린이들에게 무료 진료를 제공한다.

→ ______________________________________________

( where, of poor families, provide, travels frequently, for disabled children, he, Dr. Paul Odland, free medical treatment, to South America )

Answers p. 59

• 우리말과 일치하도록 주어진 단어를 사용하여 영작하시오.

**181** Gustav Klimt는 그림이 수백만 달러에 팔리는 오스트리아 화가이다.

→ ______ ______ ______.
S V SC

( an Austrian artist, is, sell, for millions of dollars, whose, Gustav Klimt, paintings )

**182** 그녀의 귀중한 '블루버니'는 아버지가 준 선물이었는데, 그는 해외에서 일했다.

→ ______ ______ ______,
S V SC

______.
관계대명사절

( worked, a gift, her precious Blue Bunny, who, from her father, was, overseas )

**183** 그 선생님은 질문 중 13개를 다룬 긴 답장을 썼다.

→ ______ ______ ______.
S V O

( thirteen of the questions, in, the teacher, dealt with, a long reply, wrote back, which, he )

**184** 당신이 실패한 이유를 아는 것은 다음번에 성공할 가능성을 높이는 데 도움이 될 것이다.

→ ______ ______ ______
S V O

______ ______.
OC

( next time, failed, you, for success, knowing, the reasons, you, improve, why, will, your chances, help )

**185** 그녀는 Edgar Degas의 작품에 감탄했고 파리에서 그를 만날 수 있었는데, 그것은 큰 영감이 되었다.

→ ______ ______ ______ ______ ______
S V1 O1 V2

______ ______, ______.
O2 관계대명사절

( admired, in Paris, a great inspiration, and, the work of Edgar Degas, meet, which, was able to, him, was, she )

**186** 현대 작가들이 쓴 책만 읽는 사람은 나에게 근시안적인 사람처럼 보인다.

→ ______ ______ ______
S V

______.

( looks, like a near-sighted person, someone, by contemporary authors, to me, reads, only books, who )

**187** 당신이 편안함을 느끼는 지역을 벗어날 때까지는 당신에게 어떤 대단한 일이 일어날지 절대 알지 못한다.

→ You (never) know ______ ______
S V O (의문사절) 부사절

______.
관계부사절

( outside the zone, feel, where, you, comfortable, great things, until, what, to you, step, you, happen, will )

# S(주어) + V(동사) + 부사절 접속사 + S′(주어) + V′(동사)

| S′가 V′할 때/하면서/하기 때문에/하면/하지만 S가 V하다

Answers p. 59

## A 다음 우리말과 의미가 같도록 〈A〉, 〈B〉, 〈C〉에서 각각 알맞은 말을 골라 빈칸을 완성하시오.

| 〈A〉 | 〈B〉 | 〈C〉 |
|---|---|---|
| during this period | we | can keep |
| if you walk regularly in the morning | people | worked |
| although we speak different languages | you | are |

**188** 우리는 비록 다른 언어를 사용하지만 모두 친구이다.

______________________, ________ ________ all friends.

**189** 이 시기 동안 사람들은 공장에서 일주일에 80시간 이상 일했다.

______________, ________ ________ for more than eighty hours a week in factories.

**190** 아침에 규칙적으로 걸으면 몸과 마음을 건강하게 유지할 수 있다.

______________________, ________ ________ your body and mind healthy.

## B 다음 우리말과 의미가 같도록 괄호 안의 말을 바르게 배열하여 문장을 완성하시오.

**191** 쓰나미는 해저의 지진 때문에 발생하고, 지진은 지각 변동 때문에 발생한다.

→ Tsunamis happen ______________________________________

in the earth's plates.

( because of, shifts, and, earthquakes, happen, undersea earthquakes, because of )

**192** 로봇 진공청소기가 충전되는 동안에는 배터리 표시등이 빨간색으로 깜박인다.

→ ______________________________________________.

( red, the battery indicator light, while, blinks, charging, the robotic vacuum, is )

**193** 여러분의 노력에도 불구하고, 야생 동물을 돌보는 것은 저희 시설의 역량을 넘어섭니다.

→ ______________________________________ wild animals.

( is, your efforts, care for, beyond our facility's capacity, it, despite, to )

## C 다음 우리말과 의미가 같도록 제시된 말을 사용하여 영작하시오. (단, 필요시 형태를 바꿀 것)

**194** 나비들은 이 꽃에서 저 꽃으로 꽃가루를 옮기기 때문에 우리가 다른 식물들을 키우는 데 도움을 준다.

→ ______________________________________________

( help, from flower to flower, they, the butterflies, because, some other plants, pollen, us, grow, carries )

**195** 사람들이 수 세기 동안 커피를 마셔 오고 있지만, 커피가 어디에서 유래했는지는 분명하지 않다.

→ ______________________________________________

( although, not, for centuries, coffee, originate, is, drinking, humans, been, clear, have, it, where, coffee )

Answers p. 60

## A 다음 우리말과 의미가 같도록 〈A〉, 〈B〉, 〈C〉에서 각각 알맞은 말을 골라 빈칸을 완성하시오.

| 〈A〉 |
| --- |
| getting worried<br>listening to their stories<br>not knowing what to do in her life |

| 〈B〉 |
| --- |
| I<br>she<br>she |

| 〈C〉 |
| --- |
| feel<br>tried<br>was doing |

**196** 그들의 이야기를 들을 때, 나는 항상 그들에게서 많은 것을 배우는 것 같다.

______________, ______ always ______ like I learn a lot from them.

**197** 자신의 삶에서 무엇을 할지 몰랐지만, 그녀는 그것을 찾기 위해 최선을 다하고 있었다.

______________, ______ ______ her best to find it.

**198** 걱정이 되어서 그녀는 다시 Reiner에게 전화를 해 봤지만 아무런 응답이 없었다.

______________, ______ ______ calling Reiner's phone again, but there was no response.

## B 다음 우리말과 의미가 같도록 괄호 안의 말을 바르게 배열하여 문장을 완성하시오.

**199** 이 점을 명심한다면, 당신은 당신이 가진 독특한 예술성을 그림으로 그리는 것이 훨씬 더 재미있을 것이다.

→ ______________________________ that comes from you.

( the unique art, have, drawing, a lot more fun, this, keeping, you'll, in mind )

**200** 성실한 학자여서, 그는 영국에 있는 여러 대학에서 교수직을 맡았다.

→ ______________________________ in several universities in England.

( academic positions, being, he, a hardworking scholar, held )

**201** 영화를 보면서 영어를 배워, 그는 곧 미국 관객들을 위해서 자신의 농담을 어떻게든 (영어로) 옮길 수 있었다.

→ ______________________________ for the American audience.

( soon managed, his jokes, he, English, to, by watching movies, learning, translate )

## C 다음 우리말과 의미가 같도록 제시된 말을 사용하여 영작하시오. (단, 필요시 형태를 바꿀 것)

**202** Jean이 빈둥대는 것에 대해 걱정이 되어 Baker 씨는 자신의 교수 방법을 바꾸기로 결심했다.

→ ______________________________

( her teaching method, decided, Ms. Baker, about Jean idling around, concerned, to, changing )

**203** 죄책감으로 인해 자극을 받을 때 사람들은 자신의 행동에 대해 보상을 하려는 경향이 있다.

→ ______________________________

( inclined, for their actions, people, make, by feelings of guilt, amends, to, motivating, are )

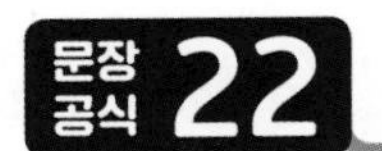

## Having p.p. / With + O + v-ing / p.p., S(주어) + V(동사)

| ~했을 때(하고 나서/했기 때문에)/O가 ~한(된) 채로 S가 V하다

Answers p. 60

## A 다음 우리말과 의미가 같도록 〈A〉, 〈B〉, 〈C〉에서 각각 알맞은 말을 골라 빈칸을 완성하시오.

| 〈A〉 |
| --- |
| make<br>seek<br>called |

| 〈B〉 |
| --- |
| time out<br>the decision<br>to find a solution |

| 〈C〉 |
| --- |
| after having a deep personal experience<br>when faced with a problem<br>with two minutes left on the clock |

**204** Brown 씨는 시계에 2분을 남겨 둔 채 타임아웃을 요청했다.

Mr. Brown ________ ____________ ______________________.

**205** 문제에 직면했을 때, 우리는 본능적으로 해결책을 찾으려고 한다.

________________________, we instinctively ________ ________________.

**206** 많은 사람들이 선생님과 깊은 개인적인 경험을 하고 나서 교사가 되기로 결심한다.

Many people ________ ____________ to become a teacher ______________

________________________ with a teacher.

## B 다음 우리말과 의미가 같도록 괄호 안의 말을 바르게 배열하여 문장을 완성하시오.

**207** 나이가 많은 아이들이 자신의 선물을 여는 것을 지켜보고, 나는 큰 선물이 반드시 가장 좋은 선물은 아니라는 것을 깨달았다.

→ ________________________________ that the big gifts were not necessarily the nicest ones. ( the older children, realized, watched, their gifts, I, opening, having )

**208** 인터넷을 검색하던 중 그녀는 그 콘서트에 관한 감상평을 우연히 발견하게 되었다.

→ ________________________________ for the concert.

( came across, the Internet, she, surfing, a review, while )

**209** 긍정적인 것을 말하고 난 다음, 그들 자신도 그 사람을 좋아하게 되었다.

→ ________________________________ themselves.

( they, said, the person, positive things, then liked, having, more )

## C 다음 우리말과 의미가 같도록 제시된 말을 사용하여 영작하시오. (단, 필요시 형태를 바꿀 것)

**210** 어머니가 관객석에 앉아 계셨고, Victoria는 자기 자신이 자랑스러웠고 엄마가 너무 행복해하시는 모습을 봐서 기뻤다.

→ ________________________________

( Victoria, delighted, in the audience, sat, to, so happy, her mother, felt, of herself, and, her mom, with, see, proud )

**211** 장애물과 우연히 마주치는 것과 같은 동일한 상황에 직면한다면 그 로봇은 그 장애물을 돌아서 갈 것이다.

→ ________________________________

( then the robot, run into, go, with the same situation, will, around the obstacle, such as, faced, an obstacle, if )

## Unit Exercise 문장공식 20~22

Answers p. 60

• 우리말과 일치하도록 주어진 단어를 사용하여 영작하시오.

**212** 그 궁전은 가이드가 있는 관광으로만 입장이 가능했기 때문에 나는 그 관광을 예약했었다.

→ ______ ______ ______ ______
S V O 부사절

______. ( only on a guide tour, booked, the palace, because, I, the tour, had, accessible, was )

**213** 버스 창밖을 내다보지 않아서 Jonas는 차분하고 여유롭게 있을 수 있었다.

→ ______, ______ ______ ______
분사구문 S V SC1

______ ______. ( Jonas, stay, the bus window, relaxed, and, not, calm, looking out, could )
SC2

**214** 그들은 사려 깊은 사람들이어서 길 잃은 소년이 부모를 찾는 것을 도와주기 위해 멈췄다.

→ ______, ______ ______ ______.
분사구문 S V

( stopped, his parents, help, considerate people, the lost boy, being, they, find, to )

**215** 손님들이 식탁에서 기다리고 있는 채로, 나는 오븐을 열어 익지 않은 닭고기를 보았다.

→ ______, ______ ______ ______
분사구문 S V1 O1

______ ______ ______.
V2 O2

( the oven, waiting, a raw chicken, I, at the table, opened, with, saw, my guests, and )

**216** 화성에 관한 영화는 많지만, 아직 아무도 그곳에 가 보지 못했다.

→ ______, ______ ______
부사절 S V

______ ______.

( no one, there, yet, about Mars, movies, has, there, although, been, many, are )

**217** 여러 가지 화학약품을 나무 막대기로 섞은 후에, 그는 그 막대기를 내려놓았다.

→ ______, ______ ______
분사구문 S V

______ ______.
O

( mixing, with a wooden stick, put, down, many different chemicals, he, the stick, after )

**218** Henri Matisse는 늦게 그림에 입문했는데, 아버지를 기쁘게 해 드리기 위해 변호사가 되기 위한 훈련을 받았었기 때문이었다.

→ ______ ______ ______ ______, ______
S V 분사구문

______.

( his father, be, trained, to painting, to, came, Henri Matisse, please, a lawyer, to, having, late )

# If + S′(주어) + V′(과거형), S(주어) + would / could / might + v(동사원형)

| S′가 V′한다면, S가 V할 텐데

Answers p. 61

## A 다음 우리말과 의미가 같도록 〈A〉, 〈B〉, 〈C〉에서 각각 알맞은 말을 골라 빈칸을 완성하시오.

| 〈A〉 | 〈B〉 | 〈C〉 |
|---|---|---|
| were<br>made<br>didn't wear | it<br>I<br>their hands | would get<br>would be<br>would help |

**219** 내가 돈을 많이 번다면, 나는 아프리카의 가난한 아이들을 도울 것이다.

If I __________ lots of money, __________ ______________ poor children in Africa.

**220** 만약 지구가 태양에 더 가깝다면 너무 더울 것이다.

If the Earth __________ closer to the Sun, __________ ______________ too hot.

**221** 그들이 장갑을 끼지 않으면 손을 심하게 다칠 것이다.

If they ______________ gloves, ______________ ______________ terribly hurt.

## B 다음 우리말과 의미가 같도록 괄호 안의 말을 바르게 배열하여 문장을 완성하시오.

**222** 당신이 계곡 위의 밧줄 다리를 건너고 있다면 아마 말하는 것을 멈출 것이다.

→ If ________________________________________________.

( were, stop, you, over a valley, would, talking, a rope bridge, crossing, likely, you )

**223** 십 대들이 부모와 갈등을 키우지 않는다면, 그들은 결코 떠나고 싶어 하지 않을 것이다.

→ If ________________________________________________.

( teenagers, want, with their parents, leave, never, didn't, they, conflicts, would, to, build up )

**224** 우리가 만약 아무것도 변하지 않는 행성에 산다면, 할 일이 거의 없을 것이다.

→ If ________________________________________________.

( little, where, lived, there, on a planet, do, to, ever changed, we, would, nothing, be )

## C 다음 우리말과 의미가 같도록 제시된 말을 사용하여 영작하시오. (단, 필요시 형태를 바꿀 것)

**225** 만약 그녀가 아기들 중 한 명이 배고프다고 울어 댈 때마다 깬다면, 그녀는 잠을 한숨도 못 잘지도 모른다.

→ ________________________________________________

( for food, wake up, she, every time, no sleep at all, if, screamed, get, one of the babies, might, she )

**226** 제 아들이 추가로 등록하는 것을 허락해 주실 수 있다면 정말 감사하겠습니다.

→ ________________________________________________

( my son, I, additionally, allow, you, would, if, register, it, can, to, really appreciate )

# If + S′(주어) + had p.p., S(주어) + would/could/might have p.p.

| S′가 had p.p.했다면, S가 have p.p.했을 텐데

Answers p. 61

## A 다음 우리말과 의미가 같도록 〈A〉, 〈B〉, 〈C〉에서 각각 알맞은 말을 골라 빈칸을 완성하시오.

| 〈A〉 | 〈B〉 | 〈C〉 |
|---|---|---|
| had told<br>wish<br>had not been | you<br>we<br>you | had been kinder<br>might have panicked<br>could have had |

**227** 만약 바람이 그렇게 강하지 않았더라면, 우리는 밖에서 차를 마실 수 있었을 텐데.

If the wind ______________ so strong, ________ ______________ tea outside.

**228** 네가 내 친구들에게 더 친절했다면 좋았을 텐데.

I ________ ________ ______________ to my friends.

**229** 내가 너에게 그것을 말했다면, 너는 기겁했을 테고 우리 중 누구도 성공하지 못했을 것이다.

If I ______________ you that, ________ ______________ and none of us would have made it.

## B 다음 우리말과 의미가 같도록 괄호 안의 말을 바르게 배열하여 문장을 완성하시오.

**230** 내가 너와 함께 전자 상가에 갔다면 좋았을 텐데.

→ ______________________________________.

( to the electronics market, wish, had, with you, I, gone, I )

**231** 만약 내가 Shawn을 만나지 않았더라면, 나는 결코 문학과 글쓰기에 대한 사랑을 개발하지 못했을지도 모른다.

→ ______________________________ of literature and writing.

( if, my love, might never, met, Shawn, developed, I, have, not, had, I )

**232** 만약 내가 도착하지 않았더라면 그는 결국 굶주려 죽었을 것이다.

→ ______________________________ of starvation.

( would, I, come along, he, eventually died, have, if, hadn't )

## C 다음 우리말과 의미가 같도록 제시된 말을 사용하여 영작하시오. (단, 필요시 형태를 바꿀 것)

**233** 만약 단테와 셰익스피어가 그 작품들을 쓰기 전에 사망했더라면, 아무도 그것들을 쓰지 않았을 것이다.

→ ______________________________________

( before, them, have, nobody ever, died, those works, if, write, Dante and Shakespeare, had, they, would, wrote )

**234** 여기서 좀 더 오래 머물 수 있도록 밤이 더 길었다면 좋았을 텐데.

→ ______________________________________

( longer, wished, the night, here, so that, would, could, be, I, stay, have, I, longer )

## A 다음 우리말과 의미가 같도록 〈A〉, 〈B〉, 〈C〉에서 각각 알맞은 말을 골라 빈칸을 완성하시오.

| 〈A〉 | 〈B〉 | 〈C〉 |
| --- | --- | --- |
| it<br>John<br>Swedish law | is<br>requires<br>recommended | have<br>be published<br>should be done |

**235** John은 그 일을 즉시 하기를 권했다.

__________ __________ that the work __________________ at once.

**236** 모든 아이들이 동일한 교육 기회를 갖는 것은 필수적이다.

__________ __________ essential that every child __________ the same educational opportunities.

**237** 스웨덴 법은 모든 마을에서 적어도 두 개의 신문을 발행할 것을 요구한다.

______________ __________ that at least two newspapers ______________ in every town.

## B 다음 우리말과 의미가 같도록 괄호 안의 말을 바르게 배열하여 문장을 완성하시오.

**238** 그 감독은 그가 고급 기술들을 숙달하기 위해 더 열심히 연습할 것을 제안했다.

→ ________________________________________ to master the advanced skills.

( harder, that, he, suggested, the coach, practice )

**239** 우리는 몸이 우리에게 말하고 있는 것을 듣는 것을 배울 필요가 있다.

→ ________________________________________ what our body is telling us.

( should, necessary, is, hear, to, it, learn, we, that )

**240** 국제 연합은 모든 기업들이 25년 이내에 인공위성을 궤도에서 제거해 줄 것을 요청한다.

→ ________________________________________ within 25 years.

( all companies, asks, from orbit, the United Nations, that, remove, their satellites )

## C 다음 우리말과 의미가 같도록 제시된 말을 사용하여 영작하시오. (단, 필요시 형태를 바꿀 것)

**241** 그들은 부모들이 컴퓨터 대신 독서와 운동, 놀이를 통해 전통적인 방식으로 자녀를 자극해야 한다고 주장한다.

→ ________________________________________

( insist, instead of computers, stimulated, in the traditional ways, they, that, through reading, sports, and play, their children, parents )

**242** Linda는 대회에 참가하는 것이 너무 불편해서 자신의 이름을 명단에서 삭제할 것을 요구했다.

→ ________________________________________

( Linda, from the list, about being in the contest, was, demanded, her name, is, uncomfortable, so, that, removed, she )

Answers p. 61

• 우리말과 일치하도록 주어진 단어를 사용하여 영작하시오.

**243** 내 전화 배터리가 방전되지 않았다면 나는 네게 더 일찍 전화했을 텐데.

→ ______ (S) ______ (V) ______ (O) ______ ______ (부사절 (가정법 과거 완료))

______. ( if, called, you, my phone battery, died, would, had, not, have, I, earlier )

**244** 학교 과제는 전형적으로 학생들이 혼자 하도록 요구해 왔다.

→ ______ (S) ______ ______ ______ (V) ______ (O (명사절)).

( school assignments, alone, typically required, that, have, students, work )

**245** 내 여동생이 집에 있다면 나는 그녀에게 나를 데리러 오라고 부탁할 텐데.

→ ______ (부사절 (가정법 과거)), ______ (S) ______ (V) ______ (O)

______ (OC). ( ask, my sister, were, her, if, I, to, at home, pick me up, would )

**246** 유엔 대사는 의사들이 자원봉사를 하러 아프리카로 갈 것을 권고했다.

→ ______ (S) ______ (V) ______ (O (명사절)).

( volunteer, doctors, the U.N. ambassador, to, that, to Africa, recommended, go )

**247** 그녀가 자신의 우상이 우승하지 못했다는 것을 알게 되면, 그녀는 몹시 실망할 텐데.

→ ______ (부사절 (가정법 과거)), ______ (S) ______ (V)

______ (SC).

( if, won, her hero, would, terribly disappointed, found out, be, she, that, hadn't, she )

**248** 나는 지구를 보호하기 위해 우리 학교 화장실에 자동 손 건조기를 두는 것을 제안한다.

→ ______ (S) ______ (V) ______ (O (명사절))

______.

( suggest, in our school bathrooms, put, I, the Earth, automatic hand dryers, in order to, save, we )

**249** 소방관들이 제시간에 현장에 도착할 수 있었다면, 화재가 그렇게 빠르게 번지지 않았을 텐데.

→ ______ (S) ______ ______ (V)

______ (부사절 (가정법 과거완료)).

( at the scene, the fire, so quickly, been able to, spread, if, would, our firefighters, not, had, in time, have, arrive )

## S(주어) + V(동사) + -er than/the -est (in/of)/as ~ as + 비교대상

| S가 …보다 더 ~한(하게)/(…중에서) 가장 ~한(하게)/…만큼 ~한(하게) V하다

Answers p. 62

### A 다음 우리말과 의미가 같도록 〈A〉, 〈B〉, 〈C〉에서 각각 알맞은 말을 골라 빈칸을 완성하시오.

| 〈A〉 | 〈B〉 | 〈C〉 |
| --- | --- | --- |
| they<br>ecosystems<br>asking someone | was<br>weigh<br>can be | more than its brain<br>the most useful invitation<br>as big as the whole world |

**250** 누군가에게 무언가를 요구하는 것은 사회적 상호작용으로의 가장 유용한 초대였다.

________________ for something ________ ________________
to social interaction.

**251** 올빼미의 눈은 너무 커서 뇌보다 무게가 더 많이 나간다.

An owl's eyes are so huge that ________ ________ ________________.

**252** 생태계는 전 세계만큼 클 수도 있고 바위만큼 아주 작을 수도 있다.

________ ________________ ________________________ and as tiny as a rock.

### B 다음 우리말과 의미가 같도록 괄호 안의 말을 바르게 배열하여 문장을 완성하시오.

**253** 영어 원어민 수는 스페인어 원어민 수보다 더 적다.

→ The number of ________________________________________.

( that of Spanish, of English, than, is, native speakers, smaller )

**254** 당신이 더 빨리 감정을 공유할수록, 더 쉽게 도움을 받을 수 있다.

→ ________________________________________.

( help, the more easily, your feelings, you, the earlier, get, can, share, you )

**255** 1493년에 Christopher Columbus는 가장 오래되고 가장 유명한 병에 담긴 메시지 중 하나를 보냈다.

→ In 1493, ________________________________________.

( sent, bottled messages, one, Christopher Columbus, of the earliest and most famous )

### C 다음 우리말과 의미가 같도록 제시된 말을 사용하여 영작하시오. (단, 필요시 형태를 바꿀 것)

**256** 사실, 검은색은 흰색보다 두 배 더 무겁게 인식된다.

→ ________________________________________

( as heavier as, black, to, in fact, perceived, white, is, be, twice )

**257** 우리에게 고객의 만족보다 더 중요한 것은 없다.

→ ________________________________________

( of our customers, important to us, is, the satisfaction, than, nothing, most )

Answers p. 62

## A 다음 우리말과 의미가 같도록 〈A〉, 〈B〉, 〈C〉에서 각각 알맞은 말을 골라 빈칸을 완성하시오.

| 〈A〉 | 〈B〉 | 〈C〉 |
|---|---|---|
| the notion | this year's bestselling author | is |
| the idea | that making a fortune brings happiness | is not |
| the opportunity | that no true standards of good and evil | Rosa Park |

**258** 돈을 많이 버는 것이 행복을 가져다준다는 생각이 항상 맞는 것은 아니다.

__________ ____________________ __________ always true.

**259** 올해의 베스트 셀러 작가인 Rosa Park를 만날 기회를 놓치지 마세요.

Don't miss __________ to meet __________, __________.

**260** 문화적 상대주의의 기본은 선과 악의 진정한 기준이 실제로는 존재하지 않는다는 개념이다.

The basis of cultural relativism ______ __________ __________

____________________ actually exist.

## B 다음 우리말과 의미가 같도록 괄호 안의 말을 바르게 배열하여 문장을 완성하시오.

**261** 그 책의 제목은 세계화가 우리를 더 가깝게 만들 것이라는 믿음에 근거하였다.

→ The title ______________________________.

( closer together, bring, was, of the book, us, that, globalization, based, would, on the belief )

**262** 음악과 함께 하면 어린이들이 수학을 더 잘한다는 강력한 연구 증거가 있다.

→ ______________________________ in mathematics with music.

( perform, strong research evidence, is, better, there, children, that )

**263** 빠른 심장박동과 가쁜 호흡은 그저 우리가 싸울 준비가 되어 있다는 신체의 선언이다.

→ Rapid heartbeat ______________________________.

( the body's declaration, fight, that, are, quick breathing, we, ready, and, to, are simply )

## C 다음 우리말과 의미가 같도록 제시된 말을 사용하여 영작하시오. (단, 필요시 형태를 바꿀 것)

**264** 이러한 신문 읽기의 감소는 우리가 신문 읽기를 온라인으로 더 많이 하고 있다는 사실에 기인해 왔다.

→ ______________________________

( has, doing, online, this decline, be, that, more of our newspaper reading, the fact, we, in newspaper reading, due to, are )

**265** 해방군을 이끌었던 장군인 Simón Bolívar는 새 나라를 위한 헌법의 초안을 작성하기 위해 회의를 소집했다.

→ ______________________________

( called a meeting, the first version, the general, of the constitution, who, lead, Simón Bolívar, the liberating forces, had, write, for the new country, to )

Answers p. 62

## A 다음 우리말과 의미가 같도록 〈A〉, 〈B〉, 〈C〉에서 각각 알맞은 말을 골라 빈칸을 완성하시오.

| 〈A〉 | 〈B〉 | 〈C〉 |
|---|---|---|
| it<br>he<br>it | was<br>was<br>does like | in 1969<br>a guitar<br>gimchi |

**266** 내가 생일 선물로 받고 싶었던 것은 바로 기타였다.

______ ______ __________ that I wanted to receive for my birthday.

**267** Ted는 매운 음식을 많이 좋아하지는 않지만, 김치는 정말 좋아한다.

Ted doesn't like spicy food much, but ______ __________ ______.

**268** 아폴로 11호가 달에 착륙했던 것은 바로 1969년이었다.

______ ______ __________ that Apollo 11 landed on the moon.

## B 다음 우리말과 의미가 같도록 괄호 안의 말을 바르게 배열하여 문장을 완성하시오.

**269** 연구와 실생활 둘 다가 보여 주듯이, 많은 다른 사람들이 정말로 중요한 변화를 만든다.

→ As both research and real life show, ____________________________.

( important changes, do, many others, make )

**270** 우리에게 옳고 그름에 대한 분별력을 주신 분은 바로 부모님이다.

→ ________________________________ of right and wrong.

( who, it, our sense, given, is, have, our parents, us )

**271** 일부의 경우에는 이 화학물질에 노출된 물고기들이 실제로 숨는 것처럼 보인다.

→ In some cases, ________________________________.

( hide, exposed, appear, to these chemicals, do, to, fish )

## C 다음 우리말과 의미가 같도록 제시된 말을 사용하여 영작하시오. (단, 필요시 형태를 바꿀 것)

**272** 철제 수문이 완전히 닫히는 것은 오직 수위가 정상 수위의 3미터 위로 상승할 때뿐이다.

→ ________________________________________

( above normal, be, steel gates, water levels, that, it, 3 meters, close shut, only when, reach )

**273** 그는 어떠한 마케팅의 원칙을 발견한 후에야 비로소 큰 성공에 도달했다.

→ ________________________________________

( found increased success, that, it, some of the principles, he, of marketing, not until, was, he, discover )

## 문장 공식 29 부정어 + V(동사) + S(주어) | S가 V하는 것이 ~ 않다<br>부사(구) + V(동사) + S(주어) | ~ 에(서) S가 V하다

Answers p. 63

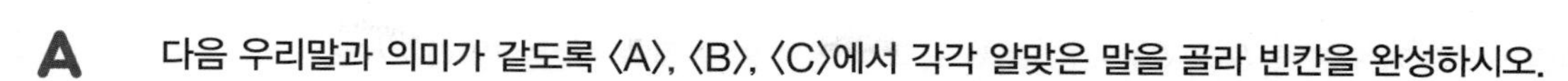

### A 다음 우리말과 의미가 같도록 〈A〉, 〈B〉, 〈C〉에서 각각 알맞은 말을 골라 빈칸을 완성하시오.

| 〈A〉 | 〈B〉 | 〈C〉 |
|---|---|---|
| there<br>little<br>next to the doll | sat<br>was<br>did | I<br>a small box<br>a wonderful lady |

**274** 그곳에 한 멋진 여성이 앉아 있었다.

________ ________ ____________________.

**275** 내가 그를 다시 만날 것이라고는 전혀 예상하지 못했다.

________ ________ ________ expect that I would ever meet him again.

**276** 그 인형 옆에 작은 빗과 은색 거울이 들어 있는 작은 상자가 있었다.

____________________ ________ ____________________ containing tiny combs and a silver mirror.

### B 다음 우리말과 의미가 같도록 괄호 안의 말을 바르게 배열하여 문장을 완성하시오.

**277** 시간이 좀 지난 후에야 그 학생은 필요한 통찰력을 기르기 시작했다.

→ ________________________________________.

( the student, to, only after some time, begin, did, the necessary insights, develop )

**278** 그들이 이사 온 이후로 나는 잠을 잘 잔 적이 전혀 없다.

→ Since they moved in, never ____________________________.

( have, a good night's sleep, I, had )

**279** British Columbia 해안을 따라 짙은 황록색과 반짝이는 푸른빛의 땅이 펼쳐져 있다.

→ Along ________________________________________.

( lies, of British Columbia, and sparkling blue, of forest green, the coast, a land )

### C 다음 우리말과 의미가 같도록 제시된 말을 사용하여 영작하시오. (단, 필요시 형태를 바꿀 것)

**280** 같은 환경적 요인을 관리하는 데 있어서 컴퓨터가 사람보다 더 민감한 경우는 드물다.

→ ________________________________________

( manage, a computer, than, the same environmental factors, rarely, in, more, a human, is, sensitive )

**281** 가장 매력적인 자연 온도 조절 행동들 중에는 벌과 개미와 같은 사회적 곤충들의 온도 조절 행동들이 있다.

→ ________________________________________

( natural temperature-regulating behaviors, such as bees and ants, those, be, among, of social insects, the most fascinating )

## S+V₁+and/but/or+(S)+V₂ | S가 V₁하고/하지만/하거나 V₂하다

Answers p. 63

## A 다음 우리말과 의미가 같도록 〈A〉, 〈B〉, 〈C〉에서 각각 알맞은 말을 골라 빈칸을 완성하시오.

| 〈A〉 | 〈B〉 | 〈C〉 |
| --- | --- | --- |
| beautiful<br>an option<br>high mountain ranges | but<br>but also<br>as well as | a must<br>vast desert plains<br>environmentally friendly |

**282** 몽골에는 광활한 사막 초원뿐만 아니라 높은 산맥도 있다.

Mongolia has ______ ______ ______.

**283** 그 건물은 아름다울 뿐만 아니라 환경친화적이다.

The building is not only ______ ______ ______.

**284** 요즘 온라인상에 접속되어 있는 것은 많은 여행자들에게 선택이 아니라 필수이다.

Staying connected online is not ______ ______ ______ for many travelers these days.

## B 다음 우리말과 의미가 같도록 괄호 안의 말을 바르게 배열하여 문장을 완성하시오.

**285** 1950년대 후반과 1960년대 초에 걸쳐 Forman은 여러 영화에서 작가 혹은 조감독 역할을 했다.

→ Throughout the late 1950s and early 1960s, ______________________.

( acted, on several films, as, or, Forman, either, assistant director, writer )

**286** 옛날 노래에 나오는 구절처럼 옷은 소중한 추억과 아픈 기억을 모두 생각나게 할 수 있다.

→ Like fragments from old songs, ______________________.

( clothes, painful memories, can, and, both, cherished, evoke )

**287** 새로운 정책은 경제를 튼튼하게 해 줄 뿐만 아니라 지역사회를 결속시키는 것을 돕는다.

→ ______________________.

( helps, the economy, not only, unite, the new policy, strong, makes, the community, but also )

## C 다음 우리말과 의미가 같도록 제시된 말을 사용하여 영작하시오. (단, 필요시 형태를 바꿀 것)

**288** 그때까지는 가상의 친구가 아이의 자라나는 상상력을 의미하는 것이므로 가상의 친구는 부모로부터 존중받고 환영받아야 한다.

→ ______________________

( a child's developing imagination, should, because, by parents, signify, respect, imaginary friends, be, and, they, until then, welcomed )

**289** 응급실 의사는 환자들을 세균으로부터 보호할 뿐만 아니라 감염원으로부터 자신을 보호하기 위해 특수한 옷을 입을 수 있다.

→ ______________________

( protect, an emergency room doctor, as well as, herself, patients, wear, from germs, may, special clothes, to, from infectious agents, to, protects )

Answers p. 63

• 우리말과 일치하도록 주어진 단어를 사용하여 영작하시오.

**290** 안전은 캠핑에서 가장 중요한 것이다.

→ ______ ______ ______________________.
S V 비교구문

( in camping, is, safety, the most important thing )

**291** 그가 그 노인을 의심했었다는 사실이 그의 마음을 아프게 했다.

→ ______ ______________ ______ ______.
S = 동격 V O

( suspected, the fact, the old man, pained, he, had, his heart, that )

**292** 그녀가 천문학에 관심을 갖기 시작한 것은 바로 Washington, D.C.에서였다.

→ ______ ______ ______________ ______________.

( was, in astronomy, in Wahington, D.C., develop, it, that, started, to, an interest, she )

**293** 인류 역사의 어느 지점에서도 우리는 더 많은 원소를 사용한 적이 없다.

→ ______________ ______ ______ ______ ______.
부정어 have S p.p. O

( have, more elements, at no point, used, we, in human history )

**294** 풍선을 불거나 고무줄을 잡아당길 때, 당신은 물질을 늘리고 있는 것이다.

→ ______ ______ ______ ______ ______ ______
접속사 S′ V′1 O′1 V′2

______________, ______ ______ ______.
O′2 S V O

( material, when, blow up, you, a rubber band, you, stretching, pull on, a balloon, or, are )

**295** 그 대신, 사람들 앞에서 말하는 것에 대해 당신이 아마 긴장해 있다는 신호로 당신의 불안을 받아들이도록 노력해라.

→ ______, ______ ______________ ______________
V O

______________________________.
동격

( try, about public speaking, you, nervous, as a signal, to, instead, that, are probably, your anxiety, accept )

**296** 노르웨이는 에너지에서 나오는 배출 가스에 대한 탄소세를 도입했고, 그것은 정말 환경적인 혁신을 장려하는 것처럼 보였다.

→ ______ ______ ______________ ______________, and it
S1 V1 O S2

______ ______ ______________________.
강조 V2 SC

( a carbon tax, environmental innovation, did, Norway, to, on emissions, introduced, encourage, from energy, seem )

MEMO

공식으로 통하는
문장독해 완성

# Twin
# Workbook

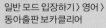

공식으로 통하는 문장독해

공식으로 통하는

문장독해 완성

# 문장공식
# 비법노트

# 문장공식 비법노트

실력 도약의 발판이 되는 구문 비법노트

# PART 1 문장 구조의 이해

## Unit 1 주어의 이해

**문장공식 01** 전치사구, to부정사(구)의 수식을 받는 주어 pp. 14~15

S가 | 전치사구인 to-v할 | V하다

**QUICK QUIZ**

(1) Someone (inside the room) was laughing.
S(주어) 누군가가 / M(전치사구) 방 안에 있는 / V(동사) 웃고 있었다

| 해석 | 방 안에 있는 누군가가 웃고 있었다.

(2) The best way (to predict the future) is to create it.
S(주어) 가장 좋은 방법은 / M(to부정사구) 미래를 예측하는 / V(동사) ~이다 / SC(주격보어) 창조하는 것 그것을(미래를)

| 해석 | 미래를 예측하는 가장 좋은 방법은 미래를 창조하는 것이다.

### 기출로 Practice

### A

**001** Many countries (around the world) are facing energy challenges.
S 많은 국가들이 / M (전치사구) 전 세계의 / V 겪고 있다 / O 에너지 문제를

| 해석 | 전 세계의 많은 국가들이 에너지 문제를 겪고 있다.

| 해설 | 주어(Many countries)가 「전치사+명사」 형태인 전치사구의 수식을 받고 있다. 「be동사 현재형+v-ing」는 현재진행형으로 '~하고 있다'로 해석하며, 동사는 주어에 수를 일치시켜 are가 쓰였다. face가 '겪다, 직면하다'의 의미인 동사로 쓰였다.

**VOCA TIP** face의 다양한 뜻

face는 명사로 '얼굴' 또는 '표정'이라는 의미이고, 동사로는 '마주 보다' 또는 '직면하다'라는 의미이다. She always has a smiling face.(그녀는 언제나 웃는 표정이다.)에서는 '표정'이라는 의미를, The girl turned and faced him.(소녀는 돌아서 그를 마주 보았다.)에서는 '마주 보다'라는 의미를 나타낸다. 그리고 He is facing a difficult situation.(그는 어려운 상황에 직면해 있다.)에서는 '직면하다'라는 의미를 나타낸다.

**002** Another simple way (to reduce the use of energ[y]) is to turn off lights.
S 또 다른 간단한 방법은 / M (to부정사구) 에너지 사용을 줄이는 / V ~이다 / SC 전등을 끄는 것

| 해석 | 에너지 사용을 줄이는 또 다른 간단한 방법은 전등을 끄는 것이다[.]

| 해설 | 주어가 형용사 역할을 하는 to부정사구(to reduce the us[e] of energy)의 수식을 받고 있으며, 동사는 주어(Anothe[r] simple way)에 수를 일치시키므로 is가 쓰였다. 주격보어로[는] 명사 역할을 하는 to부정사구(to turn off lights)가 쓰였다.

**003** The difference (between selling and marketing) i[s] (very) simple.
S 차이점은 / M (전치사구) 판매와 마케팅 사이의 / ~이[다] / SC 매우 간단한

| 해석 | 판매와 마케팅 사이의 차이점은 매우 간단하다.

| 해설 | 전치사구의 수식을 받고 있는 주어(The difference)에 수[를] 일치시켜 동사로 is가 쓰였다. between *A* and *B*는 'A와 [B] 사이에'를 의미한다.

**004** The only way (to overcome this problem) is t[o] be more connected to others.
S 유일한 방법은 / M (to부정사구) 이 문제를 극복할 수 있는 / V ~이다 / SC 다른 사람들과 더 연결되는 것

| 해석 | 이 문제를 극복할 수 있는 유일한 방법은 다른 사람들과 더 연[결]되는 것이다.

| 해설 | 주어를 뒤에서 수식하는 to부정사구(to overcome thi[s] problem)는 형용사 역할을 하고, 보어로 쓰인 to부정사구(t[o] be more connected to others)는 명사 역할을 한다[.] others는 other people을 의미한다.

### B

**005** The arrangement (of the books ⟨on her desk⟩) looke[d] neat and tidy.
S 정리는 / M (전치사구) 책들의 / 그녀의 책상 위에 있는 / V 보였다 / SC 말끔해

| 해석 | 그녀의 책상에 놓인 책들의 정리는 말끔해 보였다.

| 해설 | 주어(The arrangement)가 전치사구(of the books)의 수[식]을 받고 있으며, the books는 또 다른 전치사구인 on he[r] desk의 수식을 받아 '그녀의 책상에 놓인 책들'이라는 의미[를] 나타낸다. 「look+형용사」는 '~해 보이다'라는 의미를 나타내[며] neat and tidy는 '말끔한'의 의미로 자주 함께 쓰인다.

**06** CHOOSE! remains

The human need (to organize our lives) remains strong.
S: The human need (인간의 욕구는) / M (to부정사구): to organize our lives (우리의 삶을 정리하려는) / V: remains (여전히 ~이다) / SC: strong (강력한)

| 해석 | 우리의 삶을 정리하려는 인간의 욕구는 여전히 강력하다.

| 해설 | to부정사구의 수식을 받는 주어(The human need)가 3인칭 단수이므로 동사는 remains를 써야 한다. 「remain+형용사」는 '여전히 ~이다'를 의미한다.

**07** POP QUIZ! between states or countries

Natural boundaries (between states or countries) are found (along rivers, lakes, deserts, and mountain ranges).
S: Natural boundaries (자연적 경계는) / M (전치사구): between states or countries (주나 국가 사이의) / V: are found (나타난다) / along rivers, lakes, deserts, and mountain ranges (강, 호수, 사막 그리고 산맥을 따라)

| 해석 | 주나 국가 사이의 자연적 경계는 강과 호수, 사막, 산맥을 따라 나타난다.

| 해설 | 주어가 전치사구의 수식을 받고 있고, 동사는 「be동사+p.p.」의 수동태이다. along rivers ~ mountain ranges는 부사 역할을 하는 전치사구이다.

**08** The shift (from hunting to farming) produced a fundamental change (in the relationships between humans and animals).
S: The shift (변화는) / M (전치사구): from hunting to farming (수렵에서 농업으로) / V: produced (만들어 냈다) / O: a fundamental change (근본적인 변화를) / in the relationships between humans and animals (인간과 동물 사이의 관계에 있어)

| 해석 | 수렵에서 농업으로의 변화는 인간과 동물 사이의 관계에 근본적인 변화를 가져왔다.

| 해설 | 전치사구 from hunting to farming은 주어를 수식하고, in the relationships between humans and animals는 부사 역할을 한다. from *A* to *B*는 'A에서 B까지'를 의미한다.

**BACKGROUND KNOWLEDGE** 수렵에서 농경으로의 변화

수백 만 년 동안 인간은 동물을 사냥하거나 열매를 따 먹는 수렵·채집 생활을 해 왔다. 그리고 약 1만 년 전에 인간은 동물이나 식물을 길들이기 시작했는데, 이를 농경이라고 한다. 인간은 개, 돼지, 닭 같은 동물을 길들였고, 쌀이나 옥수수 같은 작물을 재배했다. 이러한 생활 방식의 큰 변화는 인간이 더 많은 식량을 얻을 수 있게 해 주었다.

## 문장공식 02 현재분사구, 과거분사구의 수식을 받는 주어

pp. 16-17

S가 + v-ing 하는 / p.p. 되는 + V 하다

**✓ QUICK QUIZ**

(1) The car (washed by my uncle) is shiny.
S(주어): The car (그 차는) / M (과거분사구): washed by my uncle (나의 삼촌에 의해 세차된) / V(동사): is (~이다) / SC(주격보어): shiny (반짝거리는)

| 해석 | 삼촌이 세차한 그 차는 반짝거린다.

(2) The girl (standing next to the tree) is my sister.
S(주어): The girl (그 여자아이는) / M (현재분사구): standing next to the tree (나무 옆에 서 있는) / V(동사): is (~이다) / SC(주격보어): my sister (내 여동생)

| 해석 | 나무 옆에 서 있는 여자아이는 내 여동생이다.

### 기출로 Practice

## A

**009** Many Japanese (moving into Seoul) were building Western houses.
S: Many Japanese (많은 일본인들이) / M (현재분사구): moving into Seoul (서울로 이사하는) / V: were building (짓고 있었다) / O: Western houses (서양식 집들을)

| 해석 | 서울로 이사하는 많은 일본인들이 서양식 집을 짓고 있었다.

| 해설 | 현재분사구가 주어를 뒤에서 수식하고 있으며, 분사와 수식을 받는 주어의 관계가 의미상 능동이므로 현재분사(moving)가 쓰였다. 「be동사의 과거형+v-ing」는 '~하고 있었다'의 의미로 과거에 진행 중인 일을 나타낼 때 쓴다.

**010** An old man (holding a puppy) can relive a childhood moment (with complete accuracy).
S: An old man (한 노인은) / M (현재분사구): holding a puppy (강아지를 안고 있는) / V: can relive (다시 체험할 수 있다) / O: a childhood moment (어린 시절의 순간을) / with complete accuracy (완전히 정확하게)

| 해석 | 강아지를 안고 있는 노인은 완전히 정확하게 어린 시절의 순간을 다시 체험할 수 있다.

| 해설 | 현재분사구가 주어인 An old man을 뒤에서 수식하고 있으며, 분사와 수식을 받는 주어의 관계가 의미상 능동이므로 현재분사(holding)가 쓰였다.

**011** The positive words (spoken in a positive tone) prompted the strongest activity (in the dogs' brains).
S: The positive words (긍정적인 말은) / M (과거분사구): spoken in a positive tone (긍정적인 어조로 말하는) / V: prompted (촉진시켰다) / O: the strongest activity (가장 강력한 활동을) / in the dogs' brains (개들의 뇌에서)

| 해석 | 긍정적인 어조로 말하는 긍정적인 말은 개의 뇌에서 가장 강력한 활동을 촉진시켰다.

| 해설 | 과거분사구가 주어 The positive words를 뒤에서 수식하고 있으며, 분사와 수식을 받는 주어의 관계가 의미상 수동이므로 과거분사(spoken)가 쓰였다. strongest는 '가장 강력한'이라는 최상급의 의미를 나타낸다.

**012** 
S　M (과거분사구)
Housework (performed by members of the
가사는　가족 구성원들에 의해 행해진
V
household) is not included (in the GDP).
포함되지 않는다　GDP에

| 해석 | 가족에 의해 행해지는 가사는 GDP에 포함되지 않는다.

| 해설 | 분사구의 수식을 받는 주어 Housework가 '수행되는' 것이므로 수동의 의미를 나타내는 과거분사(performed)가 쓰였다. 또한 Housework는 '포함되지' 않는 대상이므로 수동태(is not included)가 사용되었다.

**MORE EXPRESSIONS** 집안일과 관련한 다양한 영어 표현

집안일은 housework 또는 household chores라고 한다. make the bed는 '침대를 정리하다', hang the laundry는 '빨래를 널다'라는 의미의 표현이다. 그리고 take out the garbage는 '쓰레기를 내다 버리다'라는 뜻인데, 음식물 쓰레기는 food waste나 wet garbage라고 말한다.

# B

**013** 
S　M (현재분사구)　V
Elephants (seeking food and water) had to look
코끼리들은　먹이와 물을 찾는　찾아야 했다
(elsewhere).
다른 곳으로

| 해석 | 먹이와 물을 찾는 코끼리들은 다른 곳을 찾아야 했다.

| 해설 | 현재분사구가 주어를 뒤에서 수식하고 있으며, Elephants가 '찾는' 주체이므로 현재분사(seeking)가 쓰였다. 「had to+동사원형」은 의무를 나타내는 표현으로 '~해야 했다'로 해석한다.

**014** **POP QUIZ!** produced and directed by Coppola

S　M (과거분사구)
The film (produced and directed by Coppola)
그 영화는　Coppola에 의해 제작되고 감독된
V　O
gained widespread popularity.
얻었다　폭넓은 인기를

| 해석 | Coppola가 제작하고 감독한 그 영화는 폭넓은 인기를 얻었다.

| 해설 | 과거분사구가 주어를 뒤에서 수식하고 있으며, 주어인 The film이 행위자인 Coppola에 의해 '제작되고 감독된' 것이므로 과거분사(produced, directed)가 쓰였다.

**BACKGROUND KNOWLEDGE** Francis Ford Coppola

프란시스 포드 코폴라(Francis Ford Coppola)는 미국의 영화감독이다. 젊은 무명 감독이었던 코폴라 감독은 1972년에 <대부 *The Godfather*>를 제작하였다. 제작사와 감독과 배우 모두 전혀 기대하지 않았으나, 영화는 엄청난 상업적 성공을 거두었고, 2년 뒤에 만든 <대부 II>로 오스카 6개 부문에서 상을 받았다.

**015** 
S　M (과거분사구)　V
Ideas (expressed imprecisely) may be (intellectual
생각들은　부정확하게 표현되는　~일 수도 있다　지적으로
SC
stimulating (for listeners).
자극이 되는　듣는 이들에게

| 해석 | 부정확하게 표현된 생각은 듣는 이들에게 지적으로 자극이 될 도 있다.

| 해설 | 과거분사구가 주어인 Ideas를 뒤에서 수식하고 있으며, 생 (Ideas)은 '표현되는' 대상이므로 과거분사(expressed)가 였다.

**016** **CHOOSE!** traveling

S　M (현재분사구)
(On January 10), a ship (traveling through roug
1월 10일에　배 한 척이　거친 바다를 항해하던
V　O
seas) lost 12 cargo containers.
분실했다　화물 컨테이너 12개를

| 해석 | 1월 10일에, 거친 바다를 항해하던 배 한 척이 화물 컨테이 12개를 분실했다.

| 해설 | 주어인 배(a ship)는 '이동하는' 것이므로 능동의 의미를 나타는 현재분사(traveling)가 이끄는 현재분사구의 수식을 받는 이 적절하다.

## 문장공식 03 명사구 주어

pp. 18-19

v-ing 하는 것은 / to-v 하는 것은 V 하다

✔ QUICK QUIZ

S(주어) V(동사) SC(주격보어)
(1) Riding a bike can be dangerous.
자전거를 타는 것은 ~일 수 있다 위험한

| 해석 | 자전거를 타는 것은 위험할 수 있다.

S(주어) V(동사) SC(주격보어)
(2) To be a good listener is the most important skill.
좋은 청자가 되는 것이 ~이다 가장 중요한 기술

| 해석 | 좋은 청자가 되는 것이 가장 중요한 기술이다.

기출로 Practice

A

S (동명사구) V SC
017 Giving support is (often) the best way (to get it).
지지해 주는 것은 ~이다 종종 최선의 방법 그것(지지)을 받는

| 해석 | 지지해 주는 것은 종종 지지를 받는 최선의 방법이다.

| 해설 | 주어로 쓰인 동명사구는 '~하는 것은'으로 해석하며 단수 취급한다. to get it은 the best way를 수식하는 형용사 역할을 하며, it은 support를 가리킨다.

S (동명사구) V
018 Taking photos is allowed (inside the exhibition hall).
사진을 찍는 것은 허용된다 전시회장 내에서

| 해석 | 전시회장 내에서는 사진 촬영이 허용된다.

| 해설 | 주어는 photos가 아닌 동명사구(Taking photos)이며, 따라서 단수 취급한다. 동사로 「be동사+p.p.」 형태의 수동태가 쓰였다.

S (to부정사구)
019 To be courageous (under all circumstances) requires strong determination.
용감한 것은 모든 상황에서
V O
필요로 한다 강한 결단력을

| 해석 | 모든 상황에서 용감한 것은 강한 결단력을 필요로 한다.

| 해설 | 주어로 쓰인 to부정사구는 단수 취급하며, '~인(하는) 것은'으로 해석한다.

S V SC S′ (to부정사구)
020 It is not easy to distinguish (between male and female birds).
~않다 쉬운 구분하는 것은 수컷과 암컷 새 사이에서

| 해석 | 수컷과 암컷 새를 구분하는 것은 쉽지 않다.

| 해설 | 주어인 to부정사구가 문장의 뒤로 가고, 주어 자리에 가주어 It이 쓰인 문장이다. 가주어 it은 해석하지 않는다.

## B

S (동명사구) V SC
021 Getting enough sleep is important (for fighting stress).
충분한 수면을 취하는 것은 ~이다 중요한 맞서 싸우는 데 스트레스에

| 해석 | 충분한 수면을 취하는 것은 스트레스에 맞서 싸우는 데 중요하다.

| 해설 | 주어로 쓰인 동명사구는 단수 취급하므로 동사로 is가 쓰였다. 전치사구 for fighting stress가 부사의 역할을 하며, fighting은 전치사의 목적어로 쓰인 동명사이다.

022 CHOOSE! is

S (동명사구) V
Seeing original works of art (in a museum) is
미술품 원작을 보는 것은 박물관에서 ~이다
SC that 관계대명사절
something [we should all try to do].
어떤 것 우리 모두가 하려고 노력해야 할

| 해석 | 박물관에서 미술품 원작을 보는 것은 우리 모두가 노력해야 할 일이다.

| 해설 | 주어로 쓰인 동명사구(Seeing ~ museum)는 단수 취급하므로 동사로 is가 쓰였다. we should all try to do는 앞에 목적격 관계대명사가 생략된 관계대명사절로, 선행사 something을 수식하고 있다.

023 POP QUIZ! Making an effort to communicate in another person's language

S (동명사구)
Making an effort (to communicate in another person's language) shows your respect (for that person).
노력하는 것은 다른 사람의 언어로 의사소통하려고
V O
보여 준다 당신의 존중을 그 사람에 대한

| 해석 | 다른 사람의 언어로 의사소통하려고 노력하는 것은 그 사람에 대한 존중을 보여 준다.

| 해설 | 문장의 주어는 동명사구(Making ~ language)이며, 동명사구 내에서 to부정사구(to communicate ~ language)는 목적을 나타내는 부사 역할을 한다. 전치사구 for that person은 앞의 your respect를 수식한다.

S V SC 의미상 주어 S′ (to부정사구)
024 It is important (for students) to do homework (to improve learning management skills).
~이다 중요한 학생들이 숙제를 하는 것이 학습 관리 능력을 향상시키기 위해서

| 해석 | 학습 관리 능력을 향상시키기 위해서는 학생들이 숙제를 하는 것이 중요하다.

| 해설 | to do homework가 진주어고, It은 가주어 역할을 한다. for students는 to부정사구의 의미상 주어이다. to improve ~ skills는 목적을 나타내는 부사 역할의 to부정사구이다.

**문장공식 04** 명사절 접속사가 이끄는 주어와 가주어 it pp. 20-21

**that절** 하는 것은 / **whether절** 인지 아닌지는  하다

✔ QUICK QUIZ

(1) [That you spend all day watching TV] doesn't help (at all).

S(주어): 네가 하루 종일 TV를 보면서 보내는 것은 / V(동사): 도움이 안 된다 / 전혀

| 해석 | 네가 하루 종일 TV를 보면서 보내는 것은 전혀 도움이 안 된다.

(2) [Whether he is rich or not] doesn't matter.

S(주어): 그가 부자인지 아닌지는 / V(동사): 중요하지 않다

| 해석 | 그가 부자인지 아닌지는 중요하지 않다.

## 기출로 Practice

# A

**025** [That his methods were not working] became clear.

S (that절): 그의 방법들이 효과가 없었다는 것이 / V: ~해졌다 / SC: 분명한

| 해석 | 그의 방법이 효과가 없었다는 것이 분명해졌다.

| 해설 | 접속사 that 뒤에 주어와 동사로 이루어진 완전한 문장이 이어지는 that절이 주어로, '~하는(라는) 것은'으로 해석한다.

**026** It is known [that 85% of our brain tissue is water].

S / V: 알려져 있다 / S' (진주어-that절): 우리 뇌 조직의 85%가 물이라고

| 해석 | 우리 뇌 조직의 85%가 물이라는 사실이 알려져 있다.

| 해설 | 주어로 쓰인 that절을 문장의 뒤로 보내고 주어 자리에 가주어 It을 쓴 형태의 문장이다. 가주어 It은 해석하지 않는다.

**027** [Whether I liked living in a messy room or not] was another subject.

S (whether절): 내가 어질러진 방에서 지내는 것을 좋아했느냐 아니냐는 / V: ~이었다 / SC: 또 다른 사안

| 해석 | 내가 어질러진 방에서 지내는 것을 좋아했느냐 아니냐는 또 다른 사안이었다.

| 해설 | '~인지 (아닌지)'라는 의미를 나타내는 접속사 whether가 이끄는 명사절이 주어 역할을 하고 있다. whether절의 living은 liked의 목적어로 쓰인 동명사로 '사는 것을'로 해석한다.

**028** It is (widely) assumed [that technology will make our lives a lot easier].

S / V: 널리 추정된다 / S' (진주어-that절): 기술이 만들어 줄 것이라고 우리의 삶을 훨씬 더 쉽게

| 해석 | 기술이 우리의 삶을 훨씬 더 쉽게 만들어 줄 것이라고 널리 추정된다.

| 해설 | It이 가주어이고, that절이 진주어인 문장으로 「It is assum[ed] +that절」은 '~라고 추정된다'로 해석한다. a lot은 비교급을 [강]조하여 '훨씬'이라는 의미를 나타낸다.

# B

**029** POP QUIZ! that eye movements are windows into the mi[nd]

It has been said [that eye movements are windo[ws] into the mind].

S / V: 이야기되어 왔다 / S' (진주어-that절): 눈의 움직임이 마음을 들여다보는 창이라고

| 해석 | 눈의 움직임이 마음을 들여다보는 창이라고들 말해 왔다.

| 해설 | 가주어 It과 진주어 that절이 쓰인 문장으로, It has be[en] said that ~.은 '~라고들 말해 왔다'로 해석할 수 있다.

**030** It is not surprising [that constant exposure to nois[e] is related to children's academic achievement].

S / V: ~ 않다 / SC: 놀라운 / S' (진주어-that절): 소음에 지속적으로 노출되는 것이 아이들의 학업 성취와 관계가 있다는 것은

| 해석 | 지속적으로 소음에 노출되는 것이 아이들의 학업 성취와 관계[가] 있다는 것은 놀랍지 않다.

| 해설 | 진주어 that절은 문장 뒤로 보내고 주어 자리에 가주어 It을 [쓴] 문장이다. that절의 주어는 constant exposure to nois[e]로, '지속적으로 소음에 노출되는 것은'으로 해석할 수 있다.

**031** CHOOSE! was

(In the excitement of the conversation), [wheth[er] we ate two bread rolls or three] was forgotten.

그 대화의 흥분으로 / S (whether절): 우리가 롤빵을 두 개 먹었는지 세 개 먹었는지는 / V: 잊혀졌다

| 해석 | 대화를 하다가 흥분해서, 우리가 롤빵을 두 개 먹었는지 세 개 [먹]었는지는 잊혀졌다.

| 해설 | 주어로 쓰인 whether절은 가주어 it으로 대체할 수 있으므[로] 동사는 was가 쓰이는 것이 알맞다. 몇 개를 먹었는지는 '잊혀[진'] 대상이므로 수동태(was forgotten)가 쓰였다.

**032** It was reasoned [that the experience of failu[re] would discourage students from future study].

S / V: 판단되었다 / S' (진주어-that절): 실패의 경험은 학생들이 앞으로 공부하고자 하는 의욕을 꺾을 것이라고

| 해석 | 실패의 경험은 학생들이 앞으로 공부하고자 하는 의욕을 꺾을 [것이라고] 으로 판단되었다.

| 해설 | 주어로 쓰인 that절을 문장의 뒤로 보내고 주어 자리에 가주[어] It을 쓴 문장이다. discourage *A* from *B*는 'A가 B 하려[는] 의욕을 꺾다, 좌절시키다'라는 뜻이다.

**문장공식** 관계대명사 what절 주어 pp. 22-23

# 05 what절 하는 것은 V 하다

**QUICK QUIZ**

(1) [What you're saying] is hard (to believe).
S(주어) V(동사) SC(주격보어)
네가 말하고 있는 것은 ~이다 어려운 믿기에

| 해석 | 네가 하고 있는 말은 믿기 어렵다.

(2) [What she heard] made her delighted.
S(주어) V(동사) O(목적어) OC(목적격보어)
그녀가 들은 것은 만들었다 그녀를 기쁘게

| 해석 | 그녀가 들은 것은 그녀를 기쁘게 했다.

## 출로 Practice

**33** [What he said] was different (from my thinking).
S (관계대명사 what절) V SC
그가 말한 것은 ~이었다 다른 내 생각과

| 해석 | 그가 한 말은 내 생각과 달랐다.

| 해설 | 선행사를 포함한 관계대명사 what이 이끄는 명사절이 주어로 쓰였으며, '~하는 것은'으로 해석한다. be different from은 '~와 다르다'를 의미한다.

**34** [What I liked most about this book] was the last part.
S (관계대명사 what절) V SC
내가 이 책에 관해 가장 좋아한 것은 ~이었다 마지막 부분

| 해석 | 내가 이 책에서 가장 좋아한 것은 마지막 부분이었다.

| 해설 | 관계대명사 what절이 주어로 쓰였으며, 선행사를 포함하는 관계대명사 what은 the thing which(that)의 의미이다.

**35** [What happened next] was something [that chilled my blood].
S (관계대명사 what절) V SC 관계대명사절
다음에 일어난 것은 ~이었다 어떤 것 나의 간담을 서늘하게 한

| 해석 | 다음에 일어난 일은 나의 간담을 서늘하게 한 것이었다.

| 해설 | 관계대명사 what절이 주어인 문장이다. that chilled my blood는 앞의 대명사 something을 수식하는 관계대명사절로, that이 주격 관계대명사로 쓰였다.

**36** [What is considered a status symbol] will differ (among countries).
S (관계대명사 what절) V
지위의 상징이라고 여겨지는 것은 다를 것이다 나라들 사이에서

| 해석 | 지위의 상징이라고 여겨지는 것은 나라마다 다를 것이다.

| 해설 | 주어로 관계대명사 what절이 쓰였으며, what절에는 '~로 여겨지다'의 의미로 「be considered+명사」가 쓰였다.

## B

**037** POP QUIZ! What is important

[What is important] is to bring a painting back (to an artist's original intent).
S (관계대명사 what절) V SC
중요한 것은 ~이다 그림을 되돌려 놓는 것 화가의 원래 의도로

| 해석 | 중요한 것은 그림을 화가의 원래 의도에 맞춰 복원하는(되돌려 놓는) 것이다.

| 해설 | 주어로 관계대명사 what이 이끄는 명사절이, 보어로는 명사 역할을 하는 to부정사구가 쓰였다.

**038** [What she said] made Victoria fall into a deep thought (for a while).
S (관계대명사 what절) V O OC
그녀가 말한 것은 ~하게 했다 Victoria를 깊은 생각에 잠기게 한동안

| 해석 | 그녀가 한 말은 Victoria를 한동안 깊은 생각에 잠기게 했다.

| 해설 | 관계대명사 what절이 주어로 쓰였고, 「사역동사 make+목적어+목적격보어(원형부정사)」 형태가 쓰여 '(목적어)가 ~하게 하다'의 의미를 나타낸다.

**039** CHOOSE! is

[What makes watercolor such a challenging medium] is its unpredictable nature.
S (관계대명사 what절) V SC
수채화 물감을 그렇게 도전 의식을 북돋우는 도구로 만드는 것은 ~이다 그것의 예측할 수 없는 본성

| 해석 | 수채화 물감을 그렇게 도전 의식을 북돋우는 도구로 만드는 것은 그것의 예측할 수 없는 본성이다.

| 해설 | 주어로 쓰인 관계대명사 what절은 단수 취급하고, 보어(its unpredictable nature)가 단수이므로 be동사는 is를 써야 알맞다. 「make+목적어(watercolor)+명사(such a challenging medium)」는 '(목적어)를 ~로 만들다'라는 의미이고, 「such a+형용사+명사」는 '매우 ~한 …'이라는 의미이다.

**040** CHOOSE! What

[What often appears to be a piece of worthless old junk] may well be quite valuable.
S (관계대명사 what절) V SC
흔히 쓸모없는 낡은 쓰레기 조각처럼 보이는 것이 아마도 ~일 것이다 꽤 귀중한

| 해석 | 흔히 쓸모없는 낡은 쓰레기 조각처럼 보이는 것이 아마도 꽤 귀중한 것일 것이다.

| 해설 | 뒤에 주어가 없는 불완전한 구조가 이어지므로 관계대명사 What이 이끄는 명사절이 알맞다. 「appear+to부정사」는 '~인 것처럼 보이다'라는 의미이다.

**문장공식** 의문사가 이끄는 주어 pp. 24-25

# 06 의문사절하는지는 V하다

**QUICK QUIZ**

S(주어) V(동사) SC(주격보어)

(1) [How you treat others] is important.

당신이 남을 어떻게 대하는지는 ~이다 중요한

| 해석 | 당신이 남을 어떻게 대하는지는 중요하다.

S(주어) V(동사)

(2) [Who sent this letter] doesn't matter.

누가 이 편지를 보냈는지는 중요하지 않다

| 해석 | 누가 이 편지를 보냈는지는 중요하지 않다.

**기출로 Practice**

## A

S (의문사절) V SC

**041** [Who baked the cake] was not a problem (at that time).

누가 그 케이크를 구웠는지는 ~아니었다 문제가 그 당시에

| 해석 | 누가 그 케이크를 구웠는지는 그 당시에 문제가 아니었다.

| 해설 | 의문사 who가 이끄는 명사절이 문장에서 주어 역할을 하고 있으며, who는 의문사절 내에서 주어로 쓰였다.

S (의문사절) V

**042** [How the universe began] cannot be explained (clearly).

우주가 어떻게 시작되었는지는 설명될 수 없다 명확하게

| 해석 | 우주가 어떻게 시작되었는지는 명확하게 설명될 수 없다.

| 해설 | 「의문사(How)+주어+동사」 형태의 의문사절이 주어로 쓰인 문장이다. cannot be explained는 조동사가 사용된 수동태로 '설명될 수 없다'로 해석한다.

S (관계대명사 what절) V SC (의문사절)

**043** [What I don't know] is [where I'm going].

내가 모르겠는 것은 ~이다 내가 어디로 가고 있는지

| 해석 | 내가 모르겠는 것은 내가 어디로 가고 있는가 하는 것이다.

| 해설 | 주어로 쓰인 What I don't know는 의문사절이 아닌 관계대명사절로 '내가 모르겠는 것'으로 해석하며, 주격보어로는 「의문사 where+주어+동사」 형태의 의문사절이 쓰였다.

S (의문사절) V

**044** [Why the animal became extinct] is (still) debated (to this day).

그 동물이 왜 멸종했는지는 여전히 논의되고 있다 오늘날까지

| 해석 | 그 동물이 왜 멸종했는지는 오늘날까지도 여전히 논의되고 있다.

| 해설 | 주어로 쓰인 의문사절은 단수 취급을 하며, 동사는 「be동+p.p.」 형태의 수동태이다.

## B

**045** POP QUIZ! who crosses the finish line first

S V SC (의문사절)

The real issue is [who crosses the finish line firs

진짜 문제는 ~이다 누가 먼저 결승선을 통과하는가

| 해석 | 진짜 문제는 누가 먼저 결승선을 통과하느냐이다.

| 해설 | 주격보어 자리에 「의문사 who+동사 ~」 형태의 의문사절이 였으며, who는 의문사절 내에서 주어로 쓰였다.

**046** CHOOSE! How

S (의문사절) V SC

[How sugarcane is harvested] is the topic ( today's show).

사탕수수가 어떻게 수확되는지가 ~이다 주제 오늘 쇼의

| 해석 | 사탕수수가 어떻게 수확되는지가 오늘 쇼의 주제이다.

| 해설 | 문맥상 주어로 쓰인 의문사절에 들어갈 의문사로 방법을 물을 사용하는 How가 알맞다. 사탕수수는 '수확되는' 것이므로 수태(is harvested)가 쓰였다.

**047** CHOOSE! How much

$S_1$ (의문사절) $V_1$ SC

[How much one can earn] is important, // but the are other equally important considerations.

사람이 얼마나 벌 수 있는지는 ~이다 중요한 하지만

$V_2$ $S_2$

있다 다른 똑같이 중요한 고려 사항들이

| 해석 | 사람이 얼마나 벌 수 있는지도 중요하지만, 똑같이 중요한 다 고려 사항들도 있다.

| 해설 | 주어로 쓰인 의문사절은 '사람이 (돈을) 얼마나 벌 수 있는지는 의미가 되는 것이 자연스러우므로, How much가 쓰이는 것 적절하다. one은 일반적인 사람을 나타내며, there is(are) 구문에서 주어는 be동사 뒤에 온다.

S (의문사절) V

**048** [Which cultural item is accepted] depends (largel on the item's use and compatibility with alread existing cultural traits.

어떤 문화 항목이 받아들여지는가는 ~에 달려 있다 대체로

O

그 항목의 용도와 양립 가능성

이미 존재하는 문화적 특성들과의

| 해석 | 어떤 문화 항목이 받아들여지는가는 그 항목의 용도 및 이미 존재하는 문화적 특성들과의 양립 가능성에 대체로 달려 있다.

| 해설 | 의문사절의 Which는 cultural item을 꾸미는 의문 형용사 '어떤 ~'으로 해석한다. with already existing cultur traits는 compatibility를 수식하는 전치사구이다.

## Unit Exercise

p. 26

### A

**049** | 정답 | gives

The sense of tone (in another's voice) gives us an enormous amount of information.

(S: The sense of tone 어조는 / M (전치사구): in another's voice 다른 사람의 음성에 있는 / V: gives 준다 / IO: us 우리에게 / DO: an enormous amount of information 엄청난 양의 정보를)

| 해석 | 다른 사람의 음성에 담긴 어조는 우리에게 엄청난 양의 정보를 준다.

| 해설 | 전치사구 in another's voice가 주어 The sense of tone을 수식한다. 주어의 핵심 명사인 The sense에 동사의 수를 일치시켜야 하므로 동사는 -s가 붙은 gives가 알맞다.

**050** | 정답 | used

The bicycles (used for track racing) are built (without brakes).

(S: The bicycles 자전거들은 / M (과거분사구): used for track racing 경륜에 사용되는 / V: are built 만들어진다 / without brakes 브레이크 없이)

| 해석 | 경륜에 사용되는 자전거는 브레이크 없이 만들어진다.

| 해설 | 주어인 자전거는 '사용되는' 대상이므로 과거분사(used)가 사용된 분사구의 수식을 받도록 하는 것이 알맞다. 또한 자전거는 '만들어지는' 대상이므로 수동태(are built)가 사용되었으며, 전치사구 without brakes는 부사의 역할을 한다.

**051** | 정답 | What

[What interested me the most about the new house] was the barn (in the backyard).

(S (관계대명사 what절): What interested me the most about the new house 새집에 관해 나를 가장 흥미롭게 한 것은 / V: was ~이었다 / SC: the barn 헛간 / in the backyard 뒷마당에 있는)

| 해석 | 새집에서 나를 가장 흥미롭게 한 것은 뒷마당에 있는 헛간이었다.

| 해설 | 뒤에 주어가 없이 불완전한 구조가 이어지므로, '~하는 것은'을 의미하는 명사절을 이끄는 관계대명사 What이 쓰이는 것이 적절하다. 접속사 that 뒤에는 주어와 동사를 갖춘 완전한 구조가 이어진다.

**052** | 정답 | that

It is (often) said [that people make a living (according to given circumstances)].

(S: It / V: is said 흔히 이야기된다 / S′ (that절): that people make a living 사람들이 생계를 꾸린다고 / according to given circumstances 주어진 환경에 따라)

| 해석 | 사람들은 주어진 환경에 따라 생계를 꾸린다고들 흔히 말한다.

| 해설 | 진주어인 명사절이 문장의 뒤로 가고 주어 자리에 가주어 It이 쓰인 문장이다. 진주어로 that이 이끄는 명사절이 알맞으며, which를 넣어 의문사절로 해석하면 문맥상 어색하다.

### B

**053** | 정답 | this → it

Riding a bike can be fun, // but it is important to stay safe.

($S_1$ (동명사구): Riding a bike 자전거를 타는 것은 / $V_1$: can be ~일 수 있다 / $SC_1$: fun 재미있는 / but 그러나 / $S_2$: it / $V_2$: is ~이다 / $SC_2$: important 중요한 / $S_2$′ (진주어-to부정사구): to stay safe 안전을 유지하는 것이)

| 해석 | 자전거를 타는 것은 재미있을 수 있지만 안전을 유지하는 것이 중요하다.

| 해설 | 동명사구(Riding a bike)를 주어로 하는 문장과 to부정사구(to stay safe)를 진주어로 하는 두 개의 문장이 접속사 but으로 연결되어 있다. 두 번째 문장은 진주어인 to부정사구가 문장의 뒤에 있으므로 주어 자리에 가주어 it이 쓰여야 한다.

**054** | 정답 | happened → happening

Everything [happening in the world today] is a piece of a long line of events, decisions, and lives.

(S: Everything 모든 것은 / M (현재분사구): happening in the world today 오늘날 세상에서 일어나는 / V: is ~이다 / SC: a piece of a long line of events, decisions, and lives 길게 줄지어진 사건과 결정, 그리고 삶의 한 조각)

| 해석 | 오늘날 세상에서 일어나는 모든 일은 길게 줄지어진 사건과 결정, 그리고 삶의 한 조각이다.

| 해설 | Everything은 '일어나는' 주체이므로 현재분사(happening)가 사용된 분사구의 수식을 받는 것이 알맞다. Everything은 단수 취급하므로 동사로 is가 쓰였으며, a piece of는 '~의 한 조각', a long line of는 '길게 줄지어진 ~'이라고 해석한다.

**055** | 정답 | are → is

[Whether or not we can catch up on sleep] is a hotly debated topic (among sleep researchers).

(S (whether절): Whether or not we can catch up on sleep 우리가 잠을 몰아서 잘 수 있는지 없는지는 / V: is ~이다 / SC: a hotly debated topic 뜨겁게 논의되는 주제 / among sleep researchers 수면 연구가들 사이에서)

| 해석 | 우리가 잠을 몰아서 잘 수 있는지 없는지는 수면 연구가들 사이에서 뜨겁게 논의되는 주제이다.

| 해설 | 주어로 쓰인 whether절은 단수 취급하므로 동사는 is로 써야 한다. whether절은 whether or not ~ 또는 whether ~ or not 형태로도 쓰일 수 있다.

#### Grammar Check

049 뒤 050 뒤에서 051 관계대명사 what
052 that 053 it 054 현재분사구
055 ~인지 아닌지는

# Unit 2 목적어의 이해

## 문장공식 07 목적어 역할을 하는 재귀대명사

pp. 28-29

S가 V하다 재귀대명사를

✔ QUICK QUIZ

S(주어) V(동사) O(목적어)
(1) You should love yourself.
너는 사랑해야 한다 자신을

|해석| 너는 자신을 사랑해야 한다.

S(주어) V(동사) O(목적어)
(2) I don't compare myself (with others).
나는 비교하지 않는다 내 자신을 다른 사람들과

|해석| 나는 남들과 내 자신을 비교하지 않는다.

## 기출로 Practice

### A

**056** Lily and Kate took a picture (of themselves).
S: Lily와 Kate는 / V: 찍었다 / O: 사진을 / 자신들의

|해석| Lily와 Kate는 자신들의 사진을 찍었다.

|해설| 전치사(of)의 목적어가 주어와 대상이 같으므로 재귀대명사가 쓰였다. of themselves는 목적어 a picture를 수식한다.

**057** The man introduces himself (as a salesman or an executive).
S: 그 남자는 / V: 소개한다 / O: 자신을 / 판매원이나 경영 간부로

|해석| 그 남자는 자신을 판매원이나 경영 간부로 소개한다.

|해설| 주어와 대상이 같은 목적어로 재귀대명사(himself)가 쓰였다. as는 '~로서'라는 의미의 전치사로 쓰였다.

**058** You don't have to bother yourself (with these concerns).
S: 당신은 / V: 신경 쓰이게 할 필요가 없다 / O: 자신을 / 이런 걱정거리들로

|해석| 당신은 이런 걱정거리에 대해 신경 쓸 필요가 없다.

|해설| 「don't have to+동사원형」은 '~할 필요가 없다'는 의미이다. 주어(You)가 2인칭 단수이므로 재귀대명사로 yourself를 쓴다.

**059** She took a deep breath / and pushed herself (into the water).
S: 그녀는 / $V_1$: 들이마셨다 / $O_1$: 깊은 숨을 / 그리고 / $V_2$: 밀어 넣었다 / $O_2$: 자신을 / 물속으로

|해석| 그녀는 심호흡을 하고 물속으로 들어갔다.

|해설| 과거 시제의 동사 took와 pushed가 and로 연결된 병렬구조의 문장이다. 주어(She)와 목적어가 지칭하는 대상이 같으므로 재귀대명사 herself가 쓰였다.

### B

**060** We have to consider ourselves (as rational decision makers).
S: 우리는 / V: 여겨야 한다 / O: 우리 자신을 / 합리적인 의사 결정자들로

|해석| 우리는 우리 자신을 합리적인 의사 결정자로 여겨야 한다.

|해설| 「have to+동사원형」은 '~해야 한다'라는 의미를 나타내며, consider *A* as *B*는 'A를 B라고 여기다'로 해석한다.

**061** POP QUIZ! The big salmon

The big salmon threw itself (up and over the rushing water above), / but (in vain).
S: 커다란 연어는 / V: 던졌다 / O: 자신을 / 위로 그리고 너머로 / 위에서 빠르게 흐르는 물 / 그러나 / 헛되이

|해석| 커다란 연어는 몸을 솟구쳐 빠르게 흐르는 물 위로 넘어가려 했지만, 소용없었다.

|해설| 목적어 자리에 재귀대명사 itself가 쓰인 것으로 보아 itself가 가리키는 대상은 주어인 The big salmon이다.

**062** CHOOSE! themselves

They communicate (comfortably) / and express themselves (creatively) [when they interact with music].
S: 그들은 / $V_1$: 소통한다 / 편안하게 / 그리고 / $V_2$: 표현한다 / O: 자신을 / 창의적으로 / 부사절: 그들이 음악과 상호 작용을 할 때

|해석| 그들은 음악과 상호 작용을 할 때 편안하게 소통하고 자신을 창의적으로 표현한다.

|해설| 주어(They)와 express의 목적어가 지칭하는 대상이 같으므로 '자신들을'이라는 의미로 재귀대명사 themselves가 쓰이는 것이 적절하다. when 이하는 '~할 때'를 나타내는 부사절이다.

**063** [If you want to protect yourself (from colds and flu)], regular exercise is the ultimate immunity booster.
부사절: ~라면 / S': 당신이 / V': 원한다 / O': 스스로를 보호하기를 / 감기와 독감으로부터 / S: 규칙적인 운동이 / V: ~이다 / SC: 최고의 면역력 촉진제

|해석| 당신이 감기와 독감으로부터 스스로를 보호하고 싶다면, 규칙적인 운동이 최고의 면역력 촉진제이다.

|해설| 접속사 if는 '(만약) ~라면'이라는 뜻으로 조건의 부사절을 이끈다. If절의 to부정사구 내에서 protect의 대상이 주어(you)와 같으므로 재귀대명사(yourself)가 쓰였다. protect *A* from *B*는 'A를 B로부터 보호하다'로 해석한다.

## 문장공식 08 목적어 역할을 하는 to부정사(구)와 동명사(구)

pp. 30-31

S 가 V 하다 to-v 하는 것을 / v-ing 하는 것을

**QUICK QUIZ**

(1) She wants to drink some juice.
S(주어) 그녀는 / V(동사) 원한다 / O(목적어) 주스를 마시기를

| 해석 | 그녀는 주스를 마시고 싶어 한다.

(2) He finished reading the book (in a day).
S(주어) 그는 / V(동사) 끝냈다 / O(목적어) 그 책을 읽는 것을 / 하루 만에

| 해석 | 그는 하루 만에 그 책을 다 읽었다.

### 기출로 Practice

**064** You need to make smart decisions (to protect yourself).
S 당신은 / V 필요로 한다 / O 현명한 결정을 하는 것을 / 스스로를 보호하기 위해

| 해석 | 스스로를 보호하기 위해 당신은 현명한 결정을 하는 것을 필요로 한다.

| 해설 | 명사 역할을 하는 to부정사구가 목적어로 쓰인 문장이다. need는 to부정사(구)를 목적어로 취하는 동사이다.

**065** Teenagers should start taking care of their own mental health.
S 십 대들은 / V 시작해야 한다 / O 스스로의 정신 건강을 돌보는 것을

| 해석 | 십 대들은 스스로의 정신 건강을 돌보기 시작해야 한다.

| 해설 | 문장의 목적어로 동명사구가 쓰였다. start는 의미의 차이 없이 동명사(구)와 to부정사(구) 모두 목적어로 취할 수 있다.

**066** The sun will keep shining on our planet (for billions of years).
S 태양은 / V 지속할 것이다 / O 우리의 행성을 비추는 것을 / 수십억 년 동안

| 해석 | 태양은 수십억 년 동안 계속하여 우리의 행성을 비출 것이다.

| 해설 | keep은 동명사(구)를 목적어로 취하는 동사이며, 「keep+동명사」는 '계속해서 ~하다'로 해석할 수 있다.

**067** My 13-year-old son tried to jump (over a parked car) / and hurt his knee.
S 내 13살짜리 아들은 / $V_1$ 애썼다 / $O_1$ 뛰어오르려고 / 주차된 차 위로 / 그리고 $V_2$ 다쳤다 / $O_2$ 자신의 무릎을

| 해석 | 나의 13살짜리 아들은 주차된 차 위로 뛰어오르려고 하다가 무릎을 다쳤다.

| 해설 | 동사 tried와 hurt가 접속사 and에 의해 연결되어 있다. 「try+to부정사(구)」는 '~하려고 애쓰다, 노력하다'라는 의미이다.

## B

**068** CHOOSE! to see

Jonas expected to see some old castles and historical monuments.
S Jonas는 / V 기대했다 / O 몇몇 오래된 성들과 역사적인 기념물들을 보기를

| 해석 | Jonas는 몇몇 오래된 성과 역사적인 기념물들을 보기를 기대했다.

| 해설 | expect는 to부정사(구)를 목적어로 취하여 '~하기를 기대하다'의 의미를 나타내므로 to see가 쓰이는 것이 적절하다.

**069** POP QUIZ! to get closer to them

[When you photograph people], remember to get closer (to them) (to exclude unwanted items).
부사절 당신이 사람들의 사진을 찍을 때 / V 기억해라 / O 다가갈 것을 더 가까이 / 그들에게 / 원치 않는 사물들을 제외시키기 위해

| 해석 | 사람의 사진을 찍을 때, 원치 않는 사물들을 제외시키기 위해 잊지 말고 그들에게 더 가까이 다가가도록 하라.

| 해설 | 접속사 when이 이끄는 부사절과 명령문인 주절로 이루어진 문장이며, 주절의 목적어로 to부정사구가 쓰였다. 「remember+to부정사」는 '(앞으로) ~할 것을 기억하다'라는 의미를 나타낸다.

**070** Barnes decided not to work (as a doctor), // and (after further study) he entered the business world.
$S_1$ Barnes는 / $V_1$ 결심했다 / $O_1$ 일하지 않기로 / 의사로서 / 그리고 / 공부를 더 한 후에 / $S_2$ 그는 / $V_2$ 들어갔다 / $O_2$ 실업계에

| 해석 | Barnes는 의사로 활동하지 않기로 결심하고, 공부를 더 한 후에 실업계에 뛰어들었다.

| 해설 | 두 개의 절이 접속사 and로 연결되어 있으며, 각 절의 목적어로 to부정사구와 명사구가 쓰였다. to부정사의 부정형은 to 앞에 부정어(not/never)를 써서 나타낸다.

**071** CHOOSE! wasting

Young people should stop wasting their money (on unnecessary things) / and start saving it.
S 젊은 사람들은 / $V_1$ 멈춰야 한다 / $O_1$ 자신의 돈을 낭비하는 것을 / 불필요한 것들에 / 그리고 $V_2$ 시작해야 한다 / $O_2$ 그것(돈)을 모으는 것을

| 해석 | 젊은 사람들은 불필요한 것에 돈을 낭비하는 것을 멈추고 돈을 모으기 시작해야 한다.

| 해설 | 문맥상 '낭비하는 것을 멈춰야 한다'라는 의미가 되어야 하므로 stop wasting이 알맞다. 조동사 should 뒤에 동사원형 stop과 start가 이어진 구조이며, it은 their money를 가리킨다.

# 문장공식 09 목적어 역할을 하는 명사절

pp. 32-33

**S** 가 **V** 하다 **명사절** 이라는(하는) 것을/인지(하는지)를

✔ QUICK QUIZ

S(주어) V(동사) O(목적어)
(1) I hope [that you will be able to come].
나는 바란다 당신이 올 수 있기를

a. 관계대명사 ⓑ 목적어 역할을 하는 명사절을 이끄는 접속사

| 해석 | 나는 당신이 올 수 있기를 바란다.

S(주어) V(동사) O(목적어)
(2) She heard [that Mike left for school].
그녀는 들었다 Mike가 학교로 떠났다고

ⓐ 목적어 역할을 하는 명사절을 이끄는 접속사
b. 주어 역할을 하는 명사절을 이끄는 접속사

| 해석 | 그녀는 Mike가 학교로 떠났다고 들었다.

기출로 Practice

## A

**072** Many people (S) believe (V) [that "yes" is not always the best answer] (O (that절)).
많은 사람들이 / 믿는다 / '예'가 항상 최고의 대답은 아니라고

| 해석 | 많은 사람들이 '예'라고 말하는 것이 항상 최고의 대답은 아니라고 믿는다.

| 해설 | 문장의 목적어로 접속사 that이 이끄는 명사절이 쓰였다. not always는 '항상 ~인 것은 아니다'로 해석한다.

**073** We (S) shouldn't throw away (V) [what we can recycle] (O (관계대명사 what절)).
우리는 / 버리지 말아야 한다 / 우리가 재활용할 수 있는 것을

| 해석 | 우리는 재활용할 수 있는 것을 버리지 말아야 한다.

| 해설 | 목적어로 관계대명사 what이 이끄는 명사절이 쓰였다. 선행사를 포함하는 관계대명사 what이 이끄는 명사절은 '~하는 것'으로 해석한다.

**074** Science (S) tells (V) us (IO) [where we are and what we are] (DO (의문사절)).
과학은 / 말해 준다 / 우리에게 / 우리가 어디에 있는지와 우리가 무엇인지를

| 해석 | 과학은 우리가 어디에 있으며 우리가 무엇인지 우리에게 말해 준다.

| 해설 | 의문사절 where we are와 what we are가 등위접속사 and로 연결되어 직접목적어로 쓰였다.

**075** She (S) asked (V) Steve (IO) [if he wanted to run for student president] (DO (if절)).
그녀는 / 물었다 / Steve에게 / 그가 학생회장에 출마하기를 원하는지

| 해석 | 그녀는 Steve에게 학생회장에 출마하기를 원하는지 물었다.

| 해설 | '~인지 (아닌지)'를 뜻하는 접속사 if가 이끄는 명사절(if+주어+동사 ~)이 직접목적어로 쓰인 문장이다.

## B

**076** Stop ($V_1$) [what you are doing] ($O_1$ (관계대명사 what절)) (for a moment) / an[d] listen to ($V_2$) [what he is saying] ($O_2$ (관계대명사 what절)).
멈춰라 / 네가 하고 있는 것을 / 잠시 동안 / 그[리고] / 들어라 / 그가 말하고 있는 것을

| 해석 | 하고 있는 일을 잠시 멈추고 그가 말하고 있는 것을 들어라.

| 해설 | 두 개의 명령문이 접속사 and로 연결되어 있으며 각 동사 st[op]과 listen to의 목적어로 관계대명사 what이 이끄는 명사절[이] 쓰였다.

**077** CHOOSE! who

We (S) had better figure out (V) [who our competitors w[ill] be] (O (의문사절)).
우리는 / 알아내는 게 좋겠다 / 누가 우리의 경쟁자가 될지

| 해석 | 우리는 누가 우리의 경쟁자가 될지 알아내는 게 좋겠다.

| 해설 | 문맥상 의문사 who가 이끄는 의문사절이 되어야 알맞다. th[at]이 이끄는 명사절이 될 경우 문맥상 어색해진다. '충고, 권고'의 의미인 「had better+동사원형」은 '~하는 것이 좋겠다'라고 [해]석한다.

**078** CHOOSE! that

Visitors and residents (S) agree (V) [that a gondola ride [is] an amazing way to see Venice] (O (that절)).
방문객들과 주민들은 / 동의한다 / 곤돌라 타기가 베니스를 보는 놀라운 방법이라는 것에

| 해석 | 방문객과 주민들은 곤돌라를 타는 것이 베니스를 보는 놀라운 [방]법이라는 것에 동의한다.

| 해설 | 목적어로 접속사 that이 이끄는 명사절이 되는 것이 적절하다. [접]속사 that 뒤에는 주어와 동사를 갖춘 완전한 구조가 이어진[다.] 관계대명사나 의문사로 쓰인 what이 이끄는 명사절이 되려면 [주]어나 목적어가 없는 불완전한 문장이 이어져야 한다. to se[e] Venice는 an amazing way를 수식하는 형용사 역할을 한[다.]

**079** POP QUIZ! whether listeners understand the speaker's ideas

Audience feedback (S) (often) indicates (V) [wheth[er] listeners understand the speaker's ideas] (O (whether절)).
청중의 피드백은 / 흔히 / 보여 준다 / 청중들이 말하는 사람의 생각을 이해하는지를

| 해석 | 청중의 피드백은 흔히 청중들이 말하는 사람의 생각을 이해하[는]지를 보여 준다.

| 해설 | 동사(indicates)의 목적어로 접속사 whether가 이끄는 명[사]절이 쓰였으며, '~인지 (아닌지)'로 해석한다.

## Unit Exercise

p. 34

A

80 | 정답 | what

Many teens follow [what their favorite celebrities do].

S: Many teens (많은 십 대들이) / V: follow (따라 한다) / O (관계대명서 what절): what their favorite celebrities do (그들이 가장 좋아하는 유명 인사들이 하는 것을)

| 해석 | 많은 십 대들이 자신들이 가장 좋아하는 유명 인사들이 하는 것을 따라 한다.

| 해설 | 목적어 역할을 하는 명사절이 주어와 동사는 있지만 목적어가 없는 불완전한 구조이므로 관계대명사 what이 오는 것이 알맞다.

81 | 정답 | to supply

He agreed to supply tons of food (to the starving Polish people).

S: He (그는) / V: agreed (동의했다) / O: to supply tons of food (수십 톤의 식량을 공급하는 것에) / (to the starving Polish people) (굶주리고 있는 폴란드 국민들에게)

| 해석 | 그는 굶주리고 있는 폴란드 국민들에게 수십 톤의 식량을 공급하는 것에 동의했다.

| 해설 | agree는 to부정사(구)를 목적어로 취하여 '~할 것에 동의하다'라는 의미를 나타낸다. supply *A* to *B*는 'B에게 A를 제공하다'라는 뜻이다.

82 | 정답 | yourself

Are you honest (with yourself) (about your strengths and weaknesses)?

V: Are (~인가) / S: you (당신은) / SC: honest (솔직한) / (with yourself) (스스로에게) / (about your strengths and weaknesses) (당신의 강점과 약점에 대하여)

| 해석 | 당신은 당신의 강점과 약점에 대하여 스스로에게 솔직한가?

| 해설 | 전치사(with)의 목적어와 주어(you)가 지칭하는 대상이 같으므로 전치사의 목적어로 재귀대명사 yourself를 쓰는 것이 적절하다.

83 | 정답 | if

I wonder [if it is possible to film children (in classes and around school) (for a day)].

S: I (나는) / V: wonder (궁금하다) / O (if절): if it is possible to film children (아이들을 촬영하는 것이 가능한지) / (in classes and around school) (교실과 학교 여기저기에서) / (for a day) (하루 동안)

| 해석 | 하루 동안 교실과 학교 여기저기에서 아이들을 촬영하는 것이 가능한지 궁금하다.

| 해설 | 목적어로 접속사 if가 이끄는 명사절이 쓰여 '~인지 (아닌지)'의 의미를 나타내는 것이 적절하다. 접속사 if 뒤에는 주어와 동사를 갖춘 완전한 구조가 이어지고, 관계대명사나 의문사로 쓰인 what 뒤에는 주어나 목적어가 없는 불완전한 구조가 이어진다. if절에서는 to film ~ a day가 진주어이고, 주어 자리에 가주어 it이 쓰였다.

B

084 | 정답 | to read → reading

(Now), he enjoys reading maps and solving difficult word puzzles (on his computer).

(Now) (이제) / S: he (그는) / V: enjoys (즐긴다) / O: reading maps and solving difficult word puzzles (지도를 읽고 어려운 단어 퍼즐을 푸는 것을) / (on his computer) (그의 컴퓨터로)

| 해석 | 이제 그는 컴퓨터로 지도를 읽고 어려운 단어 퍼즐을 푸는 것을 즐긴다.

| 해설 | enjoy는 동명사(구)를 목적어로 취하여 '~하는 것을 즐기다'라는 의미를 나타낸다. 등위접속사 and가 두 개의 목적어 reading maps와 solving difficult word puzzles를 연결한다.

085 | 정답 | what → that

Science says [that walking regularly in the morning controls blood pressure, lessens stress, and energizes you].

S: Science (과학은) / V: says (말한다) / O (that절): that walking regularly in the morning (아침에 규칙적으로 걷는 것은) controls blood pressure (혈압을 조절하고), lessens stress (스트레스를 줄여 주며), and energizes you (당신에게 활기를 북돋아 준다고)

| 해석 | 과학에 의하면 아침에 규칙적으로 걷는 것은 혈압을 조절하고 스트레스를 줄여 주며 활기를 북돋아 준다고 한다.

| 해설 | 목적어로 쓰인 명사절이 완전한 문장이므로 접속사 that이 이끄는 형태가 되어야 알맞다. that절의 주어는 동명사구(walking regularly in the morning)이고, 3개의 동사(controls, lessens, energizes)가 병렬구조를 이루고 있다.

086 | 정답 | who → which (candies)

His job is to describe the flavor and smell of different candies/and tell [which might be popular with children].

S: His job (그의 일은) / V: is (~이다) / SC1: to describe the flavor and smell of different candies (여러 사탕들의 맛과 향을 묘사하는 것) / SC2: and tell [which might be popular with children] (그리고 판단하는 것 / 어떤 것이 인기가 있을지 / 아이들에게)

| 해석 | 그의 일은 여러 사탕의 맛과 향을 묘사하고 어떤 것이 아이들에게 인기가 있을지 판단하는 것이다.

| 해설 | 주격보어로 to부정사구가 and로 연결된 문장으로, and 뒤에 오는 to부정사구의 to는 생략되기도 한다. tell의 목적어로 쓰인 의문사절에서 인기 있는 대상이 사람이 아닌 사물(candies)이므로 의문사 who(누가)가 아니라 which(어떤 것이)나 which candies(어떤 사탕들이)가 쓰여야 문맥상 자연스럽다.

### Grammar Check

080 what　081 to부정사(구)　082 재귀대명사　083 if
084 동명사(구)　085 that　086 「의문사(+주어)+동사」

# Unit 3 보어의 이해

**문장공식 10** 주격보어 역할을 하는 명사절 pp. 36-37

S는 V이다 명사절이라는(하는) 것/인지(하는지)

✔ QUICK QUIZ

S(주어) V(동사) SC(주격보어)
(1) Swimming is [what I usually do in my free time].
수영은 ~이다 내가 여가 시간에 주로 하는 것
| 해석 | 수영은 내가 여가 시간에 주로 하는 것이다.

S(주어) V(동사) SC(주격보어)
(2) The problem is [that many organizations are poor in information].
문제는 ~이다 많은 조직들이 정보에 있어 부족하다는 것
| 해석 | 문제는 많은 조직들이 정보가 부족하다는 점이다.

## 기출로 Practice

### A

**087** S V SC (whether절)
One issue is [whether viruses are living organisms].
한 가지 쟁점은 ~이다 바이러스가 생물인지 (아닌지)
| 해석 | 한 가지 쟁점은 바이러스가 생물인가 하는 것이다.
| 해설 | 주격보어로 접속사 whether가 이끄는 명사절(whether+주어+동사 ~)이 쓰였다.

**088** S V SC (관계대명사 what절)
Learning from failure is [what really matters].
실패로부터 배우는 것이 ~이다 정말로 중요한 것
| 해석 | 실패로부터 배우는 것이 정말 중요한 것이다.
| 해설 | 주어로 동명사구, 주격보어로 관계대명사 what절이 쓰였으며, 관계대명사 what절은 '~하는 것'으로 해석한다. 동명사구 주어는 단수 취급한다.

**089** S V SC (의문사절)
The key issue is [who you compare yourself with].
핵심 쟁점은 ~이다 여러분이 스스로를 누구와 비교하는지
| 해석 | 핵심 쟁점은 여러분이 스스로를 누구와 비교하느냐 하는 것이다.
| 해설 | 주격보어로 의문사절이 쓰였다. 의문사 who는 의문사절 내에서 전치사 with의 목적어 역할을 한다.

**090** S (관계대명사 what절) V SC (that절)
[What you may not appreciate] is [that the quality of light may also be important].
당신이 인식하지 못할 수도 있는 것은 ~이다 빛의 질 또한 중요할 수 있다는 것
| 해석 | 당신이 인식하지 못할 수도 있는 것은 빛의 질 또한 중요할 수 있다는 것이다.
| 해설 | 주어로 관계대명사 what절, 주격보어로 접속사 that절이 쓰였다. 명사절 주어는 단수 취급하며, 조동사 may는 '~일지도 모른다'라는 약한 추측의 의미로 쓰였다.

### B

**091** CHOOSE! what
S V SC (관계대명사 what절)
A large part (of what we see) is [what we expect to see].
많은 부분은 우리가 보는 것의 ~이다 우리가 볼 것이라 기대하는 것
| 해석 | 우리가 보는 것의 많은 부분은 우리가 볼 것이라 기대하는 것이다.
| 해설 | 주격보어로 '~하는 것'을 의미하는 관계대명사 what절이 쓰이는 것이 자연스럽다. 주어를 수식하는 전치사구에서 전치사 of의 목적어로 관계대명사 what절(what we see)이 쓰였다.

**092** POP QUIZ! how well people express their own feelings
S V SC (의문사절)
One key social competence is [how well people express their own feelings].
한 가지 중요한 사회적 능력은 ~이다 사람들이 자신들의 감정을 얼마나 잘 표현하는가
| 해석 | 한 가지 중요한 사회적 능력은 사람들이 자신의 감정을 얼마나 잘 표현하는가이다.
| 해설 | 주격보어로 의문사절이 쓰였다. 「how well+S'+V'」는 'S'가 얼마나 잘 V'하는지'로 해석한다.

**093** CHOOSE! that
S V SC (that절)
The best thing (about driverless cars) is [that people won't need a license (to operate them)].
가장 좋은 점은 무인 자동차에 관해 ~이다 사람들이 면허가 필요 없을 것이라는 점 그것들을 조작하기 위해
| 해석 | 무인 자동차의 가장 좋은 점은 사람들이 그것을 조작하는 데 면허가 필요 없을 것이라는 점이다.
| 해설 | 주격보어로 쓰인 명사절에 완벽한 구조(people won't need ~ them)가 쓰인 것으로 보아 접속사 that이 쓰이는 것이 적절하다. 전치사구(about driverless cars)가 주어를 수식하고 있으며, that절 내의 to operate them은 목적의 의미를 나타내는 to부정사구이다.

**094** S V SC₁ (whether절)
Her main concern was [whether the products looked attractive], / not [whether they were effective or reliable].
그녀의 주된 관심사는 ~이었다 제품들이 매력적으로 보였는지 ~이 아니라 그것들이 효율적이거나 믿을 만했는지 SC₂ (whether절)
| 해석 | 그녀의 주된 관심사는 제품이 효율적인가 또는 믿을 만한가가 아니라 매력적으로 보이는가 하는 것이었다.
| 해설 | 주격보어로 '~인지 (아닌지)'를 나타내는 접속사 whether가 이끄는 명사절이 쓰였다. not은 두 번째 주격보어를 부정하며 '(주어)는 (SC₂)가 아니라 (SC₁)이다'로 해석한다.

## 문장공식 11 목적격보어 역할을 하는 명사(구)와 형용사(구)

pp. 38-39

S가 V하다 O를 명사(구)로 / 형용사(구)하게

**✔ QUICK QUIZ**

S(주어) V(동사) O(목적어) OC(목적격보어)

(1) These foods make us strong.

이 음식들은 만든다 우리를 튼튼하게

**| 해석 |** 이 음식들은 우리를 튼튼하게 해 준다.

S(주어) V(동사) O(목적어) OC(목적격보어)

(2) The police officer considered the man a liar.

그 경찰관은 생각했다 그 남자를 거짓말쟁이라고

**| 해석 |** 경찰관은 그 남자를 거짓말쟁이라고 생각했다.

**출로 Practice**

S V O

**95** Using a smartphone (in the dark) makes vision

스마트폰을 사용하는 것은 어두운 곳에서 만든다 시력

OC

problems worse.

문제를 더 안 좋게

**| 해석 |** 어두운 곳에서 스마트폰을 사용하는 것은 시력 문제를 더 악화시킨다.

**| 해설 |** 동명사구 주어가 쓰였으며, 「make+목적어+목적격보어(형용사)」는 '(목적어)가 ~하게 하다'라는 의미이다.

S V O

**96** American shoppers consider online customer

미국의 쇼핑객들은 여긴다 온라인 고객 평점과

OC

ratings and reviews important.

후기를 중요하게

**| 해석 |** 미국 쇼핑객들은 온라인 고객 평점과 후기를 중요하게 여긴다.

**| 해설 |** 「consider+목적어+목적격보어(형용사)」는 '(목적어)를 ~하게 여기다'라는 의미를 나타낸다.

S1 V1 O1 OC

**97** We could call the dog anything [we wanted], // so

우리는 부를 수 있었다 그 개를 어떤 것으로든 우리가 원했던 그래서

S2 V2 O2

we decided to name him Blaze.

우리는 결정했다 그 개를 Blaze라고 이름 짓기로

**| 해석 |** 우리는 그 개를 우리가 원하는 어떤 것으로든 부를 수 있었고, 그래서 우리는 그 개를 Blaze로 이름 짓기로 결정했다.

**| 해설 |** 「call+목적어+목적격보어(명사)」는 '(목적어)를 ~로 부르다'라는 의미이고, 「name+목적어+목적격보어(명사)」는 '(목적어)를 ~로 이름 짓다'라는 의미이다.

S V O OC1

**98** More and more people find it a fulfilling task and

점점 더 많은 사람들이 생각한다 그것이 성취감을 주는 일이라고 그리고

OC2

(very) beneficial.

매우 유익하다고

**| 해석 |** 점점 더 많은 사람들이 그것이 성취감을 주는 일이며 매우 유익하다고 생각한다.

**| 해설 |** 「find+목적어+목적격보어」는 '(목적어)가 ~하다고[라고] 생각하다'라는 의미이다. 목적격보어로 명사구(a fulfilling task)와 형용사(beneficial)가 쓰였다.

# B

**099** POP QUIZ! a great way to support students

S V O OC

Mary considers pet visits (on campus) a great way (to support students).

Mary는 생각한다 애완동물의 방문이 캠퍼스 내 훌륭한 방법이라고 학생들을 지원하는

**| 해석 |** Mary는 캠퍼스 내 애완동물의 방문이 학생들을 지원하는 훌륭한 방법이라고 생각한다.

**| 해설 |** 목적격보어로 명사(a great way)가 쓰였으며, to support students는 목적격보어를 수식하는 형용사 역할을 한다.

S V O OC

**100** The experience made her more aware (of what was going on in the world).

그 경험은 ~하게 했다 그녀가 더 잘 알게 세상에 무슨 일이 일어나고 있었는지에 대해

**| 해석 |** 그 경험은 그녀가 세상에 무슨 일이 일어나고 있는지 더 잘 알게 했다.

**| 해설 |** 「make+목적어+목적격보어(형용사)」((목적어)가 ~하게 하다)가 쓰인 문장이며, 의문사 what이 이끄는 명사절 what was going on in the world가 전치사 of의 목적어로 쓰였다.

**101** CHOOSE! comfortable

S V O

We pack each fish (in a plastic bag 〈with enough

우리는 포장한다 각각의 물고기를 비닐봉지 안에 충분한 물을 담은

V′ O′ OC′

water (to keep the fish comfortable)〉).

물고기들을 편안하게 할

**| 해석 |** 저희는 물고기들을 편안하게 할 정도로 충분한 물을 담은 비닐봉지 안에 각각의 물고기를 포장합니다.

**| 해설 |** to keep ~은 enough water를 수식하며, 「keep+목적어+형용사」((목적어)가 ~하게 하다)의 형태가 되는 것이 적절하다.

S V N 관계대명사절

**102** Amnesia (often) results (from a brain injury [that

기억 상실증은 흔히 비롯된다 뇌 손상으로부터

V′ O′ OC′

leaves the victim unable to form new memories]).

~하게 하는 희생자(환자)가 새로운 기억을 형성할 수 없게

**| 해석 |** 기억 상실증은 희생자(환자)가 새로운 기억을 형성할 수 없게 하는 뇌 손상에서 흔히 비롯된다.

**| 해설 |** a brain injury를 수식하는 관계대명사절에 「leave+목적어+목적격보어(형용사)」((목적어)를 ~한 상태로 두다) 형태가 쓰였다.

## 문장공식 12

목적격보어 역할을 하는 to부정사(구), 원형부정사(구), 분사(구) pp. 40-41

S가 V하다 O를 to부정사(구)/원형부정사(구)/분사(구) 하도록

**✔ QUICK QUIZ**

S(주어) V(동사) O(목적어) OC(목적격보어)

(1) Emily had her brother fix her bike.

Emily는 하게 했다 오빠가 그녀의 자전거를 고치도록

| 해석 | Emily는 오빠가 그녀의 자전거를 고치게 했다.

S(주어) V(동사) O(목적어) OC(목적격보어)

(2) We told the children to come back to school.

우리는 말했다 아이들에게 학교로 돌아오라고

| 해석 | 우리는 아이들에게 학교로 돌아오라고 말했다.

### 기출로 Practice

## A

**103** (In one experiment), subjects observed a person solve 30 multiple-choice problems.

한 실험에서 / 실험 대상자들은(S) / 관찰했다(V) / 한 사람이(O) / 30개의 선다형 문제들을 푸는 것을(OC)

| 해석 | 한 실험에서, 실험 대상자들은 한 사람이 30개의 선다형 문제를 푸는 것을 관찰했다.

| 해설 | 「지각동사 observe+목적어+원형부정사(solve)」는 '(목적어)가 ~하는 것을 관찰하다'라는 의미를 나타낸다.

**104** She looked (out her window) / and saw the rain (slowly) beginning to fade.

그녀는(S) / 내다보았다($V_1$) / 창밖을 / 그리고 / 보았다($V_2$) / 비가(O) / 서서히 / 잦아들기 시작하는 것을(OC)

| 해석 | 그녀는 창밖을 내다보고 비가 서서히 잦아들기 시작하는 것을 보았다.

| 해설 | 동사 looked와 saw가 접속사 and로 연결된 구조이다. 「see+목적어+현재분사(beginning)」는 '(목적어)가 ~하고 있는 것을 보다'라는 의미이다.

**105** The rich soil could help farmers grow enough crops (to feed the people in the cities).

비옥한 토양은(S) / 도울 수 있었다(V) / 농부들이(O) / 충분한 작물들을 재배하는 것을(OC) / 도시에 있는 사람들을 먹이기에

| 해석 | 비옥한 토양은 농부들이 도시 사람들을 먹여 살리기에 충분한 작물을 재배하는 것을 도울 수 있었다.

| 해설 | help는 목적격보어 자리에 원형부정사와 to부정사를 모두 취할 수 있으므로 to grow로도 쓸 수 있다. to feed ~ cities는 enough crops를 수식하는 형용사 역할을 한다.

**106** Providing an occasional snack can make th[e] office feel more welcoming.

가끔씩 간식을 제공하는 것은(S) / ~하게 할 수 있다(V) / 사무실을 / 더 안락한 느낌이 들도록(OC)

| 해석 | 가끔씩 간식을 제공하는 것은 사무실이 더 안락한 느낌이 들[게] 할 수 있다.

| 해설 | 사역동사 make의 목적격보어로 원형부정사(feel)가 쓰였다.

## B

**107** CHOOSE! give

Let me give you a piece of advice [that mig[ht] change your mind].

하게 해라(V) 내가(O) / 당신에게 한 가지 충고를 하도록(OC) / 당신의 마음을 바꿀 수도 있는

| 해석 | 당신의 마음을 바꿀 수도 있는 충고를 하나 하겠다.

| 해설 | 「let+me(목적어)+원형부정사(구)」는 '내가 ~할게'라는 의미[로] 일상 대화에서 많이 쓰인다. that 이하는 선행사 a piece [of] advice를 수식하는 관계대명사절이다.

**108** The letter advised Adams not to be discourage[d] [if he received early rejections].

그 편지는(S) / 조언했다(V) / Adams에게(O) / 낙심하지 말라고(OC) / 만약 그가 초기에 거절을 당하면

| 해석 | 그 편지는 Adams에게 초기에 거절을 당하더라도 낙심하지 [말]라고 조언했다.

| 해설 | 「advise+목적어+to부정사(구)」는 '(목적어)가 ~하도록 조[언]하다'라는 의미이다. to부정사의 부정형은 to 앞에 not을 써[서] 나타낸다.

**109** Play (also) allows children to try out and lea[rn] social behaviors / and to acquire important value[s].

놀이는(S) / 또한 / 허용한다(V) / 아이들이(O) / 사회적 행동들을 시도하고 배우도[록]($OC_1$) / 그리고 / 중요한 가치들을 습득하도록($OC_2$)

| 해석 | 놀이는 또한 아이들이 사회적 행동을 시도하고 배우며, 중요[한] 가치를 습득하도록 한다.

| 해설 | 「allow+목적어+to부정사(구)」는 '(목적어)가 ~하도록 허용[한]다'로 해석한다. to부정사구 목적격보어가 and로 연결되어 있[다].

**110** POP QUIZ! evaluated by experienced experts

You will have your work evaluated (by experience[d] experts) / and receive insightful suggestions.

당신은(S) / ~하게 할 것이다($V_1$) / 당신의 작품이($O_1$) / 평가되도록(OC) / 경험이 많은 전문가들에 [의해] / 그리고 / 받을 것이다($V_2$) / 통찰력 있는 제안(조언)들을($O_2$)

| 해석 | 당신은 당신의 작품을 경험이 많은 전문가에게 평가받고, 통찰[력] 있는 조언을 받을 것이다.

| 해설 | 목적어 your work는 '평가받는' 대상이므로 목적격보어로 과거분사(evaluated)가 쓰였다.

## Unit Exercise

p. 42

11 | 정답 | that

S V SC (that절)

One obstacle is [that such a trip will take years].

한 가지 장애물은 ~이다 그런 여행은 수년이 걸릴 것이라는 것

| 해석 | 한 가지 장애물은 그런 여행은 수년이 걸릴 것이라는 점이다.

| 해설 | 주격보어로 접속사 that이 이끄는 명사절이 오는 것이 알맞으며 '~라는 것'으로 해석한다.

12 | 정답 | to share

S V O OC

She ordered the non-swimmer to share a piece of board with her.

그녀는 명령했다 수영을 못하는 사람에게 자신과 나무판을 함께 쓰도록

| 해석 | 그녀는 수영을 못하는 사람에게 자신과 나무판을 함께 쓰도록 명령했다.

| 해설 | 「order+목적어+to부정사(구)」는 '(목적어)가 ~하도록 명령(지시)하다'라는 의미를 나타낸다.

13 | 정답 | worse

S V O OC

Holding back your true feelings will (only) make things worse (later on).

당신의 진짜 감정을 억누르는 것은 단지 ~하게 할 것이다 상황을 더 나쁘게 나중에

| 해석 | 당신의 진짜 감정을 억누르는 것은 나중에 상황을 더 악화시킬 뿐일 것이다.

| 해설 | 동명사구(Holding back your true feelings)가 주어로 쓰인 5형식 문장으로, 빈칸에는 목적격보어로 목적어의 상태를 나타내는 worse가 알맞다. make things worse는 '사태를(상황을) 악화시키다'로 해석한다.

4 | 정답 | which → that

S V SC (that절)

The reality is [that most people will never have enough education (in their lifetime)].

현실은 ~이다 대부분의 사람들이 충분한 교육을 절대 받지 못할 것이라는 점 평생 동안

| 해석 | 실상은 대부분의 사람들이 평생 동안 절대 충분한 교육을 받지 못할 것이라는 점이다.

| 해설 | 주격보어로 쓰인 명사절에 주어와 동사를 갖춘 완전한 문장이 쓰였으므로 '~라는 것'이라는 뜻의 명사절을 이끄는 접속사 that이 쓰이는 것이 알맞다.

115 | 정답 | to wander → wander

부사절 S V O OC

[Before he closed his tired eyes], he let them wander (around his old small room).

그가 피곤한 눈을 감기 전에 그는 ~하게 했다 그들이(= 눈이) 돌아다니도록 그의 낡고 작은 방을

| 해석 | 피곤한 눈을 감기 전에 그는 자신의 낡고 작은 방을 (눈으로) 둘러보았다.

| 해설 | 사역동사 let이 쓰였으므로 목적격보어로 원형부정사(wander)가 쓰이는 것이 알맞다. 목적어 them은 his eyes를 뜻하므로 let them wander는 '(두) 눈으로 둘러보다'로 해석하는 것이 자연스럽다.

116 | 정답 | to try → try(trying)

부사절 S V O OC

[As Tom was waiting for a bus], he noticed a blind man try(trying) to cross the street.

Tom이 버스를 기다리고 있었을 때 그는 알아차렸다 한 시각 장애인이 길을 건너려고 하는 것을

| 해석 | Tom이 버스를 기다리고 있었을 때, 그는 한 시각 장애인이 길을 건너려고 하는 것을 알아차렸다.

| 해설 | notice는 지각동사로 목적격보어 자리에 원형부정사나 현재분사(v-ing)를 모두 취할 수 있으므로 try 또는 trying으로 고쳐야 알맞다. As Tom ~ a bus는 '~할 때'의 의미로 접속사 as가 이끄는 부사절이다.

117 | 정답 | choose → to choose

S V1 IO DO V2 O OC 관계대명사절

(In an experiment), researchers showed participants two photos (of faces) / and asked them to choose the photo [that they thought was attractive].

한 실험에서 연구자들은 보여 주었다 참가자들에게 두 개의 사진을 얼굴의 그리고 요청했다 그들에게 사진을 고르라고 그들이 생각하기에 매력적인

| 해석 | 한 실험에서, 연구자들은 참가자들에게 두 장의 얼굴 사진을 보여 주고 그들에게 매력적이라고 생각하는 사진을 고르라고 요청했다.

| 해설 | 「ask+목적어+목적격보어」는 '(목적어)에게 ~해 달라고 부탁하다, 요청하다'라는 의미로, ask는 to부정사를 목적격보어로 취한다. that 이하는 the photo를 수식하는 관계대명사절이다.

### Grammar Check

111 명사절 112 목적격보어 113 형용사(구)
114 접속사 that 115 원형부정사(구) 116 현재분사
117 to부정사(구)

# Unit 4 시제의 이해

문장공식 **13** 다양한 미래 표현 pp. 44-45

S가 | will+v 할 것이다 / be going to+v 할 예정이다 / be v-ing 할 것이다

✔ QUICK QUIZ

(1) We are going to go (on a picnic) (this Friday).
S(주어) V(동사)
우리는 갈 것이다 소풍을 이번 주 금요일에
| 해석 | 우리는 이번 주 금요일에 소풍을 갈 것이다.

(2) The students will practice (a lot) (for the contest).
S(주어) V(동사)
그 학생들은 연습할 것이다 많이 그 대회를 위해
| 해석 | 그 학생들은 그 대회를 위해 많이 연습할 것이다.

기출로 Practice

## A

**118** I will let you know [as soon as the date is set].
S V O OC 부사절
내가 ~하게 할 것이다 네가 알도록 날짜가 정해지자마자
| 해석 | 날짜가 정해지자마자 내가 너에게 알려 줄게.
| 해설 | 「조동사 will+동사원형」이 미래의 의미를 나타내는 문장이다. 「let+목적어+know」는 '(목적어)에게 알려 주다'라고 해석하며 「as soon as+주어+동사」는 '~하자마자'라는 뜻이다.

**119** I'm leaving (early) (tomorrow morning), (finally)!
S V
나는 떠날 것이다 일찍 내일 아침에 마침내
| 해석 | 마침내 나는 내일 아침 일찍 떠날 것이다!
| 해설 | 미래를 나타내는 부사구 tomorrow morning과 함께 쓰였으므로 be v-ing를 현재진행형이 아닌 미래 표현으로 해석해야 한다.

**120** Brian is stretching out his arm / and is about to grab a chocolate bar.
S $V_1$ $O_1$ $V_2$ $O_2$
Brian은 뻗고 있다 그의 팔을 그리고 막 움켜쥐려는 참이다 초코바 하나를
| 해석 | Brian은 팔을 뻗어서 초코바 하나를 막 움켜쥐려는 참이다.
| 해설 | is stretching out은 미래를 나타내는 부사(구)와 쓰이지 않았으므로 현재진행형(~하고 있다)으로 해석하며, 「be about to+동사원형」은 '막 ~하려는 참이다'라는 의미이다.

**121** (At the end of the school's annual festival), there is going to be a singing competition (for the students).
V S
학교의 연례 축제의 마지막에 있을 예정이다 노래 경연 대회가 학생들을 위한
| 해석 | 학교 연례 축제의 마지막에 학생들을 위한 노래 경연 대회가 을 예정이다.
| 해설 | 「There is going to be+주어」는 '~가 있을 것(예정)이다'로 석하며, 전치사구 for the students는 앞의 명사구를 수식한

## B

**122** The female (wearing the white dress) is about be married.
S V SC
그 여성은 흰색 드레스를 입은 막 ~되려는 참 결혼을 한
| 해석 | 흰색 드레스를 입은 여성은 막 결혼하려는 참이다.
| 해설 | 현재분사구인 wearing the white dress가 주어 T female을 수식하고 있다. 「be about to+동사원형」은 '막 ~려는 참이다'라는 뜻으로 곧바로 할 미래의 행동을 나타낸다.

**123** POP QUIZ! is coming (up)
Do you know [if another lecture is coming up]?
S V O (명사절)
당신은 알고 있나요 또 다른 강의가 있을지
| 해석 | 당신은 또 다른 강의가 있을지 알고 있나요?
| 해설 | be v-ing(is coming up)는 '~할 것이다'라는 의미로 확 가까운 미래의 일을 나타낼 수 있다. if는 '~인지 (아닌지)'라 의미로 명사절을 이끄는 접속사로 쓰였다.

**124** CHOOSE! move
[If you're staying in your comfort zone], you are n going to move (forward) (on your path).
부사절 S V
당신이 안락 지대에서 머무르고 있다면 당신은 이동하지 않을 것이다 앞으로 당신의 길에서
| 해석 | 당신이 안락 지대에 머무르고 있다면, 당신은 자신의 길에서 아가지 않을 것이다.
| 해설 | If가 '(만약) ~라면'의 의미로 조건의 부사절을 이끄는 접속사 쓰였다. 미래를 나타내는 표현 「be going to+동사원형」의 정형은 「be not going to+동사원형」이다.

**125** CHOOSE! will
[If we continue to destroy habitats with exce trails], the wildlife will stop using these areas.
부사절 S V O
만약 우리가 계속해서 과도한 산책로들로 서식지를 파괴한다면 야생 동물들은 멈출 것이다 이 지역들을 이용하는 것을
| 해석 | 만약 우리가 계속해서 과도한 산책로들로 서식지를 파괴한다 야생 동물들은 이 지역들을 이용하는 것을 중단할 것이다.
| 해설 | '~할 것이다'는 「will+동사원형」 또는 「be going to+동사 형」으로 나타낼 수 있으므로, will이 알맞다. continue는 to 정사나 동명사를 목적어로 취하여 '계속 ~하다'라는 의미를 니 내고, 동사 stop은 목적어로 동명사를 취하여 '~하는 것을 멈 다'라는 의미를 나타낸다.

## 문장공식 14 현재완료, 현재완료 진행형, 현재완료 수동태

pp. 46-47

S가 | have p.p. 해 왔다(한 적이 있다/했다) / have been v-ing 해 오고 있다 / have been p.p. 되어 왔다(되었다)

**QUICK QUIZ**

(1) She(S(주어), 그녀는) has used(V(동사), 사용해 왔다) this chair(O(목적어), 이 의자를) (for ten years)(10년 동안).

| 해석 | 그녀는 10년 동안 이 의자를 사용해 왔다.

(2) He(S(주어), 그는) has been losing(V(동사), 감량해 오고 있다) a lot of weight(O(목적어), 많은 체중을) (since last month)(지난 달부터).

| 해석 | 그는 지난 달부터 많은 체중을 감량해 오고 있다.

### 기출로 Practice

126 Music(S, 음악은) has played(V, 해 왔다) a key role(O, 핵심적인 역할을) (in the creation of some artwork)(몇몇 예술품의 창작에 있어).

| 해석 | 음악은 몇몇 예술품의 창작에 있어 핵심적인 역할을 해 왔다.

| 해설 | 과거부터 현재까지 계속된 일을 나타낼 때는 have p.p. 형태의 현재완료(has played)를 쓴다.

**MORE EXPRESSIONS** 명사를 만드는 접미사 -tion

create는 '창작하다'라는 뜻의 동사이고, creation은 '창작'이라는 뜻의 명사이다. 이처럼 -tion은 단어의 뒤에 붙어서 품사를 명사로 바꾸는 접미사이다. 또 다른 예시로는 compete(경쟁하다) – competition(경쟁), educate(교육하다) – education(교육), generate(발생시키다) – generation(발생), violate(위반하다) – violation(위반) 등이 있다.

127 Our recycling program(S, 우리의 재활용 프로그램은) has been working(V, 운영되어 오고 있다) (successfully)(성공적으로) (thanks to your participation)(당신의 참여 덕분에).

| 해석 | 우리의 재활용 프로그램은 당신의 참여 덕분에 성공적으로 운영되어 오고 있습니다.

| 해설 | 현재완료 진행형(have been v-ing)을 사용하여 과거에 시작된 일이 현재까지도 계속 진행 중임을 강조하는 문장이다. 「thanks to+명사(구)」는 '~ 덕분에'를 의미하는 전치사구이다.

**VOCA TIP** work의 다양한 뜻

work는 '일하다', '작동되다', '효과가 있다' 등 여러 개의 뜻을 가지고 있다. I can't work in this small room.(나는 이런 작은 방에서는 일하지 못한다.)에서는 '일하다'라는 의미를, The coffee machine started working.(그 커피 기계는 작동되기 시작했다.)에서는 '작동되다'라는 의미를 나타낸다. 그리고 That medicine is not working well.(그 약은 효과가 별로 있지 않다.)에서는 '효과가 있다'라는 의미로 쓰였다.

128 Fish and shellfish(S, 어패류는) have been (intentionally)(의도적으로) introduced(V, 도입되었다) (all over the world)(전 세계에) (for aquaculture)(양식을 위해).

| 해석 | 어패류는 양식을 위해 전 세계에 의도적으로 도입되었다.

| 해설 | 동사로 현재완료와 수동태가 결합된 have been p.p.(have been introduced)가 쓰여 '~되었다'의 의미를 나타낸다. intentionally와 같은 부사가 have been과 p.p. 사이에 쓰이기도 한다.

129 The robot industry($S_1$, 로봇 산업은) has been growing($V_1$, 성장해 오고 있다) (fast)(빠르게) // and(그리고) it($S_2$, 그것은) has changed($V_2$, 바꿨다) our daily lives(O, 우리의 일상생활을) (in many ways)(여러 면에서).

| 해석 | 로봇 산업은 빠르게 성장해 오고 있으며 우리의 일상생활을 여러 면에서 바꾸어 놓았다.

| 해설 | 과거부터 현재까지 '성장해 오고 있다'는 의미로 현재완료 진행형(has been growing)이 쓰였다. 또한, '로봇 산업이 우리의 일상생활을 바꾸어 놓은 일'이 현재를 기준으로 완료된 일이므로, has changed는 '바꾸어 놓았다'로 해석할 수 있다.

## B

130 **POP QUIZ!** has been observed

The worst effect(S, 가장 나쁜 영향은) (of dams)(댐의) has been observed(V, 관찰되어 왔다) (on salmon)(연어에게서).

| 해석 | 댐의 가장 나쁜 영향은 연어에게서 관찰되어 왔다.

| 해설 | 현재완료 수동태(have been p.p)가 사용되어 '~되어 왔다'라는 의미를 나타낸다. dams가 아닌 The worst effect가 주어이므로 동사로 has가 쓰였음에 유의한다.

131 **CHOOSE!** known

Marketers(S, 마케팅 담당자들은) have known(V, 알고 있었다) (for decades)(수십 년 동안) [that you buy {what you see first}](O (명사절), 당신이 먼저 보는 것을 산다는 것을).

| 해석 | 마케팅 담당자들은 당신이 먼저 보는 것을 산다는 것을 수십 년 동안 알고 있었다.

| 해설 | 「for+기간」이 있으므로 '… 동안 ~해 왔다'라는 '계속'의 의미를 나타내는 현재완료(have p.p.) 형태가 되는 것이 알맞다. 접속사 that은 동사(have known)의 목적어인 명사절을 이끌고 있으며, 선행사를 포함한 관계대명사 what이 이끄는 명사절(what you see first)이 buy의 목적어로 쓰였다.

**132** The traffic(S1, 교통량이) has been increasing(V1, 증가해 오고 있다) (for the past three years)(지난 3년 동안), // and(그리고) I(S2, 나는) have seen(V2, 봐 왔다) many near-accidents(O, 일어날 뻔한 많은 사고들을).

| 해석 | 교통량이 지난 3년 동안 증가해 오고 있고, 나는 거의 사고가 날 뻔한 경우를 많이 봐 왔다.

| 해설 | 과거에 시작된 일이 현재까지 계속 진행 중임을 현재완료 진행형(has been increasing)으로 나타내고 있으며, 과거부터 현재까지 사고가 날 뻔한 상황을 많이 봐 왔다는 내용을 현재완료(have seen)로 나타내고 있다.

**133** CHOOSE! been

Joe(S, Joe는) took(V1, 했다) a deep breath(O1, 심호흡을) / and(그리고) said(V2, 말했다), "I(S'1, 나는) have been asked(V'1, 요청을 받아 왔다) to play (in a concert)(SC', 연주해 달라고 / 콘서트에서), // and(그리고) I(S'2, 나는) would like(V'2, 원한다) your permission(O', 당신의 허락을) (first)(먼저)."

| 해석 | Joe는 심호흡을 하고 말했다. "저는 콘서트에서 연주해 달라는 요청을 받아 왔고, 먼저 당신의 허락을 받고 싶습니다."

| 해설 | 현재완료 수동태(have been p.p.)로 '~되어 왔다'라는 의미를 나타내는 것이 문맥상 자연스러우므로 been이 알맞다. 「be asked to+동사원형」은 '~해 달라고 요청을 받다'라고 해석하며 would like는 '~을 원하다'를 의미한다.

## 문장공식 15 과거완료

pp. 48-49

**S가 had p.p.** 했었다/해 본 적이 있었다/해 왔었다

**QUICK QUIZ**

(1) [When I came home](부사절, 내가 집에 왔을 때), everybody(S(주어), 모두가) had gone(V(동사), 들어 있었다) (to bed)(잠자리에).

| 해석 | 내가 집에 왔을 때는 모두가 잠자리에 든 후였다.

(2) He(S(주어), 그는) was(V(동사), ~이었다) full(SC(주격보어), 배부른) [because he(S'(주어), 그는) had eaten(V'(동사), 먹었었다) a lot of cake(O'(목적어), 많은 양의 케이크를)](부사절).

| 해석 | 그는 케이크를 많이 먹었어서 배가 불렀다.

## 기출로 Practice

### A

**134** He(S1, 그는) had dressed(V1, 옷을 입혔다) the baby(O1, 그 아기에게) // and(그리고) (now)(이제) he(S2, 그는) put(V2, 앉혔다) h[is son](O, 그) (in his chair)(그의 의자에).

| 해석 | 그는 그 아기에게 옷을 입혔고 이제 그를 의자에 앉혔다.

| 해설 | 과거 특정 시점의 일보다 더 이전에 일어난 과거의 일은 과거완료(had p.p.)로 나타낸다. '옷을 입힌' 것이 '의자에 앉힌(p[ut])' 것보다 먼저 일어났으므로 had dressed로 나타냈다.

**VOCA TIP** dress의 다양한 뜻

dress는 명사로 '드레스, 원피스' 또는 '옷'을 의미하고, 동사로는 '옷을 입히다' 또는 '상처를 치료하다'라는 의미도 있다. 또 다른 의미로는, S[he] dressed a vegetable salad.(그녀는 채소 샐러드를 만들었다.)에서 '(음식 재료를) 만들다, 다듬다'라는 의미, I dressed my room windo[w] (나는 내 방 창문을 장식했다.)에서는 '장식하다, 꾸미다'라는 의미를 나타낸다.

**135** Sally(S, Sally는) understood(V, 이해했다) the musical(O, 그 뮤지컬을) [because she(S', 그녀는) ha[d] read the book(O', 그 책을)](부사절, 읽었었기 때문에).

| 해석 | Sally는 그 책을 읽었었기 때문에 그 뮤지컬을 이해했다.

| 해설 | '책을 읽은' 것이 '뮤지컬을 이해한(understood)' 과거 시점보다 먼저 일어난 일이므로 had p.p. 형태의 과거완료(had rea[d])가 쓰였다.

**136** The movie had ended [by the time Susan got to the cinema].

S: The movie (그 영화는) / V: had ended (끝이 나 있었다) / 부사절: by the time Susan got to the cinema (Susan이 영화관에 도착했을 즈음에)

| 해석 | Susan이 영화관에 도착했을 즈음에 그 영화는 끝이 나 있었다.

| 해설 | 과거완료(had ended)를 사용하여 Susan이 도착한(got) 시간보다 영화가 먼저 끝났음을 나타낸다. 「by the time+주어+동사」는 '~할 즈음에'라고 해석한다.

**MORE EXPRESSIONS** '영화관'과 '영화'를 나타내는 다양한 영어 표현

'영화관'을 나타내는 단어에는 여러 가지가 있는데, 보통 movie theater 또는 theater라고 하며, 미국에서는 the movies도 사용하여 Let's go to the movies!(영화관에 가자!)와 같이 말하기도 한다. 영국에서는 영화관을 cinema라고도 표현한다.

'영화'를 나타내는 단어에는 movie와 film이 있으며, motion picture도 사용한다.

**137** Carol hurried [because she had prepared another secret surprise for Nancy].

S: Carol (Carol은) / V: hurried (서둘렀다) / 부사절: because she had prepared another secret surprise for Nancy (그녀가 또 다른 비밀 깜짝 선물을 준비했었기 때문에) — S′: she / V′: had prepared / O′: another secret surprise / for Nancy (Nancy를 위해)

| 해석 | Carol은 Nancy를 위해 또 다른 비밀 깜짝 선물을 준비해 놓았기 때문에 서둘렀다.

| 해설 | '비밀 깜짝 선물을 준비한' 것이 '서두른(hurried)' 과거 시점보다 먼저 일어난 일이므로 과거완료인 had prepared가 쓰였다. 접속사 because는 이유를 나타내는 부사절을 이끈다.

**138** [After the conversations had ended], the researchers asked the participants [what they thought of each other].

부사절: After the conversations had ended (대화가 끝난 후) — S′: the conversations / V′: had ended / S: the researchers (연구원들은) / V: asked (물었다) / IO: the participants (참가자들에게) / DO: what they thought of each other (그들이 서로에 대해 어떻게 생각했는지)

| 해석 | 대화가 끝난 후, 연구원들은 참가자들에게 서로에 대해 어떻게 생각하는지 물었다.

| 해설 | '대화가 끝난' 것이 '연구원들이 질문한(asked)' 과거 시점보다 먼저 일어났으므로 과거완료(had p.p.)의 형태로 had ended가 쓰였다. 의문사 what이 이끄는 명사절이 asked의 직접목적어로 쓰였다.

**139** **CHOOSE!** had been

I was shocked (to learn [that she had been the top player for the national high school team]).

S: I (나는) / V: was (~이었다) / SC: shocked (깜짝 놀란) / to learn (알고서) / 명사절: that she had been the top player for the national high school team (그녀가 최고 선수였었다는 것을) — S′: she / V′: had been / SC′: the top player / for the national high school team (고등학교 국가대표팀의)

| 해석 | 나는 그녀가 고등학교 국가대표팀의 최고 선수였었다는 것을 알고 깜짝 놀랐다.

| 해설 | to learn은 감정(shocked)의 원인을 나타내는 부사적 용법으로 쓰인 to부정사이다. '그녀가 최고 선수였었던' 것이 '내가 깜짝 놀란(was shocked)' 과거 시점보다 먼저 일어났으므로 과거완료 형태인 had been을 쓰는 것이 알맞다.

**140** **POP QUIZ!** had ever actually seen

She (also) wanted to know [if her grandmother had (ever actually) seen an angel].

S: She (그녀는) / also (또한) / V: wanted (원했다) / O: to know (알기를) / 명사절: if her grandmother had (ever actually) seen an angel (실제로 천사를 본 적이 있었는지) — S′: her grandmother (그녀의 할머니가) / V′: had (ever actually) seen / O′: an angel

| 해석 | 그녀는 또한 할머니가 실제로 천사를 본 적이 있었는지 알고 싶었다.

| 해설 | '~인지'의 의미로 접속사 if가 이끄는 명사절이 know의 목적어 역할을 한다. '할머니가 본 적이 있었는지'가 '알고 싶어 한(wanted to know)' 과거의 시점보다 더 이전의 일이므로 과거완료 형태(had seen)를 썼다. ever와 actually 같은 부사는 had와 p.p. 사이에 쓰일 수 있다.

**141** Their trip (to France) was Carol's surprise gift (for the sixtieth birthday of her mother [who had sacrificed all her life for her only daughter]).

S: Their trip (그들의 여행은) / to France (프랑스로의) / V: was (~이었다) / SC: Carol's surprise gift (Carol의 깜짝 선물) / for the sixtieth birthday (60번째 생신을 위한) / of her mother (그녀의 어머니의) — N: her mother / 관계대명사절: who had sacrificed all her life for her only daughter — V′: had sacrificed (희생해 오셨던) / O′: all her life (평생을) / for her only daughter (그녀의 외동딸을 위해)

| 해석 | 그들의 프랑스 여행은 하나밖에 없는 딸을 위해 일생을 바쳐 오셨던 어머니의 60번째 생신을 위한 Carol의 깜짝 선물이었다.

| 해설 | 전치사구 for the sixtieth birthday of her mother가 Carol's surprise gift를 뒤에서 수식하고, 주격 관계대명사 who가 이끄는 관계대명사절이 선행사 her mother를 뒤에서 수식하고 있다. 관계대명사절의 내용이 특정 과거 시점(was) 이전의 일이므로 과거완료(had sacrificed) 형태로 썼다.

## Unit Exercise

p. 50

# A

**142** | 정답 | see

S V O (명사절)
I can't believe [I'm going to see her in person].
나는 믿을 수 없다 내가 그녀를 직접 볼 것이라는 것을

| 해석 | 내가 그녀를 직접 볼 것이라는 것을 믿을 수 없다.

| 해설 | I can't believe (that) ~.는 놀라움과 기대를 표현하는 말로, believe 뒤에는 접속사 that이 생략되었다. 「be going to+동사원형」을 사용하여 미래의 일을 나타내고 있다.

**143** | 정답 | using

S V O
I have been using your coffee machines (for several years).
나는 사용해 오고 있다 네 커피 기계들을 수년간

| 해석 | 나는 네 커피 기계를 수년간 사용해 오고 있다.

| 해설 | 주어 I가 과거부터 지금까지 '사용해 오고 있는 중'이므로 현재완료 진행형(have been using)으로 나타내는 것이 알맞다.

**144** | 정답 | realized

S V O (명사절)
He had (never) realized [that an animal also felt the pain of loss].
그는 전혀 깨닫지 못했었다 동물 또한 느낀다는 것을 상실의 고통을

| 해석 | 그는 동물 역시 상실의 고통을 느낀다는 것을 전혀 깨닫지 못했었다.

| 해설 | '동물도 상실의 고통을 느낀다(felt)'는 사실을 그 이전에는 깨닫지 못했다는 내용이므로 과거완료의 형태인 had realized가 쓰이는 것이 알맞다.

**145** | 정답 | shared

S V O (명사절) S'
The data reveals [that the news of the king's
그 자료는 드러낸다 왕의 사망 소식이
V'
death has been (widely socially) shared].
널리 사회적으로 공유되어 왔다는 것을

| 해석 | 그 자료는 왕의 사망 소식이 널리 사회적으로 공유되어 왔다는 것을 나타낸다.

| 해설 | 현재(reveals)를 기준으로 과거부터 현재까지 공유되어 온 것을 나타내므로 현재완료 수동태의 형태인 has been shared가 알맞다. 접속사 that으로 시작하는 명사절은 reveals의 목적어 역할을 한다.

# B

**146** | 정답 | have succeed → have succeeded

S V
(So far), about 900 people have succeeded (
지금까지 약 900명의 사람들이 성공했다
climbing to the top of Mt. Everest).
에베레스트산의 정상에 오르는 데

| 해석 | 지금까지 약 900명의 사람들이 에베레스트산 정상에 오르는 성공했다.

| 해설 | so far는 '지금까지'라는 의미이고, 숫자 앞의 전치사 abou '약, 대략'으로 해석한다. 과거로부터 지금까지의 일을 나타나 로 현재완료(have succeeded) 형태로 쓰는 것이 알맞다.

**147** | 정답 | has ever used → had ever used

S V
(More surprisingly), none of them had (ever) use
더 놀랍게도 그들 중 누구도 (~않다) 사용했던 적이 있었다
O
a toothbrush (until then)!
칫솔을 그때까지

| 해석 | 더욱 놀라운 것은, 그들 중 누구도 그때까지 칫솔을 사용한 적 없었다는 것이다!

| 해설 | 전치사구 until then(그때까지)으로 보아 기준이 과거 시점임 알 수 있다. 과거보다 더 이전의 경험을 나타내야 하므로 과거 료의 형태(had ever used)로 쓰는 것이 알맞다. 부정의 의 를 포함하는 주어 none of them이 사용되었으므로 동사를 정형으로 쓰지 않는 것에 유의한다.

**148** | 정답 | were → will be 또는 are going to be

S1 관계대명사절 V1 SC1
Any goal [you set] is going to be difficult (
어떤 목표든 여러분이 세우는 ~일 것이다 어려운
S2 V2 SC2
achieve), // and you will be disappointed (at son
달성하기에 그리고 여러분은 ~일 것이다 실망한 어느
points) (along the way).
시점에서 도중에

| 해석 | 여러분이 세우는 어떤 목표든 달성하기 어려울 것이고, 여러분 도중에 어느 시점에서 실망하게 될 것이다.

| 해설 | 미래의 어느 시점에서 실망하게 될 것이라는 의미이므로, 조동 will을 사용하여 will be disappointed로 쓰는 것이 알맞 to achieve는 형용사 difficult를 수식하는 부사적 용법의 부정사로 '달성하기에 어렵다'라는 의미를 나타낸다.

**Grammar Check**

**142** 동사원형 **143** have been v-ing **144** 과거완료
**145** 대상 **146** 현재완료 **147** had p.p.
**148** 동사원형

# PART 2 형용사절·부사절의 이해

## nit 5 명사를 수식하는 관계사절

**문장공식 16** 관계대명사 who(m), which, that pp. 54-55

S가 V하다 N을 관계대명사절 하는

**✔ QUICK QUIZ**

S(주어) V(동사) SC(주격보어) 관계대명사절
(1) An orange is a fruit [which has a lot of vitamin C].
오렌지는 ~이다 과일 비타민 C를 많이 가지고 있는
| 해석 | 오렌지는 비타민 C가 풍부한 과일이다.

S(주어 V(동사) O(목적어) 관계대명사절
(2) We need people [who can foretell the future].
우리는 필요하다 사람들이 미래를 예언할 수 있는
| 해석 | 우리는 미래를 예언할 수 있는 사람들이 필요하다.

출로 Practice

S 관계대명사절 V
49 A person [who never made a mistake] (never) tried
사람은 실수를 전혀 안 한 전혀 시도하지 않았다
O
anything new.
새로운 어떤 것을

| 해석 | 실수를 전혀 안 한 사람은 어떤 새로운 것을 전혀 시도하지 않은 것이다.

| 해설 | 주격 관계대명사 who가 이끄는 관계대명사절이 주어인 A person을 뒤에서 수식하는 형용사 역할을 한다. 선행사가 사람(A person)이므로 관계대명사 who를 썼다. -thing 형태의 대명사는 anything new와 같이 형용사가 뒤에서 수식한다.

S V O 관계대명사절
50 The app suggests some music [which matches
그 앱은 제안한다 몇몇 음악을 어울리는
how you feel].
당신이 어떻게 느끼는지와

| 해석 | 그 앱은 당신의 기분에 어울리는 몇 가지 음악을 제안한다.

| 해설 | 주격 관계대명사 which가 이끄는 관계대명사절이 목적어인 some music을 수식하고 있으며, which 대신 that을 쓸 수도 있다. 관계대명사절 내의 목적어로 「의문사(how)+주어+동사」 형태의 명사절(how you feel)이 쓰였으며, '어떻게 ~하는지'로 해석한다.

S 관계대명사절
151 Students [who sit at the front of the classroom]
학생들은 교실의 앞자리에 앉는
V O
(usually) achieve higher exam scores.
보통 달성한다 더 높은 시험 점수를

| 해석 | 교실 앞자리에 앉는 학생들은 보통 더 높은 시험 점수를 받는다.

| 해설 | 주격 관계대명사 who가 이끄는 관계대명사절이 주어인 Students를 수식하고 있으며, who 대신 that을 쓸 수도 있다. 주격 관계대명사 뒤에 오는 동사는 선행사(Students)에 수를 일치시키므로 sit이 쓰였다.

S V O N
152 School counselors can help you (with the things
학교 상담 교사들은 도와줄 수 있다 당신을 일들과 관련하여
관계대명사절
[that you are worried about]).
당신이 걱정하는

| 해석 | 학교 상담 교사들은 당신이 걱정하는 것들과 관련하여 당신을 도와줄 수 있다.

| 해설 | 목적격 관계대명사 that이 이끄는 관계대명사절이 전치사구의 the things를 수식한다. 선행사(the things)가 관계대명사절의 전치사 about의 목적어이다.

## B

153 CHOOSE! that

S V N
We (sincerely) apologize (for any inconveniences
우리는 진심으로 사과한다 불편함에 대해
관계대명사절
[that may be experienced]).
겪게 될 수도 있는

| 해석 | 저희는 귀하가 겪으실 수도 있는 불편에 대해 진심으로 사과드립니다.

| 해설 | 주격 관계대명사 that이 이끄는 관계대명사절이 전치사 for의 목적어인 any inconveniences를 수식한다. 선행사인 any inconveniences는 '겪게 되는' 대상이므로 수동태(be experienced)가 쓰였다.

154 POP QUIZ which has lost its lid

S 관계대명사절 V
An old teapot [which has lost its lid] becomes an
낡은 찻주전자는 뚜껑을 잃어버린 된다
SC
ideal container (for a bunch of roses 〈picked from
이상적인 용기가 장미 한 다발을 위한 정원에서 꺾인
the garden〉).

| 해석 | 뚜껑이 없어진 낡은 찻주전자는 정원에서 꺾은 장미 한 다발을 위한 이상적인 용기가 된다.

| 해설 | 주격 관계대명사 which가 이끄는 관계대명사절이 An old teapot을 수식하고 있다. 문장의 주어이자 선행사인 An old teapot이 3인칭 단수이므로 주격 관계대명사 뒤의 동사(has)와 문장의 동사(becomes) 모두 그에 맞게 수를 일치시켰다. for a bunch of roses는 주격보어인 an ideal container를 수식하는 전치사구이고, picked from the garden은 roses를 뒤에서 수식하는 과거분사구이다.

**155** CHOOSE! that

Great scientists(S, 위대한 과학자들은) = the pioneers(N, 선구자들) [that we admire](관계대명사절, 우리가 존경하는), are not(V, ~이지 않다) concerned(SC, 관심이 있는) (with results)(결과에), but(그러나) (with the next questions)(다음 문제들에) (관심이 있다).

| 해석 | 우리가 존경하는 선구자들인 위대한 과학자들은 결과가 아니라 다음 문제에 관심이 있다.

| 해설 | 관계대명사절이 수식하는 the pioneers는 콤마(,)를 사이에 두고 주어 Great scientists와 동격을 이뤄 주어에 대한 구체적인 설명을 덧붙이는 역할을 한다. 선행사 the pioneers가 사람이므로 목적격 관계대명사로는 who(m)나 that을 쓰는 것이 알맞다. not *A* but *B*는 'A가 아니라 B'라는 의미로 해석하며, 이 문장에서는 A와 B 자리에 각각 with로 시작하는 전치사구가 쓰였다.

**156** Reducing the amount of water and energy(S, 물과 에너지의 양을 줄이는 것은) (used in your house)(당신의 집에서 사용되는) is(V, ~이다) the first step(SC, 첫 번째 조치) [(that) you can take for the environment](관계대명사절, 환경을 위해 당신이 취할 수 있는).

| 해석 | 당신의 집에서 사용되는 물과 에너지의 양을 줄이는 것은 환경을 위해 취할 수 있는 첫 번째 조치이다.

| 해설 | 주어가 동명사구인 문장으로, 동명사구 내에서 과거분사구인 used in your house가 water and energy를 뒤에서 수식하고 있다. you can take for the environment는 앞에 목적격 관계대명사가 생략된 관계대명사절로, 주격보어인 선행사 the first step을 수식한다. 선행사에 서수(the first)가 사용되었으므로 생략된 목적격 관계대명사는 that임을 알 수 있다.

## 문장공식 17 전치사+관계대명사/관계대명사 whose pp. 56-57

S가 V하다 N을 전치사+관계대명사절하는

✔ QUICK QUIZ

(1) He(S(주어), 그는) was(V(동사), ~이었다) the person(SC(주격보어), 사람) [to whom I wrote a letter](관계대명사절, 내가 편지를 썼던).

| 해석 | 그는 내가 편지를 썼던 사람이었다.

(2) That(S(주어), 그것은)'s(V(동사), ~이다) a mistake(SC(주격보어), 실수) [for which I am responsible](관계대명사절, 나에게 책임이 있는).

| 해석 | 그것은 나에게 책임이 있는 실수이다.

## 기출로 Practice

### A

**157** (Today)(오늘) he(S, 그는) met(V, 만났다) a woman(O, 한 여성을) [whose last name Mann](관계대명사절, 성이 Mann인).

| 해석 | 오늘 그는 성이 Mann인 한 여성을 만났다.

| 해설 | 관계대명사절이 목적어인 a woman을 뒤에서 수식하는 형용사 역할을 한다. whose는 바로 뒤의 명사 last name이 선행사 a woman의 소유임을 나타내는 소유격 관계대명사이다.

CULTURE TIP 이름을 적는 방법

우리나라에서는 이름을 쓸 때 성을 먼저 적고, 이름을 나중에 적는다. '김동아'를 예시로 들면 '김'이 성이고, '동아'는 이름이다. 그런데 영어에서는 이름이 앞에 오고 성은 뒤에 온다. Albert Einstein을 예시로 들면 'Albert'가 이름이고 'Einstein'은 성이다. 성을 나중에 적기 때문에 last name이라고 하며, family name, surname이라고도 한다. 하지만 영어에서도 문서를 작성할 때는 성을 먼저 적기도 하는데, 그럴 때에는 Einstein, Albert처럼 성 뒤에 콤마(,)를 써서 혼동을 피한다.

**158** The Green Store(S, Green Store는) is(V, ~이다) the best place(SC, 최고의 장소) [at which you can buy fresh vegetables](관계대명사절, 당신이 신선한 채소들을 살 수 있는).

| 해석 | Green Store는 당신이 신선한 채소를 살 수 있는 최고의 장소이다.

| 해설 | 관계대명사절이 주격보어인 the best place를 수식하고 있다. 선행사 the best place가 관계대명사절 내에서 전치사 at의 목적어 역할을 하므로 관계대명사 which 앞에 전치사 at이 쓰였다.

159 A patient [whose heart has stopped] will lose consciousness.

(S: A patient 환자는 / 관계대명사절: whose heart has stopped 심장이 멎은 / V: will lose 잃을 것이다 / O: consciousness 의식을)

| 해석 | 심장이 멎은 환자는 의식을 잃을 것이다.

| 해설 | 관계대명사절이 선행사인 A patient를 수식하고 있으며, 소유격 관계대명사 whose는 바로 뒤의 명사(heart)가 선행사의 소유임을 나타낸다.

**VOCA TIP** patient의 다양한 뜻

patient는 명사로는 '환자'라는 뜻이고, 형용사로는 '참을성 있는'이라는 뜻이다. The patient was transferred to the emergency room.(그 환자는 응급실로 실려 갔다.)에서는 '환자'라는 의미를, She is very patient with crying children.(그녀는 우는 아이들에게 매우 인내심이 있다.)에서는 '참을성 있는'이라는 의미로 쓰였다.

160 The context [in which a food is eaten] can be as important as the food itself.

(S: The context 상황은 / 관계대명사절: in which a food is eaten 음식이 섭취되는 / V: can be as ~일 수 있다 / SC: important as the food itself 그 음식 자체만큼이나 중요한)

| 해석 | 음식이 섭취되는 상황은 음식 자체만큼이나 중요할 수 있다.

| 해설 | The context 뒤에 이어지는 절은 주어 The context를 수식하는 관계대명사절이다. 선행사(The context)가 관계대명사절 내에서 전치사 in의 목적어 역할을 하므로 관계대명사 which 앞에 전치사 in이 쓰였다. 「as+형용사의 원급+as」는 '…만큼 ~한'을 의미하고, itself는 the food를 강조하는 재귀대명사이다.

B

161 His team took a group of five-month-olds [whose families only spoke English].

(S: His team 그의 팀은 / V: took 데려갔다 / O: a group of five-month-olds 5개월 된 아기들 한 그룹을 / 관계대명사절: whose families only spoke English 가족들이 영어로만 말하는)

| 해석 | 그의 팀은 가족들이 영어로만 말하는 5개월 된 아기들 한 그룹을 데려갔다.

| 해설 | 관계대명사절이 목적어인 a group of five-month-olds를 수식한다. 「소유격 관계대명사 whose+명사(families)」가 관계대명사절 내에서 주어 역할을 하며, 소유격 관계대명사 whose는 선행사가 사람이든 사물이나 동물이든 상관없이 쓸 수 있다.

162 **CHOOSE!** which

(In order to learn language), an infant must make sense of the contexts [in which language occurs].

(언어를 배우기 위해서 / S: an infant 유아는 / V: must make 이해해야 한다 / O: sense of the contexts 맥락을 / 관계대명사절: in which language occurs 언어가 발생하는)

| 해석 | 언어를 배우려면, 유아는 언어가 발생하는 맥락을 파악해야 한다.

| 해설 | 목적어 the contexts 뒤에 이어지는 절은 the contexts를 수식하는 관계대명사절이다. 선행사(the contexts)가 관계대명사절 내에서 전치사 in의 목적어 역할을 하므로, 전치사 뒤에 올 관계대명사로 which가 알맞다. 관계대명사 that은 전치사 뒤에 쓰이지 않는다. 「in order to+동사원형」은 '~하기 위해서'라는 의미로 목적을 나타내는 표현이다.

163 **CHOOSE!** from whom

Take your receipt and the faulty toaster (to the dealer [from whom you bought it]).

(V: Take 가져가라 / O1: your receipt 당신의 영수증을 / and 그리고 / O2: the faulty toaster 결함이 있는 토스터를 / N: the dealer 판매인에게 / 관계대명사절: from whom you bought it 당신이 그것을 샀던)

| 해석 | 귀하의 영수증과 결함이 있는 토스터를 구매했던 판매인에게 가져가세요.

| 해설 | 관계대명사절이 the dealer를 수식하고 있다. 선행사(the dealer)가 관계대명사절 내에서 전치사 from의 목적어 역할을 하며, the dealer는 사람이므로 「전치사+관계대명사」 형태로 from whom이 쓰이는 것이 알맞다.

164 **POP QUIZ!** in which the children feel comfortable and safe

They do their best (to create enjoyable and protective environments [in which the children feel comfortable and safe]).

(S: They 그들은 / V: do 한다 / O: their best 최선을 / to create 만들기 위해 / N: enjoyable and protective environments 즐겁고 보호적인 환경을 / 관계대명사절: in which the children feel comfortable and safe 그 아이들이 편안하고 안전하다고 느끼는)

| 해석 | 그들은 그 아이들이 편안하고 안전하다고 느끼는 즐겁고 보호적인 환경을 만들기 위해 최선을 다한다.

| 해설 | 관계대명사절이 to부정사구의 enjoyable and protective environments를 수식하고 있다. 선행사가 관계대명사절 내에서 전치사 in의 목적어인데, 이럴 경우 전치사는 관계대명사 which 앞에 쓰이거나 관계대명사절의 끝에 쓰일 수 있다. 「전치사+관계대명사」 형태일 때 목적격 관계대명사는 생략할 수 없다.

## 문장공식 18 관계부사 when, where, why, how pp. 58-59

S가 V하다 N을 관계부사절하는

✔ QUICK QUIZ

(1) I remember the day [when we first met].
S(주어) 나는 / V(동사) 기억한다 / O(목적어) 그날을 / 관계부사절 우리가 처음 만났던

|해석| 나는 우리가 처음 만났던 날을 기억한다.

(2) My mom doesn't like [how my sister drives].
S(주어) 우리 엄마는 / V(동사) 좋아하지 않는다 / 선행사 생략 / 관계부사절 언니가 운전하는 방식을

|해석| 우리 엄마는 언니가 운전하는 방식을 좋아하지 않으신다.

### 기출로 Practice

## A

**165** Tell me the reason [why you were absent yesterday].
V 말해라 / IO 나에게 / DO 이유를 / 관계부사절 네가 어제 왜 결석했는지

|해석| 네가 어제 결석한 이유를 나에게 말해 줘.

|해설| 관계부사 why가 이끄는 관계부사절이 이유를 나타내는 선행사인 the reason을 수식하는 형용사 역할을 한다. 이유를 나타내는 일반적인 선행사인 the reason은 생략할 수도 있다. 「tell+간접목적어+직접목적어」는 '~에게 …을 말하다'라고 해석한다.

**166** Paris is a city [where many people can see famous paintings in museums].
S 파리는 / V ~이다 / SC 도시 / 관계부사절 많은 사람들이 유명한 그림들을 볼 수 있는 / 미술관들에서

|해석| 파리는 많은 사람들이 미술관에서 유명한 그림들을 볼 수 있는 도시이다.

|해설| 관계부사 where가 장소를 나타내는 선행사인 a city를 수식하는 관계부사절을 이끌며, where는 in which로 바꾸어 쓸 수 있다.

**BACKGROUND KNOWLEDGE** 파리의 미술관

프랑스의 수도인 파리에는 <모나리자>와 <밀로의 비너스>가 있는 '루브르 박물관'부터 고흐, 모네, 에드가 드가 등의 작품이 있는 '오르세 미술관' 그리고 피카소, 샤갈, 마티스 등 현대 미술을 감상할 수 있는 '퐁피두 현대 미술관'까지 유명한 미술관들이 상당수 있어 예술을 사랑하는 관광객들의 발걸음이 끊기지 않는다.

**167** There was a time [when we had to rely on our neighbors for survival].
V 있었다 / S 때가 / 관계부사절 우리가 우리의 이웃들에게 의지해야 했던 / 생존을 위해

|해석| 우리가 생존을 위해 이웃에게 의지해야 했던 때가 있었다.

|해설| 관계부사 when이 이끄는 관계부사절이 시간을 나타내는 선행사 a time을 수식하고 있다. 「There+be동사+명사」 형태 문장에서 be동사는 명사에 수를 일치시켜 쓴다.

**168** We need a special playground [where students like me can play and have fun like other students].
S 우리는 / V 필요로 한다 / O 특별한 놀이터를 / 관계부사절 나 같은 학생들이 다른 학생들처럼 놀고 즐거운 시간을 보낼 수 있는

|해석| 우리는 나 같은 학생들이 다른 학생들처럼 놀고 즐거운 시간을 보낼 수 있는 특별한 놀이터가 필요하다.

|해설| 관계부사 where가 이끄는 관계부사절이 장소를 나타내는 선행사 a special playground를 수식하고 있으며, 관계부사 뒤에는 완전한 문장이 이어진다. like가 모두 '~와 같은'을 의미하는 전치사로 쓰였으며, 전치사구 like me는 students를 수식하고 like other students는 관계부사절 내에서 부사 역할을 한다.

## B

**169** POP QUIZ! where there are multiple winners

Life is a game [where there are multiple winners].
S 인생은 / V ~이다 / SC 게임 / 관계부사절 여러 명의 승자가 있는

|해석| 인생은 여러 명의 승자가 있는 게임이다.

|해설| where there are multiple winners는 주격보어 a game을 수식하는 관계부사절이다. a game이 물리적인 장소는 아니지만 문맥상 '여러 명의 승자가 있는 곳'이라고 해석되므로 관계부사로 where를 썼다.

**170** This is [why trying to stop an unwanted habit can be an extremely frustrating task].
S 이것이 / V ~이다 / the reason / SC (관계부사절) 원하지 않는 습관을 멈추려고 노력하는 것이 극도로 좌절감을 주는 일일 수 있는 이유

|해석| 이것이 원하지 않는 습관을 멈추려고 노력하는 것이 극도로 좌절감을 주는 일일 수 있는 이유이다.

|해설| why는 이유를 나타내는 선행사를 수식하는 관계부사절을 이끄는 관계부사이다. 선행사가 the reason일 때는 선행사나 관계부사 why 둘 중 하나를 생략할 수 있으며, 이 문장에서는 the reason이 생략되었다. 관계부사절의 주어로 동명사구(trying to stop an unwanted habit)가 쓰였으며, 「try+to부정사」는 '~하려고 애쓰다'의 의미이다.

**MORE EXPRESSIONS** habit에 관한 다양한 표현

get[fall] into a habit은 '습관이 생기다'라는 표현이다. I got into the habit of staying up late these days.는 '나는 요즘 늦게까지 안 자

습관이 생겼다.'라고 해석한다. get rid of a habit 또는 kick[break] a habit은 '습관을 버리다'라는 표현으로, I want to break the habit of sleeping in.은 '나는 늦잠 자는 습관을 버리고 싶다.'라고 해석한다.

**171** CHOOSE! how

(To his surprise), the stick caught on fire, // and this is [how the match was invented].

S1: the stick / V1: caught on fire / S2: this / V2: is / SC (관계부사절): [how the match was invented]

놀랍게도 / 그 막대기는 / 불이 붙었다 / 그리고 이것이 / ~이다 / 성냥이 발명된 방법

| 해석 | 놀랍게도 그 막대기에 불이 붙었고, 이것이 성냥이 발명된 방법이다.

| 해설 | how는 방법을 나타내는 선행사를 수식하는 관계부사절을 이끄는 관계부사이다. 방법을 나타내는 선행사 the way와 관계부사 how는 함께 쓰이지 않으므로 the way가 생략되었다. the way를 쓰고 how를 생략해도 된다.

**172** CHOOSE! why

This is one of the main reasons [why technology is often resisted] and [why some perceive it as a threat].

S: This / V: is / SC: one of the main reasons / 관계부사절 1: [why technology is often resisted] / 관계부사절 2: [why some perceive it as a threat]

이것이 ~이다 / 주된 이유 중 하나 / 과학 기술이 흔히 저항을 받는 / 그리고 / 일부 사람들이 그것을 위협으로 인식하는

| 해석 | 이것이 과학 기술이 흔히 저항을 받고 일부 사람들이 그것을 위협으로 인식하는 주된 이유 중 하나이다.

| 해설 | 두 개의 관계부사절이 the main reasons를 수식하고 있으며, 선행사가 이유를 나타내므로 관계부사 why가 쓰이는 것이 알맞다. 「one of the+복수명사」는 '~들 중 하나'라고 해석한다. some은 문맥상 some people을 나타내는 대명사이므로 복수 취급한다. 두 번째 관계부사절의 it이 가리키는 대상은 technology이다.

## 문장공식 19 콤마(,) 뒤의 관계사절

pp. 60-61

S가 V하다 N, 관계사절 그리고(그런데) ~하다

**QUICK QUIZ**

(1) My best friend is Seho, [who is very kind and funny].

S(주어): My best friend / V(동사): is / SC(주격보어): Seho / 관계대명사절: [who is very kind and funny]

나의 가장 친한 친구는 / ~이다 / 세호 / 그리고 그는 매우 친절하고 재미있다

| 해석 | 나의 가장 친한 친구는 세호인데, 그는 매우 친절하고 재미있다.

(2) Sumin loves her new cap, [which she bought on sale].

S(주어): Sumin / V(동사): loves / O(목적어): her new cap / 관계대명사절: [which she bought on sale]

수민이는 / 아주 좋아한다 / 그녀의 새 모자를 / 그리고 그녀는 그것을 할인할 때 샀다

| 해석 | 수민이는 자신의 새 모자를 아주 좋아하는데, 그녀는 그것을 할인할 때 샀다.

### 기출로 Practice

### A

**173** This book is (about King Sejong), [who invented Hangeul].

S: This book / V: is / N: King Sejong / 관계대명사절: [who invented Hangeul]

이 책은 / ~이다 / 세종대왕에 관한 / 그리고 그는 발명했다 / 한글을

| 해석 | 이 책은 세종대왕에 관한 것인데, 그는 한글을 발명했다.

| 해설 | 콤마(,) 뒤에 쓰인 관계대명사절이 선행사 King Sejong을 보충 설명하며, 선행사가 사람이므로 주격 관계대명사 who가 쓰였다. 「콤마(,)+관계대명사절」의 관계대명사는 「접속사+(대)명사」로 바꿔 쓸 수 있으므로 who를 and he로 바꿔 해석하면 자연스럽다.

**BACKGROUND KNOWLEDGE** 한글과 세종대왕

한글은 1443년에 세종대왕이 만든 우리나라 고유의 문자이다. '훈민정음'이라는 이름으로 처음 만들어졌는데, 이는 '백성을 가르치는 바른 소리'라는 뜻이다. 한글의 자음은 발음 기관을 본떠 만들었고, 모음은 천지인을 나타내는 기호로 표현했기 때문에 과학적이고 독창적이다. 유네스코에서는 매해 문맹 퇴치에 공이 큰 사람을 시상하는데, 이를 '세종대왕상'이라고 한다.

**174** Many students were late (for class), [which disappointed the teacher].

S: Many students / V: were / SC: late / 관계대명사절: [which disappointed the teacher]

많은 학생들이 / ~이었다 / 늦은 / 수업에 / 그리고 그것은 선생님을 실망시켰다

| 해석 | 많은 학생들이 수업에 지각했는데, 그것은 선생님을 실망시켰다.

| 해설 | 콤마(,) 뒤에 쓰인 관계대명사절이 앞 절 전체에 대해 보충 설명을 하고 있다. 이때 주격 관계대명사 which는 and it으로 바꿔 쓸 수 있으며 '그리고 그것은(그 사실은)'이라고 해석한다.

175 (In 1907), he moved (to Paris), [where he worked in the dining room of the Marriott Hotel].

S: he / V: moved / N: Paris / 관계부사절: where ~ Hotel

1907년에 / 그는 / 이사했다 / 파리로 / 그리고 (그곳에서) 그는 일했다 / Marriott 호텔의 식당에서

| 해석 | 1907년에 그는 파리로 이사했는데, 그곳에서 그는 Marriott 호텔 식당에서 일을 했다.

| 해설 | 관계부사 where가 이끄는 관계부사절이 콤마(,) 뒤에서 장소를 나타내는 선행사 Paris를 보충 설명하고 있다. 「콤마(,)+관계부사절」에서 관계부사는 「접속사 ~ 부사(구)」로 바꿔 쓸 수 있으므로, 관계부사절을 and he worked in the dining room of the Marriot Hotel there(in Paris)로 바꿔 쓸 수 있다.

176 Plants can't move, [which means they can't escape the creatures that feed on them].

S: Plants / V: can't move / 관계대명사절: which ~ them

식물들은 / 움직일 수 없다 / 그리고 그것은 의미한다 / 그것들이 자신을 먹이로 하는 생물로부터 도망갈 수 없다는 것을

| 해석 | 식물들은 움직일 수 없고, 그것은 그것들(식물들)이 자신을 먹이로 하는 생물로부터 도망갈 수 없다는 것을 의미한다.

| 해설 | 주격 관계대명사 which가 이끄는 콤마(,) 뒤의 관계대명사절이 앞 절 전체에 대해 보충 설명을 하고 있다. 관계대명사절 내의 they 앞에는 명사절을 이끄는 접속사 that이 생략되어 있으며, that feed on them은 선행사 the creatures를 수식하는 관계대명사절이다. 관계대명사절 내의 they와 them은 모두 plants를 가리킨다.

## B

177 POP QUIZ! his teens

He developed his passion (for photography) (in his teens), [when he became a staff photographer for his high school newspaper].

S: He / V: developed / O: his passion / N: his teens / 관계부사절: when ~ newspaper

그는 / 키웠다 / 열정을 / 사진에 대한 / 자신의 십 대 시절에 / 그리고 그때 그는 직원 사진 기자가 되었다 / 자신의 고등학교 신문의

| 해석 | 그는 십 대 시절에 사진에 대한 열정을 키웠는데, 그때 그는 자신의 고등학교 신문의 직원 사진 기자가 되었다.

| 해설 | when ~ newspaper는 콤마(,) 뒤에서 선행사 his teens를 보충 설명하는 관계부사절이다. 「콤마(,)+관계부사절」에서 관계부사는 「접속사 ~ 부사(구)」로 바꿔 쓸 수 있으므로 관계부사절을 and he became ~ school newspaper then(in his teens)으로 바꿔 해석하면 자연스럽다.

178 CHOOSE! which

Experiencing physical warmth promotes interpersonal warmth, [which happens in a automatic way].

S: Experiencing physical warmth / V: promotes / O: interpersonal warmth / 관계대명사절: which ~ way

신체적 따뜻함을 경험하는 것은 / 촉진한다 / 대인 관계에서의 따뜻함을 / 그리고 이것은 발생한다 / 자동적인 방식으로

| 해석 | 신체적 따뜻함을 경험하는 것은 대인 관계에서의 따뜻함을 증시키는데, 이것은 자동적인 방식으로 발생한다.

| 해설 | 콤마(,) 뒤의 관계대명사절이 앞 절 전체에 대해 보충 설명하 있다. Experiencing physical warmth는 동명사구 주어 단수 취급하며, 콤마(,) 뒤에는 관계대명사 that을 쓸 수 없으 로 which가 알맞다.

VOCA TIP inter- + personal

inter-는 '서로의'라는 뜻이고, personal는 '개인의'라는 뜻이다. 그리 interpersonal은 '대인 관계와 관련된'이라는 뜻이다. 이처럼 특정 의 를 가진 접두사와 단어가 결합하여 새로운 단어가 만들어지기도 한다. 또 른 접두사의 예시로는 review(검토)의 re-(다시), export(수출) ex-(밖에), dishonest(정직하지 못한)의 dis-(부정), overcharge(많 청구하다)의 over-(넘어서) 등이 있다.

179 The home-team room was painted a bright red [which kept team members excited or even angered].

S: The home-team room / V: was painted / SC: a bright red / 관계대명사절: which ~ angered

홈 팀 라커룸은 / 칠해졌다 / 밝은 빨간색으로 / 그리고 이것은 팀원들을 흥분하거나 심지어 분노에 찬 상태로 있게 했다

| 해석 | 홈 팀 라커룸은 밝은 빨간색으로 칠해졌는데, 이것이 팀원들 흥분하거나 심지어 분노에 찬 상태로 있게 했다.

| 해설 | 콤마(,) 뒤의 관계대명사절이 앞 절 전체에 대해 보충 설명하 있으며 주격 관계대명사 which는 and it으로 바꿔 쓸 수 있다 「keep+목적어+형용사」는 '(목적어)를 ~하게 유지하다'라 해석한다.

180 Dr. Paul Odland travels (frequently) (to South America), [where he provides free medical treatment for disabled children of poor families].

S: Dr. Paul Odland / V: travels / N: South America / 관계부사절: where ~ families

Paul Odland 박사는 / 여행한다 / 자주 / 남미로 / 그리고 그곳에서 그는 무료 진료를 제공한다 / 가난한 가정의 장애가 있는 어린이들에게

| 해석 | Paul Odland 박사는 남미로 자주 여행하는데, 그곳에서 그 가난한 가정의 장애가 있는 어린이들에게 무료 진료를 제공한다

| 해설 | 콤마(,) 뒤의 where he provides ~ poor families는 선 사 South America를 보충 설명하는 관계부사절이다. 관계 사절을 and he provides ~ poor families there( South America)로 바꿔 쓸 수 있다.

## Unit Exercise

p. 62

## A

**81** | 정답 | whose

Gustav Klimt is an Austrian artist [whose paintings sell for millions of dollars].

(S: Gustav Klimt는 / V: ~이다 / SC: 오스트리아 화가 / 관계대명사절: 그림이 수백만 달러에 팔리는)

| 해석 | Gustav Klimt는 그림이 수백만 달러에 팔리는 오스트리아 화가이다.

| 해설 | 관계대명사절이 주격보어인 an Austrian artist를 수식하고 있으며, 명사 paintings가 선행사(an Austrian artist)의 소유임을 나타내는 소유격 관계대명사 whose가 쓰여야 알맞다.

**82** | 정답 | who

Her precious Blue Bunny was a gift (from her father), [who worked overseas].

(S: 그녀의 귀중한 '블루버니'는 / V: ~이었다 / SC: 선물 / N: 그녀의 아버지로부터의 / 관계대명사절: 그리고 그는 해외에서 일했다)

| 해석 | 그녀의 귀중한 '블루버니'는 아버지가 준 선물이었는데, 그는 해외에서 일했다.

| 해설 | 콤마(,) 뒤의 관계대명사절이 선행사인 her father에 대해 보충 설명하고 있다. 선행사가 사람이므로 주격 관계대명사 who가 알맞다.

**83** | 정답 | in which

The teacher wrote back a long reply [in which he dealt with thirteen of the questions].

(S: 그 선생님은 / V: 답장을 썼다 / O: 긴 답장을 / 관계대명사절: (그 답장에서) 그가 질문 중 13개를 다룬)

| 해석 | 그 선생님은 질문 중 13개를 다룬 긴 답장을 썼다.

| 해설 | in which ~ questions는 목적어인 a long reply를 수식하는 관계대명사절이다. 선행사가 관계대명사절 내에서 전치사 in의 목적어 역할을 하므로 관계대명사 앞에 in이 쓰였다.

**84** | 정답 | why

Knowing the reasons [why you failed] will help you improve your chances for success (next time).

(S: 이유를 아는 것은 / 관계부사절: 당신이 실패한 / V: 도움이 될 것이다 / O: 당신이 / OC: 성공할 가능성을 높이는 데 / 다음번에)

| 해석 | 당신이 실패한 이유를 아는 것은 다음번에 성공할 가능성을 높이는 데 도움이 될 것이다.

| 해설 | why you failed는 이유를 나타내는 선행사 the reasons를 수식하는 관계부사절이다. 「help+목적어+원형부정사(구)」는 '(목적어)가 ~하는 것을 돕다'의 의미를 나타낸다.

## B

**185** | 정답 | that → which

She admired the work of Edgar Degas / and was able to meet him (in Paris), [which was a great inspiration].

(S: 그녀는 / $V_1$: 감탄했다 / $O_1$: Edgar Degas의 작품에 / 그리고 / $V_2$: 만날 수 있었다 / $O_2$: 그를 / 파리에서 / 관계대명사절: 그리고 그것은 큰 영감이 되었다)

| 해석 | 그녀는 Edgar Degas의 작품에 감탄했고 파리에서 그를 만날 수 있었는데, 그것은 큰 영감이 되었다.

| 해설 | 콤마(,) 뒤의 관계대명사절이 앞 절 전체에 대해 보충 설명한다. 콤마(,) 뒤에는 관계대명사 that을 쓸 수 없으므로 which가 알맞다.

**186** | 정답 | which → who(that)

Someone [who reads only books by contemporary authors] looks (to me) (like a near-sighted person).

(S: 사람은 / 관계대명사절: 현대 작가들이 쓴 책만 읽는 / V: 보인다 / 나에게 / 근시안적인 사람처럼)

| 해석 | 현대 작가들이 쓴 책만 읽는 사람은 나에게 근시안적인 사람처럼 보인다.

| 해설 | 관계대명사절이 주어인 Someone을 수식하는데, 선행사가 사람이므로 주격 관계대명사로 which가 아니라 who나 that을 써야 한다. 동사는 주어인 Someone에 일치시키므로 looks가 쓰였으며, like는 '~처럼'을 의미하는 전치사이다.

**187** | 정답 | who → where

You (never) know [what great things will happen to you] [until you step outside the zone {where you feel comfortable}].

(S: 당신은 / 절대 / V: 알지 못한다 / O (의문사절): 당신에게 어떤 대단한 일이 일어날지 / 부사절: 당신이 지역을 벗어날 때까지 / N / 관계부사절: 당신이 편안함을 느끼는)

| 해석 | 자신이 편안함을 느끼는 지역을 벗어날 때까지는 자신에게 어떤 대단한 일이 일어날지 절대 알지 못한다.

| 해설 | 관계부사절이 장소를 나타내는 선행사인 the zone을 수식하는 형태가 알맞으므로 관계부사 where가 쓰여야 한다. 이어지는 you feel comfortable이 완전한 문장이므로 관계대명사는 쓸 수 없다.

### Grammar Check

181 whose　182 접속사　183 앞, 끝
184 형용사절　185 that
186 who(m), that, which, that　187 불완전한, 완전한

# Unit 6 부사 역할을 하는 부사절과 부사구

**문장공식 20** 부사절과 부사구 pp. 64-65

S V 부사절 접속사 S′ V′

**QUICK QUIZ**

(1) He met many foreigners [while he was abroad].
S(주어) He / V(동사) met / O(목적어) many foreigners / 부사절 [while he was abroad]
그는 만났다 많은 외국인들을 그가 해외에 있었던 동안

| 해석 | 그는 해외에 있는 동안 많은 외국인을 만났다.

(2) [Although I was full], I ate the dessert.
부사절 [Although I was full] / S(주어) I / V(동사) ate / O(목적어) the dessert
나는 배가 불렀지만 나는 먹었다 그 디저트를

| 해석 | 나는 배가 불렀지만 그 디저트를 먹었다.

**기출로 Practice**

## A

**188** [Although we speak different languages], we are all friends.
부사절: [Although we speak different languages] 비록 우리는 다른 언어로 말하지만 / S: we 우리는 / V: are ~이다 / SC: all friends 모두 친구들

| 해석 | 우리는 비록 다른 언어를 사용하지만 모두 친구이다.

| 해설 | Although는 '비록 ~이지만'이라는 의미를 나타내는 접속사로, 뒤에 주어(we)와 동사(speak)를 갖춘 부사절을 이끈다.

**189** (During this period), people worked (for more than eighty hours a week) (in factories).
부사구: (During this period) 이 시기 동안 / S: people 사람들은 / V: worked 일했다 / (for more than eighty hours a week) 80시간 이상 동안 일주일에 / (in factories) 공장에서

| 해석 | 이 시기 동안 사람들은 공장에서 일주일에 80시간 이상 일했다.

| 해설 | During은 '~ 동안'이라는 의미로 시간을 나타내는 전치사이며, 뒤에는 명사(구)가 이어진다. 「for+시간」은 기간을 나타내며, a week에서 a는 '~당'이라는 의미로, eighty hours a week은 '일주일에 80시간'이라고 해석한다. more than은 '~보다 많이, ~ 이상(의)'를 의미한다.

**190** [If you walk regularly (in the morning)], you can keep your body and mind healthy.
부사절: [If you walk regularly (in the morning)] 당신이 규칙적으로 걸으면 아침에 / S: you 당신은 / V: can keep 유지할 수 있다 / O: your body and mind 당신의 몸과 마음을 / OC: healthy 건강하게

| 해석 | 아침에 규칙적으로 걸으면 몸과 마음을 건강하게 유지할 수 있다.

| 해설 | 접속사 If가 '(만약) ~라면'이라는 의미로 조건을 나타내는 부사절을 이끈다. 「keep+목적어+목적격보어(형용사)」는 '(목적어)를 ~하게 유지하다'라고 해석한다.

**191** Tsunamis happen (because of undersea earthquakes),// and earthquakes happen (because of shifts 〈in the earth's plates〉).
$S_1$: Tsunamis 쓰나미는 / $V_1$: happen 발생한다 / 부사구: (because of undersea earthquakes) 해저의 지진 때문에 / and 그리고 / $S_2$: earthquakes 지진은 / $V_2$: happen 발생한다 / 부사구: (because of shifts 〈in the earth's plates〉) 변동 때문 지각에서의

| 해석 | 쓰나미는 해저의 지진 때문에 발생하고, 지진은 지각 변동 때문에 발생한다.

| 해설 | because of는 '~ 때문에'라는 의미를 나타내는 전치사로, 뒤에 명사(구)가 온다. 등위접속사 and가 두 개의 문장을 연결하고 있으며, 전치사구 in the earth's plates는 shifts를 수식한다.

**BACKGROUND KNOWLEDGE** 쓰나미(Tsunami)

'쓰나미'란 일본어가 세계적으로 쓰인 단어로, 해저의 지진이나 화산 폭발과 같은 급격한 지각 변동으로 파장이 길어진 바닷물이 육지까지 넘쳐 들어오는 현상을 말한다. '지진 해일'이라고도 하며, 피해 정도는 지구의 판이 수평으로 움직이는지, 수직으로 움직이는지에 따라 달라질 수 있다.

## B

**192** POP QUIZ! While the robotic vacuum is charging

[While the robotic vacuum is charging], the battery indicator light blinks red.
부사절: [While the robotic vacuum is charging] 로봇 진공청소기가 충전되고 있는 동안 / S: the battery indicator light 배터리 표시등이 / V: blinks 깜박인다 / SC: red 빨간색으로

| 해석 | 로봇 진공청소기가 충전되는 동안에는 배터리 표시등이 빨간색으로 깜박인다.

| 해설 | While the robotic vacuum is charging은 시간을 나타내는 부사절로, '~하는 동안'의 의미를 나타내는 접속사 While 뒤에 주어(the robotic vacuum)와 동사(is charging)가 이어진다.

**193** (Despite your efforts), it is beyond our facility capacity to care for wild animals.
부사구: (Despite your efforts) 당신의 노력에도 불구하고 / S: it / V: is ~이다 / SC: beyond our facility capacity 우리 시설의 역량을 넘어서는 / S′ (진주어): to care for wild animals 야생 동물들을 돌보는 것은

| 해석 | 여러분의 노력에도 불구하고, 야생 동물을 돌보는 것은 저희 시설의 역량을 넘어섭니다.

| 해설 | Despite는 '~에도 불구하고'라는 의미를 나타내는 전치사로, 뒤에 명사(구)가 이어져 부사구를 이룬다. despite는 in spite of로 바꿔 쓸 수도 있다. 문장의 진주어는 to care for wild animals이고, 주어 자리에는 가주어 it이 쓰였다.

**94** CHOOSE! because

S V O OC
The butterflies help us grow some other plants
나비들은 돕는다 우리가 다른 식물들을 키우는 것을

부사절
[because they carry pollen (from flower to flower)].
그들이 꽃가루를 옮기기 때문에 이 꽃에서 저 꽃으로

| 해석 | 나비들은 이 꽃에서 저 꽃으로 꽃가루를 옮기기 때문에 우리가 다른 식물들을 키우는 데 도움을 준다.

| 해설 | 뒤에 주어(they)와 동사(carry)를 갖춘 절이 이어지므로 접속사 because가 쓰이는 것이 알맞다. 「help+목적어+동사원형/to부정사」는 '(목적어)가 ~하는 것을 돕다'라는 뜻으로, grow some other plants가 목적격보어로 쓰였다.

**95** CHOOSE! Although

부사절
[Although humans have been drinking coffee (for
사람들이 커피를 마셔 오고 있지만

S V SC S'(의문사절)
centuries)], it is not clear [where coffee originated].
수 세기 동안 ~않다 분명한 커피가 어디에서 유래했는지

| 해석 | 사람들이 수 세기 동안 커피를 마셔 오고 있지만, 커피가 어디에서 유래했는지는 분명하지 않다.

| 해설 | 주절 앞에 위치하며 주어(humans)와 동사(have been drinking)가 이어지는 것으로 보아 '(비록) ~이지만'의 의미를 나타내는 접속사 Although가 적절하다. Despite는 전치사로, 「despite+명사(구)」의 형태로 부사구를 이룬다. have been drinking은 현재완료 진행형으로 '~해 오고 있다'라고 해석한다. 주절의 it은 가주어로 쓰였고, 의문사절인 where coffee originated가 진주어이다.

**VOCA TIP** clear의 다양한 뜻

clear는 형용사로는 '분명한' 또는 '투명한'이라는 뜻이고, 동사로는 '치우다' 또는 '승인하다'라는 뜻이다. Her explanation was not clear.(그녀의 설명은 명확하지 않았다.)에서는 '분명한'이라는 의미, The water was so clear that we could see the fish inside.(물이 너무 깨끗해서 우리는 그 안의 물고기도 볼 수 있었다.)에서는 '투명한'이라는 의미를 나타낸다. 그리고 I cleared all the books on my desk.(나는 내 책상 위의 모든 책들을 치웠다.)에서는 '치우다', The plane was all set and cleared for take-off.(비행기는 모든 준비를 마치고 이륙을 승인받았다.)에서는 '승인하다'라는 의미를 나타낸다.

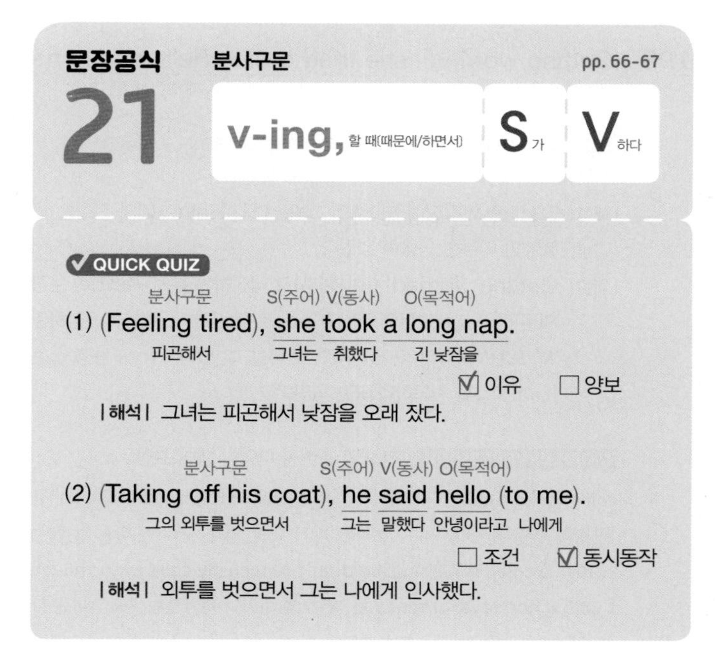

문장공식 **21** 분사구문 pp. 66-67

v-ing, 할 때(때문에/하면서) S 가 V 하다

✔ QUICK QUIZ

분사구문 S(주어) V(동사) O(목적어)
(1) (Feeling tired), she took a long nap.
피곤해서 그녀는 취했다 긴 낮잠을

☑ 이유 ☐ 양보

| 해석 | 그녀는 피곤해서 낮잠을 오래 잤다.

분사구문 S(주어) V(동사) O(목적어)
(2) (Taking off his coat), he said hello (to me).
그의 외투를 벗으면서 그는 말했다 안녕이라고 나에게

☐ 조건 ☑ 동시동작

| 해석 | 외투를 벗으면서 그는 나에게 인사했다.

## 기출로 Practice

## A

분사구문 S V
**196** (Listening to their stories), I (always) feel [like I
그들의 이야기를 들을 때 나는 항상 느낀다

부사절
learn a lot from them].
내가 그들로부터 많은 것을 배우는 것처럼

| 해석 | 그들의 이야기를 들을 때, 나는 항상 그들에게서 많은 것을 배우는 것 같다.

| 해설 | Listening to their stories는 현재분사로 시작하는 분사구문으로, 분사구문의 주체가 문장 전체의 주어인 I와 동일하며 문맥상 '~할 때'로 해석하는 것이 자연스럽다. 「feel like+주어+동사」는 '~처럼 느끼다'라고 해석하고, 여기서 like는 '~처럼'을 의미하는 접속사이다. a lot은 대명사로 learn의 목적어로 쓰였다.

분사구문 S V
**197** (Not knowing what to do 〈in her life〉), she was
무엇을 할지 몰랐지만(몰라서) 그녀의 삶에서 그녀는

O
doing her best (to find it).
하고 있었다 최선을 그것을 찾기 위해

| 해석 | 자신의 삶에서 무엇을 할지 몰랐지만(몰라서) 그녀는 그것을 찾기 위해 최선을 다하고 있었다.

| 해설 | Not knowing what to do in her life는 현재분사 앞에 Not이 쓰여 부정의 의미가 담긴 분사구문이다. 분사구문의 주체는 문장 전체의 주어인 she이며 문맥상 '~을 몰랐지만' 또는 '~을 몰라서'라는 의미로 해석할 수 있다. knowing의 목적어로 쓰인 「의문사 what+to부정사」는 '무엇을 ~해야 하는지'를 나타낸다. to find it은 목적의 의미를 나타내는 to부정사구이며, it은 앞에 언급된 what to do in her life를 가리킨다.

**198** (Getting worried), she tried calling Reiner's phone (again), // but there was no response.

분사구문 (Getting worried) 걱정하면서(걱정이 되어서) / S1 she 그녀는 / V1 tried 시도했다 / O calling Reiner's phone Reiner에게 전화하는 것을 / (again) 다시 / but 하지만 / V2 was 있었다 / S2 no response 응답 없음이

| 해석 | 걱정하면서(걱정이 되어서) 그녀는 다시 Reiner에게 전화를 해봤지만 아무런 응답이 없었다.

| 해설 | Getting worried는 현재분사로 시작하는 분사구문으로, 문장의 주어와 분사구문의 주체가 she로 동일하며 문맥상 '걱정하면서' 또는 '걱정이 되어서'라고 해석할 수 있다. 「try+동명사」는 '~하는 것을 시도하다'라는 의미이다.

**MORE EXPRESSIONS** '전화'와 관련한 다양한 영어 표현

call과 make a call은 '전화를 하다'라는 뜻이고, take[answer] a call은 '전화를 받다'라는 뜻이다. 전화를 받지 못한 경우 다시 전화를 걸 때는 return a call이라고 한다. She didn't return my calls even though I called her several times.는 '내가 몇 번이나 전화했는데도 그녀는 다시 전화하지 않았다.'라고 해석한다.

**199** (Keeping this in mind), you'll have a lot more fun (drawing the unique art [that comes from you]).

분사구문 (Keeping this in mind) 이 점을 명심한다면 / S you 당신은 / V 'll have 가질 것이다 / O a lot more fun 더 많은 재미를 / N (drawing the unique art) 독특한 예술성을 그리는 데 있어 / 관계대명사절 [that comes from you] 당신에게서 나온

| 해석 | 이 점을 명심한다면, 당신은 당신이 가진 독특한 예술성을 그림으로 그리는 것이 훨씬 더 재미있을 것이다.

| 해설 | Keeping this in mind는 현재분사로 시작하는 분사구문으로, 그 주체가 문장의 주어인 you이며 문맥상 '이 점을 명심한다면'으로 해석하는 것이 자연스럽다. that은 선행사 the unique art를 수식하는 관계대명사절을 이끄는 주격 관계대명사이다. more 앞의 a lot은 '훨씬'이라는 뜻으로, 비교급 more를 강조하는 부사로 쓰였다.

# B

**200** CHOOSE! Being

(Being a hardworking scholar), he held academic positions (in several universities in England).

분사구문 (Being a hardworking scholar) 성실한 학자여서 / S he 그는 / V held 맡았다 / O academic positions 교수직들을 / (in several universities in England) 영국에 있는 여러 대학에서

| 해석 | 성실한 학자여서, 그는 영국에 있는 여러 대학에서 교수직을 맡았다.

| 해설 | Being a hardworking scholar는 현재분사로 시작하는 분사구문으로, 그 주체가 문장의 주어인 he이며, 문맥상 '성실한 학자여서'라고 해석하는 것이 자연스럽다. 전치사구 in several universities는 부사 역할을 하며, in England는 several universities를 수식한다.

**201** (Learning English by watching movies), he (soon) managed to translate his jokes (for the American audience).

분사구문 (Learning English by watching movies) 영화를 보면서 영어를 배워서(배운 후에) / S he 그는 / (soon) 곧 / V managed 해냈다 / O to translate his jokes 그의 농담을 옮기는 것을 / (for the American audience) 미국 관객들을 위해서

| 해석 | 영화를 보면서 영어를 배워, 그는 곧 미국 관객들을 위해서 자신의 농담을 어떻게든 (영어로) 옮길 수 있었다.

| 해설 | Learning English by watching movies는 주체가 문장 전체의 주어 he인 분사구문으로, 문맥상 '영화를 보면서 영어를 배워서(배운 후에)'로 해석할 수 있다. 「by+동명사」는 '~함으로써'를 의미하고 「manage to+동사원형」은 '(어떻게든) 해내다'라는 의미를 나타낸다.

**202** POP QUIZ! Concerned about Jean idling around

(Concerned about Jean idling around), Ms. Baker decided to change her teaching method.

분사구문 (Concerned about Jean idling around) Jean이 빈둥대는 것에 대해 걱정이 되어서 / S Ms. Baker Baker 씨는 / V decided 결심했다 / O to change her teaching method 그녀의 교수 방법을 바꾸기로

| 해석 | Jean이 빈둥대는 것에 대해 걱정이 되어 Baker 씨는 자신의 교수 방법을 바꾸기로 결심했다.

| 해설 | Concerned about Jean idling around는 과거분사로 시작하는 분사구문으로, 앞에 Being이 생략된 형태로 볼 수 있다. 분사구문의 주체가 문장 전체의 주어인 Ms. Baker이며 문맥상 이유의 의미를 나타내어 'Jean이 빈둥대는 것에 대해 걱정이 되어'라고 해석할 수 있다. idling은 전치사 about의 목적어로 쓰인 동명사이며, Jean은 동명사의 주체를 나타내는 동명사의 의미상 주어이다.

**203** CHOOSE! Motivated

(Motivated by feelings of guilt), people are inclined (to make amends ⟨for their actions⟩).

분사구문 (Motivated by feelings of guilt) 죄책감으로 인해 자극을 받을 때 / S people 사람들은 / V are / SC inclined ~하는 경향이 있다 / (to make amends) 보상을 하려는 / ⟨for their actions⟩ 그들의 행동에 대해

| 해석 | 죄책감으로 인해 자극을 받을 때 사람들은 자신의 행동에 대해 보상을 하려는 경향이 있다.

| 해설 | Motivated by feelings of guilt는 문맥상 시간을 나타내는 분사구문으로 '죄책감에 자극을 받을 때'라고 해석한다. 분사구문의 주체인 people이 '자극을 받다'라는 수동의 의미가 되어야 하므로 분사구문이 과거분사(p.p.) 형태인 Motivated로 시작하며, 앞에 Being이 생략된 것으로 볼 수 있다. 「be inclined to+동사원형」은 '~하려는 경향이 있다'라는 의미를 나타낸다.

## 문장공식 22 주의해야 할 분사구문의 형태 pp. 68-69

Having p.p., 했을 때(하고 나서/했기 때문에) / With+O+v-ing/p.p., 인 채로 — S가 V하다

✔ QUICK QUIZ

(1) (Having met him before), I know him (well).
분사구문 / S(주어) V(동사) O(목적어)
그를 전에 만났기 때문에 / 나는 안다 그를 잘

| 해석 | 그를 전에 만났기 때문에, 나는 그를 잘 안다.

(2) (With the summer approaching), the weather kept getting hotter.
분사구문 / S(주어) / V(동사) O(목적어)
여름이 다가오면서 / 날씨는 / 계속했다 점점 더 더워지기를

| 해석 | 여름이 다가오면서, 날씨는 계속해서 점점 더 더워졌다.

### 기출로 Practice

A

204 Mr. Brown called time out (with two minutes left ⟨on the clock⟩).
S V O 분사구문
Brown 씨는 요청했다 타임아웃을 2분을 남겨 둔 채 시계에

| 해석 | Brown 씨는 시계에 2분을 남겨 둔 채 타임아웃을 요청했다.

| 해설 | with two minutes left on the clock은 「with+목적어+분사」 형태의 분사구문으로, two minutes는 '남겨지는' 대상이므로 과거분사(left)가 쓰였으며 '시계에 2분을 남겨 둔 채'라고 해석한다.

205 (When faced with a problem), we (instinctively) seek to find a solution.
분사구문 S V O
문제에 직면했을 때 우리는 본능적으로 ~하려고 한다 해결책을 찾으려고

| 해석 | 문제에 직면했을 때, 우리는 본능적으로 해결책을 찾으려고 한다.

| 해설 | When faced with a problem은 시간을 나타내는 분사구문으로 '~할 때'라는 의미를 명확히 표현하기 위해 분사구문 앞에 접속사 When을 남겨 두었다. 분사구문의 주체인 we가 '직면하게 되는' 대상이므로 수동의 의미를 나타내는 과거분사 형태(faced)가 쓰였다. 「seek to+동사원형」은 '~하려고 (노력)하다'라는 의미이다.

206 Many people make the decision (to become a teacher) (after having a deep personal experience ⟨with a teacher⟩).
S V O 분사구문
많은 사람들이 ~을 하다 결심 교사가 되기로 깊은 개인적인 경험을 가진 후에 선생님과

| 해석 | 많은 사람들이 선생님과 깊은 개인적인 경험을 하고 나서 교사가 되기로 결심한다.

| 해설 | after having a deep personal experience with a teacher는 시간을 나타내는 분사구문으로, 분사구문의 주체가 문장 전체의 주어인 Many people이며 '~한 후에'라는 의미를 명확히 표현하기 위해 접속사 after를 분사구문 앞에 남겨 두었다.

207 (Having watched the older children opening their gifts), I realized [that the big gifts were not necessarily the nicest ones].
분사구문 / S V O (명사절)
나이가 많은 아이들이 그들의 선물을 여는 것을 지켜보고 / 나는 깨달았다 / 큰 선물이 반드시 가장 좋은 선물은 아니라는 것을

| 해석 | 나이가 많은 아이들이 자신의 선물을 여는 것을 지켜보고, 나는 큰 선물이 반드시 가장 좋은 선물은 아니라는 것을 깨달았다.

| 해설 | Having watched the older children opening their gifts는 시간을 나타내는 분사구문이다. 분사구문의 시제가 주절의 시제보다 앞서므로 Having p.p.로 시작하는 분사구문이 쓰였다. 지각동사 watch는 목적격보어로 원형부정사나 현재분사(opening)를 취할 수 있으며 that the big gifts ~ ones는 realized의 목적어로 쓰인 명사절이다. ones는 앞의 gifts를 대신하는 대명사이다.

B

208 POP QUIZ! 인터넷을 검색하는 동안 / 인터넷을 검색하던 중

(While surfing the Internet), she came across a review (for the concert).
분사구문 S V O
인터넷을 검색하던 중 그녀는 우연히 발견했다 감상평을 그 콘서트에 관한

| 해석 | 인터넷을 검색하던 중 그녀는 그 콘서트에 관한 감상평을 우연히 발견하게 되었다.

| 해설 | While surfing the Internet은 시간을 나타내는 분사구문으로 '~하는 동안'이라는 의미를 명확히 표현하기 위해 접속사 While을 분사구문 앞에 남겼으며, 문장의 주어와 분사구문의 주체는 she로 같다.

209 CHOOSE! Having

(Having said positive things), they (then) liked the person (more) (themselves).
분사구문 S V O
긍정적인 것들을 말하고 난 다음 그들은 그러고 나서 좋아했다 그 사람을 더 많이 그들 자신도

| 해석 | 긍정적인 것을 말하고 난 다음, 그들 자신도 그 사람을 더 좋아하게 되었다.

| 해설 | Having said positive things는 시간을 나타내는 분사구문으로 '긍정적인 것들을 말하고 난 다음에'라고 해석하는 것이 자연스럽다. 분사구문의 시제가 문장의 시제보다 앞서 일어났음을 나타내는 Having p.p. 형태의 분사구문이 되는 것이 적절하다. 재귀대명사 themselves는 주어 they를 강조하는 역할을 한다.

**210** CHOOSE! sitting

(With her mother sitting 〈in the audience〉), Victoria felt proud (of herself) / and delighted (to see her mom so happy).

분사구문: With her mother sitting (그녀의 어머니가 앉아 계셨고) / in the audience (관객석에) / S: Victoria (Victoria는) / V: felt (느꼈다) / SC1: proud (자랑스럽게) / of herself (그녀 자신에 대해) / and (그리고) / SC2: delighted (기쁘게) / to see her mom (그녀의 엄마가) / so happy (너무 행복해하시는 모습을 봐서)

| 해석 | 어머니가 관객석에 앉아 계셨고, Victoria는 자기 자신이 자랑스러웠고 엄마가 너무 행복해하시는 모습을 봐서 기뻤다.

| 해설 | With her mother sitting in the audience는 「with+목적어+분사」 형태의 분사구문으로, her mother가 분사구문의 주체이다. 형용사 proud와 delighted는 주격보어로, 접속사 and로 연결되어 병렬 구조를 이룬다. to see 이하는 감정(delighted)의 원인을 나타내는 to부정사구이다.

**211** (If faced with the same situation), (such as running into an obstacle), (then) the robot will go (around the obstacle).

분사구문: If faced with the same situation (동일한 상황에 직면한다면) / such as running into an obstacle (장애물과 우연히 마주치는 것과 같은) / then (그러면) / S: the robot (그 로봇은) / V: will go (갈 것이다) / around the obstacle (그 장애물을 돌아서)

| 해석 | 장애물과 우연히 마주치는 것과 같은 동일한 상황에 직면한다면 그 로봇은 장애물을 돌아서 갈 것이다.

| 해설 | If faced with the same situation은 조건을 나타내는 분사구문으로 '만약 ~라면'의 의미를 명확히 표현하기 위해 접속사 If가 분사구문 앞에 남아 있다. 분사구문의 주체인 the robot이 '직면하게 된다'는 수동의 의미이므로 과거분사 형태인 faced가 쓰였다. such as ~ an obstacle은 앞에 있는 the same situation의 예를 들어 설명하는 수식어구이다.

## Unit Exercise

p. 7

### A

**212** | 정답 | was

I had booked the tour [because the palace w... accessible (only on a guided tour)].

S: I (나는) / V: had booked (예약했었다) / O: the tour (그 관광을) / 부사절: because the palace w... (그 궁전은 입장이 가능했기 때문에) / only on a guided tour (가이드가 있는 관광으로만)

| 해석 | 그 궁전은 가이드가 있는 관광으로만 입장이 가능했기 때문에 ...는 그 관광을 예약했었다.

| 해설 | 이유를 나타내는 접속사 because가 이끄는 절이 주절의 ...서 부사 역할을 하고 있다. 부사절은 접속사 뒤에 주어와 동사... 갖춘 완전한 문장이 와야 하므로 빈칸에는 was가 적절하... had booked는 특정 과거 시점 이전에 일어난 일을 나타나... 과거완료 형태이다.

**MORE EXPRESSIONS** '여행'과 관련한 다양한 영어 표현

개인적으로 하는 자유 여행을 individual trip이라고 하고, 단체로 하는 ...행을 group tour라고 한다. If you go on an individual trip, y... should make travel plans well.은 '개인 여행을 간다면, 여행 계획을 세워야 한다.'라고 해석한다. 그리고 I joined a group tour whe... went to Paris.는 '나는 파리에 갔을 때 단체 여행을 했다.'라고 해석한...

**213** | 정답 | Not

(Not looking out the bus window), Jonas cou... stay calm and relaxed.

분사구문: Not looking out the bus window (버스 창밖을 내다보지 않으면서(않아서)) / S: Jonas (Jonas는) / V: cou... stay (있을 ... 있었다) / SC1: calm (차분하게) / and (그리고) / SC2: relaxed (여유롭게)

| 해석 | 버스 창밖을 내다보지 않으면서(않아서) Jonas는 차분하고 ...유롭게 있을 수 있었다.

| 해설 | 분사구문의 부정은 분사 앞에 not이나 never를 써서 나타나...로 빈칸에는 Not이 적절하며, 문맥상 '내다보지 않으면서' 또... '내다보지 않아서'라고 해석하는 것이 자연스럽다. 「stay+형...사」는 '~한 상태로 있다(유지하다)'를 의미하며, 형용사 calm... relaxed가 접속사 and로 연결되어 있다.

**214** | 정답 | Being

(Being considerate people), they stopped (to he... the lost boy find his parents).

분사구문: Being considerate people (사려 깊은 사람들이어서) / S: they (그들은) / V: stopped (멈췄다) / to help the lost boy find his parents (길 잃은 소년이 그의 부모를 찾는 것을 도와주기 위해)

| 해석 | 그들은 사려 깊은 사람들이어서 길 잃은 소년이 부모를 찾는...을 도와주기 위해 멈췄다.

| 해설 | Being considerate people은 문맥상 이유를 나타내는 분사구문으로, considerate 앞에 be동사의 현재분사형인 Being이 오는 것이 적절하다. to help the lost boy find his parents는 목적의 의미를 나타내는 to부정사구이며 「help+목적어+원형부정사/to부정사」는 '(목적어)가 ~하는 것을 돕다'의 의미를 나타낸다.

**5** | 정답 | With

(With my guests waiting 〈at the table〉), I opened the oven / and saw a raw chicken.

분사구문: 나의 손님들이 기다리고 있는 채로 / 식탁에서 / S 나는 / $V_1$ 열었다 / $O_1$ 오븐을 / 그리고 / $V_2$ 보았다 / $O_2$ 익지 않은 닭고기를

| 해석 | 손님들이 식탁에서 기다리고 있는 채로, 나는 오븐을 열어 익지 않은 닭고기를 보았다.

| 해설 | 분사구문의 주체가 my guests로, 문장의 주어인 I와 다르다. 따라서 '~가 …한 채로'를 의미하는 「with+목적어+분사」 형태의 분사구문이 되는 것이 적절하다. my guests가 '기다린다'는 능동의 의미이므로 현재분사인 waiting이 쓰였다.

**6** | 정답 | Despite → Although

[Although there are many movies about Mars], no one has been (there) (yet).

부사절: 화성에 관한 영화는 많지만 / S 아무도(~ 않다) / V 가 본 적이 있다 / 그곳에 / 아직

| 해석 | 화성에 관한 영화는 많지만, 아직 아무도 그곳에 가 보지 못했다.

| 해설 | Despite 뒤에 주어(many movies)와 동사(are)를 갖춘 절이 이어지므로 Despite가 아니라 같은 의미를 나타내는 접속사 Although로 쓰이는 것이 적절하다. Despite는 '~에도 불구하고'라는 의미를 나타내는 전치사로, 뒤에 명사(구)가 온다. no one은 '아무도 ~않다'의 의미로 부정의 표현이다. 현재완료 has been은 경험을 나타내며 there는 앞에 있는 Mars를 가리킨다.

**7** | 정답 | After mixed → After mixing 또는 Having mixed

(After mixing many different chemicals 〈with a wooden stick〉), he put the stick down.

여러 가지 화학약품을 섞은 후에 / 나무 막대기로 / S 그는 / V 내려놓았다 / O 그 막대기를

| 해석 | 여러 가지 화학약품을 나무 막대기로 섞은 후에, 그는 그 막대기를 내려놓았다.

| 해설 | 문장의 주어와 분사구문의 주체가 he로 같으며, 주어가 직접 동작을 하는 능동의 의미이므로 현재분사 mixing을 쓰거나 주절보다 앞서 일어난 일을 나타내는 having mixed를 쓰는 것이 적절하다. '~ 후에'의 의미를 명확히 표현하기 위해 접속사 After를 분사 앞에 남겨 둘 수도 있다. put down은 '내려놓다'라는 뜻의 구동사로, 명사인 목적어는 down의 앞이나 뒤에 올 수 있다.

**218** | 정답 | training → having trained

Henri Matisse came (late) (to painting), (having trained to be a lawyer 〈to please his father〉).

S Henri Matisse는 / V 입문했다 / 늦게 / 그림에 / 분사구문: 변호사가 되기 위한 훈련을 받았었기 때문에 / 그의 아버지를 기쁘게 하기 위해

| 해석 | Henri Matisse는 늦게 그림에 입문했는데, 자신의 아버지를 기쁘게 해 드리기 위해 변호사가 되기 위한 훈련을 받았었기 때문이었다.

| 해설 | Henri Matisse가 변호사가 되기 위한 훈련을 받은 시점이 그림에 입문한 시점보다 앞서 일어났으므로 having p.p.로 시작하는 분사구문의 형태가 되어야 알맞다. having trained to be a lawyer to please his father는 문맥상 이유를 나타내는 분사구문이며, to please his father는 목적의 의미를 나타내는 to부정사구이다.

**BACKGROUND KNOWLEDGE** Henri Matisse

색채의 마술사로 불리는 앙리 마티스(Henri Matisse)는 회화와 그래픽 아트 등 다양한 분야에서 높이 평가받는 프랑스의 화가이다. 마티스는 파리의 법률 사무소에서 일하다가 26살에 그림에 입문했다. 1905년에 마티스는 동료들과 합동 전시회를 열었고, 그들의 거침없는 색채로 인해 '야수들'이라는 별명을 얻게 되었다. 그리고 이는 20세기 미술에서 포비즘(야수파)이 탄생하는 계기가 되었다.

**Grammar Check**

212 접속사 213 not 214 Being 215 with
216 전치사 217 접속사 218 Having

# PART 3 가정법의 이해

## Unit 7 가정, 상상, 소망을 나타내는 가정법

**문장공식 23** 가정법 과거 pp. 74-75

If S′가 V′(과거형), 한다면
S가 조동사 과거형+V 할 텐데

**✔ QUICK QUIZ**

(1) [If she had a car], she would drive (everywhere).
부사절 (가정법 과거) (만약) 그녀에게 차가 있다면 / S(주어) 그녀는 / V(동사) 운전할 텐데 / 모든 곳으로
| 해석 | 그녀에게 차가 있다면, 그녀는 어디든지 운전해서 갈 텐데.

(2) The planet would freeze [if the Sun did not exist].
S(주어) 그 행성은 / V(동사) 얼어붙을 것이다 / 부사절 (가정법 과거) (만약) 태양이 존재하지 않는다면
| 해석 | 태양이 존재하지 않는다면 그 행성은 얼어붙을 것이다.

**기출로 Practice**

### A

**219** [If I made lots of money], I would help poor children (in Africa).
부사절 (가정법 과거) (만약) 내가 많은 돈을 번다면 / S 나는 / V 도울 것이다 / O 가난한 아이들을 / 아프리카에 있는
| 해석 | 내가 돈을 많이 번다면, 나는 아프리카의 가난한 아이들을 도울 것이다.
| 해설 | If절의 동사는 과거형(made), 주절의 동사는 「조동사의 과거형(would)+동사원형(help)」으로 쓴 가정법 과거 문장으로, '내가 돈을 많이 번다면'은 현재의 사실과 반대되는 상황을 가정한 것이다.

**220** [If the Earth were closer (to the Sun)], it would be too hot.
부사절 (가정법 과거) (만약) 지구가 더 가깝다면 / 태양에 / S it / V ~일 것이다 / SC 너무 더운
| 해석 | 만약 지구가 태양에 더 가깝다면 너무 더울 것이다.
| 해설 | 현재에 실현될 가능성이 없는 일을 가정하는 가정법 과거 문장이다. 가정법 과거 If절의 동사가 be동사이면 주어의 인칭이나 수에 관계없이 주로 were를 쓴다. closer는 '가까운'이라는 뜻의 형용사 close의 비교급이며, 주절의 주어 it은 날씨를 나타낼 때 쓰는 비인칭 주어로 '그것은'이라고 해석하지 않는다.

**221** [If they didn't wear gloves], their hands would g(et) (terribly) hurt.
부사절 (가정법 과거) (만약) 그들이 장갑을 끼지 않으면 / S 그들의 손은 / V 심하게 다칠 것
| 해석 | 그들이 장갑을 끼지 않으면 손을 심하게 다칠 것이다.
| 해설 | '그들이 장갑을 끼고 있는' 현재의 사실과 반대되는 상황을 가(정)하는 가정법 과거 문장이다. get hurt는 '다치다'라고 해석한(다).

**222** [If you were crossing a rope bridge over a valle(y)], you would (likely) stop talking.
부사절 (가정법 과거) (만약) 당신이 계곡 위의 밧줄 다리를 건너고 있다면 / S 당신은 / V 아마 멈출 것이다 / O 말하는 것을
| 해석 | 당신이 계곡 위의 밧줄 다리를 건너고 있다면 아마 말하는 것(을) 멈출 것이다.
| 해설 | 상대방이 '밧줄 다리를 건너고 있지 않는' 현재의 사실과 반대되는 상황을 가정하는 가정법 과거 문장이다. 「stop+v-ing」는 '~하는 것을 멈추다'라는 의미이므로 stop talking은 '말하는 것을 멈추다'로 해석한다. likely는 '아마'라는 뜻의 부사로 조동사와 동사원형 사이에 쓰인다.

### B

**223** CHOOSE! would

[If teenagers didn't build up conflicts (with the(ir) parents)], they would (never) want to leave.
부사절 (가정법 과거) (만약) 십 대들이 갈등을 키우지 않는다면 / 그들의 부모 / S 그들은 / V 결코 원하지 않을 것이다 / O 떠나는 것을
| 해석 | 십 대들이 부모와 갈등을 키우지 않는다면, 그들은 결코 떠나(고) 싶어 하지 않을 것이다.
| 해설 | 현재에 실현되기 어려운 일을 가정하는 가정법 과거 문장이(다). 가정법 과거 문장에서 If절의 동사는 과거형, 주절의 동사는 「조동사의 과거형+동사원형」으로 쓰므로 would가 쓰이는 것이 맞다. 주절에서 부정을 나타낼 때는 조동사의 과거형 뒤에 no(t)나 never를 쓰며, want는 to부정사(to leave)를 목적어로 하는 동사이다.

**224** POP QUIZ! If we lived on a planet where nothing ever changed

[If we lived on a planet {where nothing ever changed}], there would be little (to do).
부사절 (가정법 과거) (만약) 우리가 행성에 산다면 / 아무것도 변하지 않는 / V 있을 것이다 / S 할 일이 거의 없음

| 해석 | 우리가 만약 아무것도 변하지 않는 행성에 산다면, 할 일이 거의 없을 것이다.

| 해설 | 가정법 과거 문장으로, 현재 사실과 반대되는 상황을 가정한 부분은 '(만약) ~한다면'의 의미로 If절에 해당한다. 관계부사 where가 장소를 나타내는 선행사 a planet을 수식하는 관계부사절을 이끌며, 관계부사 뒤에는 주어와 동사를 갖춘 완전한 절이 온다. little은 '거의 없음'을 나타내는 대명사로 쓰였고, to do는 little을 수식하는 형용사 역할을 한다.

**25** CHOOSE! might

부사절 (가정법 과거)
[If she woke up {every time one of the babies screamed for food}], she might get no sleep (at all).
(만약) 그녀가 깬다면 / 아기들 중 한 명이 음식을 달라고 울어 댈 때마다 / S 그녀는 / V 취할지도 모른다 / O 아무런 잠도 / 전혀

| 해석 | 만약 그녀가 아기들 중 한 명이 배고프다고 울어 댈 때마다 깬다면, 그녀는 잠을 한숨도 못 잘지도 모른다.

| 해설 | 가정법 과거 문장으로, If절에 동사의 과거형(woke)을 사용하여 현재의 사실과 반대되는 상황을 가정하고 있다. 가정법 과거 문장에서 주절의 동사는 「조동사의 과거형+동사원형」으로 쓰므로, 조동사 may의 과거형인 might가 쓰이는 것이 알맞다. 「every time+주어+동사」는 '~할 때마다'라는 의미이다.

**26** I would (really) appreciate it [if you could allow my son to register additionally].
S 저는 / V 정말 감사하겠습니다 / O / 부사절 (가정법 과거) (만약) 당신이 허락해 주실 수 있다면 / 제 아들이 추가로 등록하는 것을

| 해석 | 제 아들이 추가로 등록하는 것을 허락해 주신다면 정말 감사하겠습니다.

| 해설 | 요청 사항을 정중하게 말할 때 가정법 과거를 사용하여 I would appreciate it if you could ~.와 같이 말할 수 있다. 「allow+목적어+to부정사(구)」는 '(목적어)가 ~하는 것을 허락하다'라는 의미이다.

**VOCA TIP** appreciate의 다양한 뜻

appreciate은 '진가를 알아보다', '고마워하다', '인식하다' 등 여러 개의 뜻을 가지고 있다. It is not easy to appreciate a foreign book translated in different languages.에서는 '진가를 알아보다'라는 의미를, I really appreciate your help.에서는 '고마워하다'라는 의미를 나타낸다. 그리고 He didn't appreciate this situation.에서는 '인식하다'라는 의미로 쓰였다.

**MORE EXPRESSIONS** 정중하게 요청하는 표현

I was wondering if you could ~.는 '혹시 ~해 주실 수 있을지 궁금해서 여쭤보다'라는 의미로, 정중하게 요청할 때 사용하는 표현이다. I was wondering if you could send me the file by tomorrow morning.은 '저에게 내일 아침까지 그 파일을 보내 주실 수 있을까요?'라고 해석할 수 있다. 그 밖에도 It would be grateful if you could ~., Could you kindly[possibly] ~?, Would you be able to ~? 등의 표현이 있다.

## 문장공식 24 가정법 과거완료

pp. 76-77

| If | S' 가 | had p.p., 했다면 |
|---|---|---|
| S 가 | 조동사 과거형+have p.p. 했을 텐데 | |

✔ QUICK QUIZ

(1) [If Mina had practiced more], she would have won.
부사절 (가정법 과거완료) (만약) 미나가 더 많이 연습했다면 / S(주어) 그녀는 / V(동사) 우승했을 텐데

| 해석 | 미나가 더 많이 연습했다면 우승했을 텐데.

(2) [If he had studied hard], he would have gotten a better job.
부사절 (가정법 과거완료) (만약) 그가 열심히 공부했다면 / S(주어) 그는 / V(동사) 가졌을 텐데 / O(목적어) 더 좋은 직업을

| 해석 | 그가 열심히 공부했다면 더 좋은 직업을 가졌을 텐데.

기출로 Practice

### A

**227** [If the wind had not been so strong], we could have had tea (outside).
부사절 (가정법 과거완료) (만약) 바람이 그렇게 강하지 않았더라면 / S 우리는 / V 마실 수 있었을 텐데 / O 차를 / 밖에서

| 해석 | 만약 바람이 그렇게 강하지 않았더라면, 우리는 밖에서 차를 마실 수 있었을 텐데.

| 해설 | '바람이 강해서 밖에서 차를 마실 수 없었다'는 과거 사실과 반대되는 상황을 가정하여 말하는 가정법 과거완료 문장이다. If절의 동사는 had p.p., 주절의 동사는 「조동사의 과거형+have p.p.」로 쓴다.

**228** I wish [you had been kinder (to my friends)].
S V 좋았을 텐데 / O (명사절 – 가정법 과거완료) 네가 더 친절했다면 / 내 친구들에게

| 해석 | 네가 내 친구들에게 더 친절했다면 좋았을 텐데.

| 해설 | 과거의 사실과 반대되는 상황을 소망하는 「I wish+가정법 과거완료」 문장으로, '~했다면 좋았을 텐데'로 해석한다. I wish와 you 사이에는 접속사 that이 생략되었다.

**229** [If I had told you that], you might have panicked // and none of us would have made it.
부사절 (가정법 과거완료) (만약) 내가 너에게 그것을 말했다면 / $S_1$ 너는 / $V_1$ 기겁했을지도 모른다 / 그리고 $S_2$ 우리 중 누구도 (~않다) / $V_2$ 성공했을 것이다 / O

| 해석 | 내가 너에게 그것을 말했다면, 너는 기겁했을 테고 우리 중 누구도 성공하지 못했을 것이다.

| 해설 | '내가 너에게 그것을 말하지 않은' 과거 사실과 반대되는 상황을 가정하는 가정법 과거완료 문장이다. 「주어+조동사의 과거형+have p.p.」로 이루어진 두 개의 주절이 등위접속사 and로 연결되어 있다.

S V O (명사절 – 가정법 과거완료)
**230** I wish [I had gone to the electronics market (with you)].
좋았을 텐데 / 내가 전자 상가에 갔다면 / 너와 함께

| 해석 | 내가 너와 함께 전자 상가에 갔다면 좋았을 텐데.

| 해설 | 과거 사실과 반대되는 상황을 소망하는 「I wish+가정법 과거완료」 문장으로, '~했다면 좋았을 텐데'로 해석한다. 실제로는 상대방과 전자 상가에 가지 않았던 과거 사실에 대한 아쉬움을 나타내는 말이다.

# B

**231** POP QUIZ! If I had not met Shawn

부사절 (가정법 과거완료) S V O
[If I had not met Shawn], I might (never) have developed my love (of literature and writing).
만약 내가 Shawn을 만나지 않았다면 / 나는 결코 개발하지 못했을지도 모른다 / 나의 사랑을 / 문학과 글쓰기에 대한

| 해석 | 만약 내가 Shawn을 만나지 않았더라면, 나는 결코 문학과 글쓰기에 대한 사랑을 개발하지 못했을지도 모른다.

| 해설 | If I had not met Shawn은 실제로는 Shawn을 만난 과거의 사실과 반대되는 상황을 가정한 부사절이다. 가정법 과거완료 문장에서 부정을 나타낼 때 If절에서는 had 뒤에, 주절에서는 조동사의 과거형 뒤에 not이나 never를 쓴다.

**232** CHOOSE! hadn't

부사절 (가정법 과거완료) S V
[If I hadn't come along], he would have (eventually) died (of starvation).
만약 내가 도착하지 않았더라면 / 그는 / 죽었을 것이다 / 결국 / 굶주림으로

| 해석 | 만약 내가 도착하지 않았더라면 그는 결국 굶주려 죽었을 것이다.

| 해설 | '내가 도착하지 않았더라면'이라고 과거의 사실과 반대되는 상황을 가정하는 가정법 과거완료 문장이다. If절의 동사는 had p.p., 주절의 동사는 「조동사의 과거형+have p.p.」로 써야 하므로 hadn't가 알맞다. die of starvation은 '굶주려 죽다'라는 의미이다.

**233** CHOOSE! would

부사절 (가정법 과거완료) S V O
[If Dante and Shakespeare had died {before th wrote those works}], nobody (ever) would ha written them.
만약 단테와 셰익스피어가 사망했다면 / 그들 / 그 작품들을 쓰기 전에 / 아무도 (~않다) / 결코 / 썼을 것이다 / 그것들을

| 해석 | 만약 단테와 셰익스피어가 그 작품들을 쓰기 전에 사망했더라 아무도 그것들을 쓰지 않았을 것이다.

| 해설 | 과거의 사실과 반대되는 상황을 가정하여 말하는 가정법 과거 료 문장이다. 가정법 과거완료 If절의 동사는 had p.p., 주절 동사는 「조동사의 과거형+have p.p.」로 써야 하므로 wo 가 알맞다. If절에 시간을 나타내는 부사절(before th wrote those works)이 포함되어 있다. them은 앞에 나 those works를 가리킨다.

**BACKGROUND KNOWLEDGE** Dante와 Shakespeare

단테는 중세를 대표하는 이탈리아의 작가이다. 대표적인 작품으로 철학 시인 <신곡>이 있다. 셰익스피어는 1564년에 태어난 영국의 극작가로, <베 스의 상인>으로 유명해진 뒤에 극단의 전속 작가로 활동하였다. 셰익스피어 <햄릿>, <리어왕>, <맥베스> 등 비극뿐만 아니라 <로미오과 줄리엣>을 포 한 희극 등 여러 분야에서 다양한 작품을 썼다.

S V O (명사절 – 가정법 과거완료)
**234** I wished [the night would have been longer {s that I could stay here longer}].
좋았을 텐데 / 밤이 더 길었다면 / 내가 여기서 좀 더 오래 머물 수 있도록

| 해석 | 여기서 좀 더 오래 머물 수 있도록 밤이 더 길었다면 좋았을 텐

| 해설 | 과거 사실과 반대되는 상황을 소망하는 「I wish+가정법 과거 료」 문장으로, '~했다면 좋았을 텐데'로 해석한다. I wished the night 사이에 명사절을 이끄는 접속사 that이 생략되었 「so that+주어+동사」는 '~하기 위해서'라는 의미의 부사절이

## 문장공식 25 that절에 가정법 현재를 쓰는 경우 pp. 78-79

S가 suggest/insist ... 하다

(that) S'가 (should) V해야 한다고

✔ QUICK QUIZ

(1) I recommend [that you should be there on time].
S(주어) 나는 / V(동사) 권한다 / O(명사절) 네가 그곳에 제시간에 도착해야 한다고

| 해석 | 나는 네가 그곳에 제시간에 도착할 것을 권한다.

(2) Clara proposed [that John leave early].
S(주어) Clara는 / V(동사) 제안했다 / O(명사절) John이 일찍 떠나야 한다고

| 해석 | Clara는 John이 일찍 떠날 것을 제안했다.

기출로 Practice

A

235 John recommended [that the work should be done (at once)].
S John은 / V 권했다 / O (명사절) 그 일이 이뤄져야 한다고 / 즉시

| 해석 | John은 그 일을 즉시 하기를 권했다.

| 해설 | 권유를 나타내는 동사 recommend의 목적어로 쓰이는 that절의 동사는 주절의 시제나 수 일치와 상관없이 「(should+)동사원형」으로 쓰며, 접속사 that과 조동사 should는 생략할 수 있다.

236 It is essential [that every child have the same educational opportunities].
S V ~이다 / SC 필수적인 / S' (명사절) 모든 아이들이 동일한 교육 기회를 갖는 것은

| 해석 | 모든 아이들이 동일한 교육 기회를 갖는 것은 필수적이다.

| 해설 | It은 가주어이므로 해석하지 않고, that절이 진주어이다. 이성적 판단을 나타내는 형용사 essential 뒤에 오는 that절은 「(that+)주어(+should)+동사원형」의 형태로 쓰인다. 따라서 every child는 단수이지만 동사는 앞에 should가 생략된 동사원형 have가 쓰였다.

237 Swedish law requires [that at least two newspapers be published (in every town)].
S 스웨덴 법은 / V 요구한다 / O (명사절) 적어도 두 개의 신문이 발행될 것을 / 모든 마을에서

| 해석 | 스웨덴 법은 모든 마을에서 적어도 두 개의 신문을 발행할 것을 요구한다.

| 해설 | 요구를 나타내는 동사 require의 목적어 역할을 하는 that절의 동사로 앞에 should가 생략된 수동태 be published가 쓰였다.

238 The coach suggested [that he practice harder (to master the advanced skills)].
S 그 감독은 / V 제안했다 / O (명사절) 그가 더 열심히 연습할 것을 / 고급 기술들을 숙달하기 위해

| 해석 | 그 감독은 그가 고급 기술들을 숙달하기 위해 더 열심히 연습할 것을 제안했다.

| 해설 | 제안을 나타내는 동사 suggest의 목적어로 쓰인 that절의 동사로 「(should+)동사원형(practice)」이 쓰였다. to master the advanced skills는 목적을 나타내는 to부정사구이다.

**VOCA TIP** master의 다양한 뜻

master는 명사로는 '주인'이라는 의미이고, 동사로는 '숙달하다' 또는 '억누르다'라는 의미이다. The dog saved its master's life.(그 개는 주인의 생명을 구했다.)에서는 '주인'이라는 의미로, He quickly mastered new techniques.(그는 새로운 기술을 빠르게 익혔다.)에서는 '숙달하다'라는 의미로 쓰였다. She tried hard to master her temper.(그녀는 화를 억누르려고 매우 애썼다.)에서는 '억누르다'라는 의미를 나타낸다.

B

239 POP QUIZ! should

It is necessary [that we should learn to hear {what our body is telling us}].
S V ~이다 / SC 필요한 / S' (명사절) 우리가 듣는 것을 배우는 것이 / 우리의 몸이 우리에게 말하고 있는 것을

| 해석 | 우리는 몸이 우리에게 말하고 있는 것을 듣는 것을 배울 필요가 있다.

| 해설 | 이성적 판단을 나타내는 형용사 necessary 뒤에 오는 that절의 동사로 「should+동사원형(learn)」이 쓰였다. what our body is telling us는 to hear의 목적어 역할을 하는 명사절로, 관계대명사 what이 이끄는 명사절은 '~하는 것'이라고 해석한다.

240 CHOOSE! remove

The United Nations asks [that all companies remove their satellites (from orbit) (within 25 years)].
S 국제 연합은 / V 요청한다 / O (명사절) 모든 기업들이 인공위성을 제거해 줄 것을 / 궤도에서 / 25년 이내에

| 해석 | 국제 연합은 모든 기업들이 25년 이내에 인공위성을 궤도에서 제거해 줄 것을 요청한다.

| 해설 | 요청의 의미를 가진 동사 ask의 목적어로 쓰이는 that절의 동사는 시제와 관계없이 「(should+)동사원형」의 형태로 쓰므로 remove가 알맞다. that절 안에 두 개의 전치사구(from orbit, within 25 years)가 쓰였으며, 전치사 within은 '~ 이내에'를 의미한다.

**241** They insist [that parents stimulate their children (in the traditional ways) (through reading, sports, and play)—(instead of computers)].

S: They(그들은) V: insist(주장한다) O (명사절): that parents stimulate their children(부모들이 자녀들을 자극해야 한다고) / in the traditional ways(전통적인 방식으로) / through reading, sports, and play(독서, 운동과 놀이를 통해) / instead of computers(컴퓨터 대신)

**| 해석 |** 그들은 부모들이 컴퓨터 대신 독서와 운동, 놀이를 통해 전통적인 방식으로 자녀를 자극해야 한다고 주장한다.

**| 해설 |** 주장을 나타내는 동사 insist의 목적어로 쓰인 that절의 동사로 앞에 should가 생략된 동사원형(stimulate)이 쓰여 '~해야 한다고 주장하다'의 의미를 나타낸다. in the traditional ways, through ~ play, instead of computers는 모두 전치사구 수식어이다.

**242** CHOOSE! be

Linda was so uncomfortable (about being in the contest) [that she demanded {her name be removed from the list}].

S: Linda(Linda는) V: was(~이었다) SC: so uncomfortable(너무 불편한) / about being in the contest(대회에 참가하는 것에 대해) / S′: she(그녀는) V′: demanded(요구했다) / S″: her name(그녀의 이름이) V″: be removed(삭제될 것을) / from the list(명단에서)

**| 해석 |** Linda는 대회에 참가하는 것이 너무 불편해서 자신의 이름을 명단에서 삭제할 것을 요구했다.

**| 해설 |** 요구를 나타내는 동사 demand의 목적어 역할을 하는 that절에 접속사 that과 조동사 should가 생략되었다. '그녀의 이름'은 '삭제되는' 것이므로 수동태가 쓰여야 하며, 앞에 should가 생략되었으므로 동사원형으로 시작하는 be removed가 되어야 한다. so ~ that …은 '너무 ~해서 …하다'라는 의미이다.

## Unit Exercise

p. 80

## A

**243 | 정답 |** had

I would have called you (earlier) [if my phone battery had not died].

S: I(나는) V: would have called(전화했을 텐데) O: you(너에게) / earlier(더 일찍) / 부사절 (가정법 과거완료): if my phone battery had not died((만약) 내 전화 배터리가 방전되지 않았다면)

**| 해석 |** 내 전화 배터리가 방전되지 않았다면 나는 네게 더 일찍 전화했을 텐데.

**| 해설 |** '전화 배터리가 방전되어서 더 일찍 전화하지 못했다'는 과거 사실을 반대로 가정하여 말하는 가정법 과거완료 문장이므로, if절의 동사는 had p.p. 형태로 써야 한다.

**244 | 정답 |** required

School assignments have (typically) required [that students work alone].

S: School assignments(학교 과제들은) V: have (typically) required(전형적으로 요구해 왔다) O (명사절): that students work alone(학생들이 혼자 하도록)

**| 해석 |** 학교 과제는 전형적으로 학생들이 혼자 하도록 요구해 왔다.

**| 해설 |** 빈칸 앞에 have와 부사(typically)가 있는 것으로 보아 현재완료 형태(have p.p.)가 되어야 하고, 이어지는 목적어인 that절의 동사가 동사원형(work)인 것으로 보아 빈칸에는 요구, 주장, 제안 등의 의미를 가지는 동사가 오는 것이 적절하므로 〈보기〉에서 required가 알맞다.

**245 | 정답 |** were

[If my sister were at home], I would ask her to pick me up.

부사절 (가정법 과거): If my sister were at home((만약) 내 여동생이 집에 있다면) / S: I(나는) V: would ask(부탁할 텐데) O: her(그녀에게) OC: to pick me up(나를 데리러 오라고)

**| 해석 |** 내 여동생이 집에 있다면 나는 그녀에게 나를 데리러 오라고 부탁할 텐데.

**| 해설 |** 주절에 「조동사 과거형+동사원형」(would ask)이 쓰인 것으로 보아 '내 여동생이 집에 없다'는 현재 사실과 반대되는 상황을 가정하는 가정법 과거 문장임을 알 수 있다. 가정법 과거 If절의 동사가 be동사일 때는 주어의 인칭이나 수에 관계없이 주로 were를 사용한다. 「ask+목적어+to부정사」는 '~에게 …해 달라고 부탁하다'를 의미한다. pick up은 '~를 (차에) 태우러 가다'라는 뜻의 구동사로, 목적어가 대명사일 때는 pick me up과 같이 반드시 목적어가 pick과 up 사이에 온다.

**246** | 정답 | go

The U.N. ambassador recommended [that doctors go to Africa (to volunteer)].

(S: The U.N. ambassador 유엔 대사는 / V: recommended 권고했다 / O (명사절): that doctors 의사들이 go to Africa 아프리카로 갈 것을 (to volunteer) 자원봉사를 하러)

| 해석 | 유엔 대사는 의사들이 자원봉사를 하러 아프리카로 갈 것을 권고했다.

| 해설 | 권유를 나타내는 동사 recommend의 목적어로 쓰인 that절의 동사는 「(should+)동사원형」으로 쓰므로, 빈칸에는 앞에 should가 생략된 동사원형 go가 알맞다. to volunteer는 목적의 의미를 나타내는 to부정사이다.

**BACKGROUND KNOWLEDGE** 국제 연합(The United Nations)

The United Nations는 제 2차 세계대전 이후 설립된 국제기구로, 국제 연합 또는 유엔(UN)이라고 부른다. 국제 연합의 주요 목적은 세계의 평화를 유지하고 국제적인 협력을 이루는 것이다. 우리나라는 1991년에 국제 연합에 가입하였다.

**247** | 정답 | finds → found

[If she found out {that her hero hadn't won}], she would be terribly disappointed.

(부사절 (가정법 과거): If she found out {that her hero hadn't won} (만약) 그녀가 그녀의 우상이 우승하지 못했다는 것을 알게 되면 / S: she 그녀는 / V: would be ~일 텐데 / SC: terribly disappointed 몹시 실망한)

| 해석 | 그녀가 자신의 우상이 우승하지 못했다는 것을 알게 되면, 그녀는 몹시 실망할 텐데.

| 해설 | '그녀가 자신의 우상이 우승하지 못했다는 것을 모른다'는 현재 사실과 반대되는 상황을 가정하는 가정법 과거 문장이므로 If절의 동사는 과거형(found)으로 써야 한다. If절 안에는 found out의 목적어 역할을 하는 that절이 있으며, 과거완료(hadn't won) 표현이 쓰인 것으로 보아 that절의 일이 그녀가 알게된(found out) 것보다 먼저 일어난 일임을 알 수 있다.

**248** | 정답 | putting → (should) put

I suggest [we put automatic hand dryers (in our school bathrooms) (in order to save the Earth)].

(S: I 나는 / V: suggest 제안한다 / O (명사절): we put automatic hand dryers 우리가 자동 손 건조기를 두는 것을 (in our school bathrooms) 우리의 학교 화장실에 (in order to save the Earth) 지구를 보호하기 위해)

| 해석 | 나는 지구를 보호하기 위해 우리 학교 화장실에 자동 손 건조기를 두는 것을 제안한다.

| 해설 | 제안을 나타내는 동사 suggest의 목적어로 쓰인 that절의 동사는 「(should+)동사원형」 형태로 쓰므로 should put이나 should를 생략한 put이 쓰여야 한다. 「in order to+동사원형」은 '~하기 위해'라는 뜻으로 '목적'을 나타내는 표현이다.

**249** | 정답 | have been → had been

The fire would not have spread (so quickly) [if our firefighters had been able to arrive (at the scene) (in time)].

(S: The fire 화재가 / V: would not have spread 번지지 않았을 것이다 / (so quickly) 그렇게 빠르게 / 부사절 (가정법 과거완료): if our firefighters had been able to arrive 우리의 소방관들이 도착할 수 있었다면 (at the scene) 현장에 (in time) 제시간에)

| 해석 | 소방관들이 제시간에 현장에 도착할 수 있었다면, 화재가 그렇게 빠르게 번지지 않았을 텐데.

| 해설 | '실제로는 소방관들이 제시간에 현장에 도착할 수 없었다'는 과거의 사실과 반대되는 상황을 가정하여 말하는 가정법 과거완료 문장이다. 가정법 과거완료 if절의 동사는 had p.p.로 나타내므로 had been이 되어야 알맞다.

**Grammar Check**

243 과거　244 가능　245 were　246 동사원형
247 현재　248 should　249 had p.p.

# PART 4 특수구문

## Unit 8 문장이 변형된 특수구문

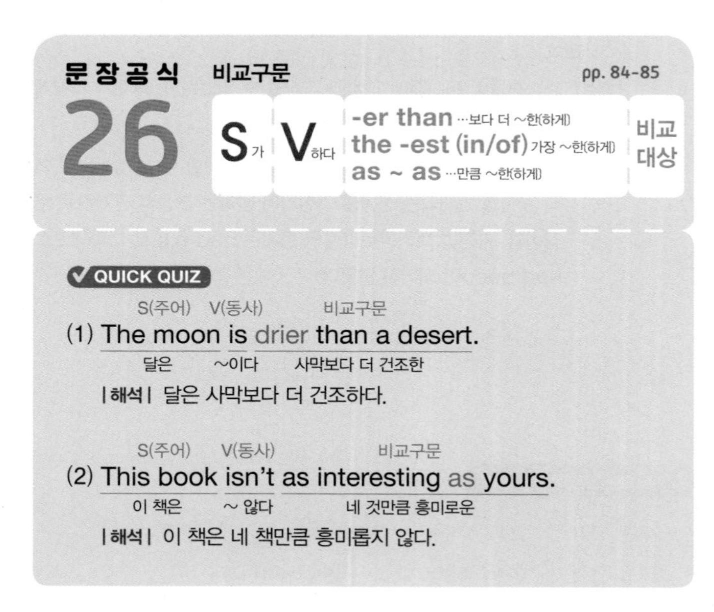

문장공식 26 비교구문
pp. 84-85
S가 V하다 -er than …보다 더 ~한(하게) the -est (in/of) 가장 ~한(하게) as ~ as …만큼 ~한(하게) 비교대상
QUICK QUIZ
(1) The moon is drier than a desert.
S(주어) V(동사) 비교구문
달은 ~이다 사막보다 더 건조한
| 해석 | 달은 사막보다 더 건조하다.
(2) This book isn't as interesting as yours.
S(주어) V(동사) 비교구문
이 책은 ~ 않다 네 것만큼 흥미로운
| 해석 | 이 책은 네 책만큼 흥미롭지 않다.


### 기출로 Practice

### A

**250** Asking someone for something was the most useful invitation (to social interaction).
(S: Asking someone for something — 누군가에게 무언가를 요구하는 것은 / V: was — ~이었다 / 비교구문: the most useful invitation — 가장 유용한 초대 / (to social interaction) — 사회적 상호작용으로의)

| 해석 | 누군가에게 무언가를 요구하는 것은 사회적 상호작용으로의 가장 유용한 초대였다.

| 해설 | the most useful은 최상급 표현으로, '가장 유용한'을 의미한다.

**251** An owl's eyes are so huge [that they weigh more than its brain].
(S: An owl's eyes — 올빼미의 눈은 / V: are — ~이다 / SC: so huge — 너무 큰 / S′: they — 그것들은 / V′: weigh — 무게가 나간다 / 비교구문: more than its brain — 그것의 뇌보다 더 많이)

| 해석 | 올빼미의 눈은 너무 커서 뇌보다 무게가 더 많이 나간다.

| 해설 | more than은 '~보다 더 많이'를 나타내는 비교급 표현으로, An owl's eyes와 its brain의 무게를 비교하는 데 사용되었다.

**252** Ecosystems can be as big as the whole world / and as tiny as a rock.
(S: Ecosystems — 생태계는 / V: can be — ~일 수 있다 / 비교구문1: as big as the whole world — 전 세계만큼 큰 / and — 그리고 / 비교구문2: as tiny as a rock — 바위만큼 아주 작은)

| 해석 | 생태계는 전 세계만큼 클 수도 있고 바위만큼 아주 작을 수도 있다.

| 해설 | 「as+형용사의 원급+as」(…만큼 ~한) 비교구문 두 개가 등위 접속사 and로 연결되어 있다.

**253** The number of native speakers (of English) ... smaller than that (of Spanish).
(S: The number of native speakers — 원어민의 수는 / (of English) — 영어의 / ~0 / 비교구문: smaller than that — 그것보다 더 적은 / (of Spanish) — 스페인어의)

| 해석 | 영어 원어민 수는 스페인어 원어민 수보다 더 적다.

| 해설 | smaller는 small의 비교급이며 that of Spanish에서 th
은 the number of native speakers를 지칭한다.

### B

**254** The earlier you share your feelings, // the mo easily you can get help.
(비교구문1: The earlier — 더 빨리 / S1: you — 당신이 / V1: share — 공유할수록 / O1: your feelings — 당신의 감정들을 / 비교구문2: the mo… easily — 더 쉽게 / S2: you — 당신은 / V2: can get — 받을 수 있다 / O2: help — 도움을)

| 해석 | 당신이 더 빨리 감정을 공유할수록, 더 쉽게 도움을 받을 수 있다

| 해설 | 「the+비교급 ~, the+비교급 …」은 '~할수록 더 …하다'라
의미이다.

**255** (In 1493), Christopher Columbus sent one of th earliest and most famous bottled messages.
((In 1493) — 1493년에 / S: Christopher Columbus — Christopher Columbus는 / V: sent — 보냈다 / 비교구문: one of th… earliest and most famous bottled messages — 가장 이르고 가장 유명한 병에 담긴 메시지들 중 하나를)

| 해석 | 1493년에 Christopher Columbus는 가장 오래되고 가
유명한 병에 담긴 메시지 중 하나를 보냈다.

| 해설 | 「one of the+최상급+복수명사」는 '가장 ~한 … 중 하나'
의미한다.

**256** POP QUIZ! black, white

(In fact), black is perceived to be twice as heav as white.
((In fact) — 사실 / S: black — 검은색은 / V: is perceived — 인식된다 / SC: to be — ~인 것으로 / 비교구문: twice as heav… as white — 흰색보다 두 배 더 무거)

| 해석 | 사실, 검은색은 흰색보다 두 배 더 무겁게 인식된다.

| 해설 | 「배수사+as+형용사의 원급+as」는 '…보다 (몇) 배 ~한'을
미한다. 서로 비교되고 있는 대상은 black과 white이다.

**257** CHOOSE! than

Nothing is more important (to us) than th satisfaction (of our customers).
(S: Nothing — 아무것도 (~않다) / V: is — ~이다 / 비교구문: more important — 더 중요한 / (to us) — 우리에게 / than th… satisfaction — 만족보다 / (of our customers) — 우리 고객들의)

| 해석 | 우리에게 고객의 만족보다 더 중요한 것은 없다.

| 해설 | 비교급 뒤에는 than이 오는 것이 알맞다. nothing이 주어
비교급 문장은 최상급의 의미를 나타낸다. (= The satisfactio
of our customers is the most important thing to us

## 문장공식 27 동격구문

pp. 86-87

**S**가 **V**하다 **N**을 **that절**이라는(인)

**QUICK QUIZ**

(1) We must face the fact [that the Earth is steadily warming].
S(주어) 우리는 / V(동사) 직시해야 한다 / O(목적어) 그 사실을 / 동격 지구가 끊임없이 따뜻해지고 있다는

| 해석 | 우리는 지구가 끊임없이 따뜻해지고 있다는 사실을 직시해야 한다.

(2) The news [that the team had lost] surprised me.
S(주어) 그 소식은 / 동격 그 팀이 졌다는 / V(동사) 놀라게 했다 / O(목적어) 나를

| 해석 | 그 팀이 졌다는 소식은 나를 놀라게 했다.

**기출로 Practice**

### A

**258** The idea [that making a fortune brings happiness] is not (always) true.
S 그 생각이 / =동격 돈을 많이 버는 것이 행복을 가져다준다는 / V ~아니다 / 항상 / SC 사실인

| 해석 | 돈을 많이 버는 것이 행복을 가져다준다는 생각이 항상 맞는 것은 아니다.

| 해설 | 접속사 that 뒤에 주어와 동사를 갖춘 that절이 The idea를 자세히 풀어서 설명하고 있다. that절의 making a fortune은 동명사구 주어로 단수 취급한다. not always는 '항상 ~인 것은 아닌'이라는 의미로 부분 부정을 나타낸다.

**VOCA TIP** fortune의 다양한 뜻

fortune은 '운', '재산', '미래' 등 여러 가지 뜻을 가지고 있다. I had the good fortune to work with considerate people.(나는 사려 깊은 사람들과 일할 수 있어서 운이 좋았다.)에서는 '운'이라는 의미를, He devoted his life to make a fortune.(그는 돈을 많이 벌기 위해 일생을 바쳤다.)에서는 '재산'이라는 의미를 나타낸다. 그리고 Do you think she can really tell your fortune?(너는 그녀가 정말로 네 미래를 점칠 수 있다고 생각하니?)에서는 '미래'라는 의미로 쓰였다.

**259** Don't miss the opportunity (to meet Rosa Park, this year's bestselling author).
V 놓치지 마라 / O 기회를 / N Rosa Park를 만날 / =동격 올해의 베스트 셀러 작가인

| 해석 | 올해의 베스트 셀러 작가인 Rosa Park를 만날 기회를 놓치지 마세요.

| 해설 | 콤마(,) 뒤의 this year's bestselling author는 앞의 명사 Rosa Park와 동일한 대상임을 나타내며, to meet Rosa Park는 the opportunity를 수식하는 형용사 역할을 한다.

**260** The basis (of cultural relativism) is the notion [that no true standards of good and evil actually exist].
S 기본은 / 문화적 상대주의의 / V ~이다 / SC 그 개념 / =동격 선과 악의 진정한 기준이 실제로는 존재하지 않는다는

| 해석 | 문화적 상대주의의 기본은 선과 악의 진정한 기준이 실제로는 존재하지 않는다는 개념이다.

| 해설 | 접속사 that 뒤에 주어(no true standards of good and evil)와 동사(exist)를 갖춘 완전한 구조가 오는 that절이 the notion의 내용을 자세히 풀어서 설명한다.

**261** The title (of the book) was based (on the belief [that globalization would bring us closer together]).
S 제목은 / 그 책의 / V 근거하였다 / N 믿음에 / =동격 세계화가 우리를 더 가깝게 만들 것이라는

| 해석 | 그 책의 제목은 세계화가 우리를 더 가깝게 만들 것이라는 믿음에 근거하였다.

| 해설 | 접속사 that 뒤에 주어(globalization)와 동사(would bring)를 갖춘 완전한 구조가 이어지는 that절이 the belief의 내용을 자세히 설명하고 있다. be based on은 '~에 근거하다'라는 의미이고, bring ~ closer는 '~을 가깝게 하다, 밀착시키다'의 의미이다.

### B

**262** CHOOSE! that

There is strong research evidence [that children perform better (in mathematics) (with music)].
V 있다 / S 강력한 연구 증거가 / =동격 어린이들이 더 잘 수행한다는 / 수학에서 / 음악과 함께 하면

| 해석 | 음악과 함께 하면 어린이들이 수학을 더 잘한다는 강력한 연구 증거가 있다.

| 해설 | children perform better in mathematics with music이 주어와 동사를 갖춘 완전한 절이면서 앞의 명사구 strong research evidence에 대해 자세히 설명하고 있으므로, 동격의 접속사 that이 쓰이는 것이 알맞다. with music은 that절의 동사를 수식하는 전치사구로, '음악과 함께 하면'으로 해석할 수 있다.

**263** POP QUIZ! that we are ready to fight

Rapid heartbeat and quick breathing are (simply) the body's declaration [that we are ready (to fight)].
S 빠른 심장박동과 가쁜 호흡은 / V ~이다 / 그저 / SC 신체의 선언 / =동격 우리가 준비가 되어 있다는 / 싸울

| 해석 | 빠른 심장박동과 가쁜 호흡은 그저 우리가 싸울 준비가 되어 있다는 신체의 선언이다.

| 해설 | 동격구문은 that we are ready to fight로 the body's declaration에 대해 자세히 풀어서 설명한다. 등위접속사 and로 연결된 두 개의 명사구가 주어로 쓰여서 be동사는 are가 쓰였다. to fight는 형용사 ready를 수식하는 부사 역할을 하며 ready to fight는 '싸울 준비가 된'을 나타낸다.

**264** CHOOSE! that

This decline (in newspaper reading) has been due (to the fact [that we are doing more of our newspaper reading (online)]).

S: This decline (이러한 감소는) / (in newspaper reading) (신문 읽기에 있어) / V: has been (~해 왔다) / SC: due (기인하는) / N: the fact (그 사실에) = 동격 [that we are doing more of our newspaper reading] (우리가 신문 읽기를 더 많이 하고 있다는) / (online) (온라인으로)

| 해석 | 이러한 신문 읽기의 감소는 우리가 신문 읽기를 온라인으로 더 많이 하고 있다는 사실에 기인해 왔다.

| 해설 | that we are doing ~ online은 the fact를 설명하는 동격 구문이다. 과거부터 현재까지 계속해 왔음을 나타내는 현재완료(has been)가 쓰였으며 「due to+명사(구)」는 '~ 때문에, ~에 기인하는'이라는 의미를 나타낸다.

**265** Simón Bolívar, the general [who had led the liberating forces], called a meeting (to write the first version of the constitution ⟨for the new country⟩).

S: Simón Bolívar (Simón Bolívar는) = 동격 the general (장군인) / [who had led the liberating forces] (해방군을 이끌었던) / V: called (소집했다) / O: a meeting (회의를) / (to write the first version of the constitution) (헌법의 초안을 작성하기 위해서) / ⟨for the new country⟩ (새 나라를 위한)

| 해석 | 해방군을 이끌었던 장군인 Simón Bolívar는 새 나라를 위한 헌법의 초안을 작성하기 위해 회의를 소집했다.

| 해설 | Simón Bolívar에 대한 추가 정보를 동격의 콤마(,)를 사용해 나타냈다. 주격 관계대명사 who가 이끄는 관계대명사절이 선행사 the general을 수식하며, to write 이하는 목적의 의미를 나타내는 to부정사구이다.

**문장공식 28** 강조구문 pp. 88-89

It is | 강조 대상 | that ~ 인 것은 (바로)

✔ QUICK QUIZ

(1) It is trust [that is most important in friendship].

바로 ~이다 / 믿음 / 우정에서 가장 중요한 것은

| 해석 | 우정에서 가장 중요한 것은 바로 믿음이다.

(2) It was yesterday [that a bird broke the window].

바로 ~이었다 / 어제 / 새가 그 창문을 깨뜨린 것은

| 해석 | 새가 그 창문을 깨뜨린 것은 바로 어제였다.

기출로 Practice

## A

**266** It was a guitar [that I wanted to receive (for m birthday)].

바로 ~이었다 / 기타 / 내가 받고 싶었던 것은 / 내 생일에

| 해석 | 내가 생일 선물로 받고 싶었던 것은 바로 기타였다.

| 해설 | to receive의 목적어인 a guitar를 강조하는 It ~ that 강 구문으로, that 뒤에는 to receive의 목적어가 없는 불완전 문장이 이어진다.

**267** Ted doesn't like spicy food (much), // but he doe like gimchi.

S1: Ted (Ted는) / V1: doesn't like (좋아하지 않는다) / O1: spicy food (매운 음식을) / (much) (많이) / but (하지만) / S2: he (그는) / 강조: doe (정말) / V2: like (좋아한다) / O2: gimchi (김치를)

| 해석 | Ted는 매운 음식을 많이 좋아하지는 않지만, 김치는 정말 좋 한다.

| 해설 | does는 뒤에 오는 동사 like를 강조하여 '정말 좋아한다'라 의미를 나타낸다.

**268** It was in 1969 [that Apollo 11 landed (on the moon

바로 ~이었다 / 1969년에 / 아폴로 11호가 착륙했던 것은 / 달에

| 해석 | 아폴로 11호가 달에 착륙했던 것은 바로 1969년이었다.

| 해설 | It ~ that 강조구문으로 시간을 나타내는 부사구 in 1969를 조하고 있다.

**269** [As both research and real life show], many other do make important changes.

부사절: [As both research and real life show] (연구와 실생활 둘 다가 보여 주듯이) / S: many other (많은 다른 사람들이) / 강조: do / V: make (정말 만든다) / O: important changes (중요한 변화들을)

| 해석 | 연구와 실생활 둘 다가 보여 주듯이, 많은 다른 사람들이 정말로 중요한 변화를 만든다.

| 해설 | 동사 make를 강조하기 위해 앞에 do가 쓰여 '정말 만든다'의 의미를 나타낸다. 부사절의 접속사 As는 '~하듯이'라는 의미로 쓰였다.

## B

**270** POP QUIZ! our parents

It is our parents [who have given us our sense of right and wrong].
(바로 ~이다 / 우리 부모님 / 우리에게 옳고 그름에 대한 감각을 주신 분은)

| 해석 | 우리에게 옳고 그름에 대한 분별력을 주신 분은 바로 부모님이다.

| 해설 | It ~ that 강조구문으로, 강조하는 대상은 our parents이다. our parents가 사람이므로 that 대신에 관계대명사 who가 쓰였다.

**271** (In some cases), fish (exposed to these chemicals) do appear to hide.
(일부의 경우에는 / S 물고기들이 / 이 화학물질에 노출된 / 강조 V 정말 ~인 것처럼 보인다 / SC 숨는 것)

| 해석 | 일부의 경우에는 이 화학물질에 노출된 물고기들이 실제로 숨는 것처럼 보인다.

| 해설 | 동사 appear를 강조하기 위해 앞에 do가 쓰여 '정말 ~처럼 보인다'의 의미를 나타낸다. 과거분사구인 exposed to these chemicals는 fish를 뒤에서 수식한다.

**272** It is [only when water levels reach 3 meters above normal] [that steel gates close shut].
(바로 ~이다 / 강조 대상: 수위가 정상 (수위)의 3미터 위로 상승할 때뿐 / 철제 수문이 완전히 닫히는 것은)

| 해석 | 철제 수문이 완전히 닫히는 것은 오직 수위가 정상 수위의 3미터 위로 상승할 때뿐이다.

| 해설 | It ~ that 강조구문으로, 강조 대상이 부사절(only when water levels reach ~ normal)이다. only when은 '오직 ~할 때만'이라는 의미로 부사절을 이끈다.

**273** CHOOSE! It

It was not [until he discovered some of the principles of marketing] [that he found increased success].
((바로) ~ 아니었다 / 그가 어떠한 원칙을 발견했을 때까지는 / 마케팅의 / that절: 그가 큰 성공을 찾은 것은)

| 해석 | 그는 어떠한 마케팅의 원칙을 발견한 후에야 비로소 큰 성공에 도달했다.

| 해설 | 부사절 until he discovered ~ of marketing을 강조하는 It ~ that 강조구문이므로 It이 알맞다. It is not until ~ that …은 '~하고 나서야 비로소 …하다'라고 해석하는 것이 자연스럽다.

## 문장공식 29 도치구문

pp. 90-91

부정어 ~아닌 / 부사(구) ~에(서) + V 하다 + S 가

✔ QUICK QUIZ

(1) (Never) have I seen such a remarkable place.
(부정어: 전혀 ~않다 / V(동사) S(주어): 나는 본 적이 있다 / O(목적어): 그렇게 멋진 장소를)

| 해석 | 나는 그렇게 멋진 장소를 본 적이 전혀 없다.

(2) (Hardly) did I think [that she would fail].
(부정어: 거의 ~아니다 / 조동사 S(주어) v(동사원형): 나는 생각했다 / O(명사절): 그녀가 실패할 거라고)

| 해석 | 나는 그녀가 실패할 거라고는 생각지도 못했다.

### 기출로 Practice

## A

**274** (There) sat a wonderful lady.
(부사: 그곳에 / V: 앉아 있었다 / S: 한 멋진 여성이)

| 해석 | 그곳에 한 멋진 여성이 앉아 있었다.

| 해설 | 장소를 나타내는 부사 There가 문장의 앞에 와서 주어인 a wonderful lady와 동사 sat이 도치된 문장이다.

**275** (Little) did I expect [that I would ever meet him again].
(부정어: 전혀 ~않다 / 조동사 S V: 나는 예상했다 / O (명사절): 내가 그를 다시 만날 것이라고)

| 해석 | 내가 그를 다시 만날 것이라고는 전혀 예상하지 못했다.

| 해설 | 부정의 의미를 지닌 부사 Little이 문장의 앞에서 강조될 때, 주어와 동사는 도치된다. 동사가 일반동사이면서 과거시제일 때는 「did+주어+동사원형」의 형태로 도치가 일어난다.

**276** (Next to the doll) was a small box (containing tiny combs and a silver mirror).
(장소 부사구: 그 인형 옆에 / V: 있었다 / S: 작은 상자가 / 작은 빗들과 은색 거울이 들어 있는)

| 해석 | 그 인형 옆에 작은 빗과 은색 거울이 들어 있는 작은 상자가 있었다.

| 해설 | 장소를 나타내는 부사구(Next to the doll)가 문장의 앞에서 강조될 때 주어와 동사는 도치된다. containing tiny combs and a silver mirror는 주어인 a small box를 수식하는 현재분사구이다.

**277** (Only after some time) did the student begin to develop the necessary insights.
(부정어: 조금의 시간이 지난 후에야 / 조동사 / S: 그 학생은 / V: 시작했다 / O: 필요한 통찰력을 발달시키기를)

|해석| 시간이 좀 지난 후에야 그 학생은 필요한 통찰력을 기르기 시작했다.

|해설| 부정의 의미를 지닌 Only로 시작하는 부사구가 문장의 앞에서 강조되어 「did+주어+동사원형」의 형태로 주어와 동사가 도치되었다. to develop the necessary insights는 동사 begin의 목적어 역할을 한다.

# B

**278** [Since they moved in], (never) have I had a good night's sleep.

(부사절: Since they moved in — 그들이 이사 온 이후로 / 부정어: never — 전혀 / have — 취한 적이 / S: I — 나는 / p.p.: had — 없다 / O: a good night's sleep — 충분한 숙면을)

|해석| 그들이 이사 온 이후로 나는 잠을 잘 잔 적이 전혀 없다.

|해설| 부정어 never가 주절의 앞에서 강조되어 주어와 동사가 도치된 문장이다. '잠을 잘 자 본 적이 없다'라는 의미로 현재완료(have p.p.)가 쓰였는데, 현재완료가 쓰인 문장은 「have+주어+p.p.」 형태로 도치가 일어난다.

**MORE EXPRESSIONS** 이사와 관련한 다양한 영어 표현

move in은 '이사 오다'라는 뜻이고, move out은 '이사 가다'라는 뜻이다. moving crate는 '(이사용) 운반 상자', moving truck은 '이삿짐 차', 그리고 lift는 '(이사용) 사다리차'를 말한다. '우리는 이삿짐을 운반 상자에 싸서 사다리차에 실었다.'는 영어로 We packed our belongings into moving crates and loaded them on the lift.라고 말할 수 있다.

**279** CHOOSE! lies

(Along the coast of British Columbia) lies a land (of forest green and sparkling blue).

(장소 부사구: Along the coast of British Columbia — British Columbia 해안을 따라 / V: lies — 위치해 있다 / S: a land — 땅이 / of forest green and sparkling blue — 짙은 황록색과 반짝이는 푸른빛의)

|해석| British Columbia 해안을 따라 짙은 황록색과 반짝이는 푸른빛의 땅이 펼쳐져 있다.

|해설| 문장의 앞에서 장소를 나타내는 부사구(Along the coast of British Columbia)가 강조되었으므로 주어와 동사가 도치된 문장이 되어야 한다. 전치사구 of forest green and sparkling blue가 주어인 a land를 수식하며, 주어(a land)가 단수이므로 도치된 동사는 lies가 쓰이는 것이 알맞다.

**280** POP QUIZ! a computer(주어), is(동사)

(Rarely) is a computer more sensitive than a human (in managing the same environmental factors).

(부정어: Rarely — 드물게 / V: is — ~이다 / S: a computer — 컴퓨터가 / SC (비교구문): more sensitive than a human — 사람보다 더 민감한 / in managing the same environmental factors — 같은 환경적 요인들을 관리하는 데 있어서)

|해석| 같은 환경적 요인을 관리하는 데 있어서 컴퓨터가 사람보다 더 민감한 경우는 드물다.

|해설| '드물게'라는 부정의 의미를 포함한 부사 Rarely가 문장의 앞으로 나온 도치구문이므로, 「be동사+주어」(is a computer) 형태로 도치되었다. more sensitive는 sensitive의 비교급으로 '더 민감한'이라는 뜻이다.

**281** CHOOSE! are

(Among the most fascinating natural temperature-regulating behaviors) are those of social insects (such as bees and ants).

(부사구: Among the most fascinating natural temperature-regulating behaviors — 가장 매력적인 자연 온도 조절 행동들 중에 / V: are — 있다 / S: those of social insects — 사회적 곤충들의 온도 조절 행동들이 / such as bees and ants — 벌과 개미와 같은)

|해석| 가장 매력적인 자연 온도 조절 행동들 중에는 벌과 개미와 같은 사회적 곤충들의 온도 조절 행동들이 있다.

|해설| 부사구인 Among the most fascinating natural temperature-regulating behaviors가 문장의 앞에서 강조되었으므로 주어인 those of social insects와 동사가 도치된 문장임을 알 수 있다. 주어가 복수이므로 be동사는 are를 쓰는 것이 적절하며, such as bees and ants는 social insects를 수식한다. 주어의 those는 앞에 나온 (natural) temperature-regulating behaviors를 대신하는 대명사이다. 부사구의 the most fascinating은 최상급 표현으로 '가장 매력적인'이라는 뜻이다.

**BACKGROUND KNOWLEDGE** 꿀벌의 체온 조절

변온 동물은 외부의 온도 변화에 따라 체온이 달라지는 동물을 말하는데, 충류, 양서류, 어류와 같은 동물이 이에 속한다. 꿀벌은 바깥의 기온이 낮아지면 집단을 형성하여 열이 빠져나가지 못하게 하는 동시에 일벌들이 날개를 움직여서 열을 발생시킨다. 이러한 효과적인 체온 조절 행동으로, 꿀벌은 변온 동물에 속하지만 겨울철에도 동면하지 않고 활동할 수 있다.

## 문장공식 30 병렬구조 pp. 92-93

S V1 and/but/or (S) V2

✔ QUICK QUIZ

(1) The students(S(주어): 그 학생들은) gathered(V1(동사): 모았다) all the trash(O1(목적어): 모든 쓰레기를) / and took(접속사 V2(동사): 그리고 가져갔다) it(O2(목적어): 그것을) (outside)(밖으로).

| 해석 | 그 학생들은 쓰레기를 모두 모아 밖으로 가져갔다.

(2) I(S(주어)) like(V(동사): 나는 좋아한다) not only(뿐만 아니라) reading books(O1(목적어): 책을 읽는 것) but also(또한) watching movies(O2(목적어): 영화를 보는 것을).

| 해석 | 나는 책을 읽는 것뿐만 아니라 영화를 보는 것도 좋아한다.

## 기출로 Practice

**282** Mongolia(S: 몽골은) has(V: 가지고 있다) high mountain ranges(O1: 높은 산맥을) / as well as(뿐만 아니라) vast desert plains(O2: 광활한 사막 초원을).

| 해석 | 몽골에는 광활한 사막 초원뿐만 아니라 높은 산맥도 있다.

| 해설 | *A* as well as *B*는 'B뿐만 아니라 A도'라는 의미로, high mountain ranges와 vast desert plains가 병렬구조를 이룬다.

**BACKGROUND KNOWLEDGE** 몽골(Mongolia)

몽골은 아시아의 중앙 내륙에 위치한 국가로, 수도는 울란바토르이다. 몽골인들은 수백 년 동안 가축을 키우면서 유목 생활을 했는데, 이는 국토의 약 80%가 초원으로 이루어져 있기 때문이었다. 평균 고도는 해발 1580m이며, 국가를 지형에 따라 산맥, 산간 분지, 그리고 거대한 고원과 사막지역으로 나눌 수 있다. 몽골은 강수량이 적고 기온의 연교차가 큰 대륙성 기후를 가진다.

**283** The building(S: 그 건물은) is(V: ~이다) not only(뿐만 아니라) beautiful(SC1: 아름다운) / but also environmentally friendly(SC2: 환경친화적인).

| 해석 | 그 건물은 아름다울 뿐만 아니라 환경친화적이다.

| 해설 | not only *A* but also *B*는 'A뿐만 아니라 B도'라는 의미로, 주격보어인 형용사 beautiful과 environmentally friendly가 병렬구조를 이룬다.

**284** Staying connected(S: 접속되어 있는 것은) (online)(온라인상에) is(V: ~이다) not an option(SC1: 선택이 아닌) / but(그러나) a must(SC2: 필수) (for many travelers)(많은 여행자들에게) (these days)(요즘).

| 해석 | 요즘 온라인상에 접속되어 있는 것은 많은 여행자들에게 선택이 아니라 필수이다.

| 해설 | not *A* but *B*는 'A가 아니라 B'라는 의미로, 주격보어인 명사 an option과 a must가 병렬구조를 이룬다. 동명사구 주어인 Staying connected online은 단수 취급하므로 동사로 is가 쓰였다.

**285** (Throughout the late 1950s and early 1960s)(1950년대 후반과 1960년대 초에 걸쳐서), Forman(S: Forman은) acted(V: 역할을 했다) (as either writer(명사1: 작가) or(혹은) assistant director(명사2: 조감독으로)) (on several films)(여러 영화에서).

| 해석 | 1950년대 후반과 1960년대 초에 걸쳐 Forman은 여러 영화에서 작가 혹은 조감독 역할을 했다.

| 해설 | either *A* or *B*는 'A 혹은 B'라는 의미로, 전치사(as) 뒤의 명사(구) writer와 assistant director가 병렬구조를 이룬다. act as는 '~ 역할을 하다'로 해석할 수 있다.

**VOCA TIP** act의 다양한 뜻

act는 명사로 '행동' 또는 '법률'이라는 의미이고, 동사로는 '역할을 하다', '연기하다'라는 의미이다. He always shows an act of kindness.(그는 언제나 친절한 행동을 보여 준다.)에서는 '행동'이라는 의미를, It is an Act of Congress.(그것은 의회법이다.)에서는 '법률'이라는 의미를 나타낸다. 그리고 She can act as an interpreter.(그녀는 통역사 역할을 할 수 있다.)에서는 '역할을 하다', The girl was acting well in the film.(그 소녀는 그 영화에서 연기를 잘하고 있었다.)에서는 '연기하다'라는 의미로 쓰였다.

## B

**286** CHOOSE! and

(Like fragments from old songs)(옛날 노래의 조각처럼), clothes(S: 옷은) can evoke(V: 불러일으킬 수 있다) both(둘 다) cherished(형용사1: 소중한) and(그리고) painful(형용사2: 아픈) memories(O: 기억들을).

| 해석 | 옛날 노래에 나오는 구절처럼 옷은 소중한 추억과 아픈 기억을 모두 생각나게 할 수 있다.

| 해설 | 'A와 B 둘 다'라는 의미의 both *A* and *B* 형태가 되는 것이 적절하며, 형용사 cherished와 painful이 병렬구조를 이룬다. Like는 '~처럼'이라는 의미의 전치사로 쓰였다.

**287** POP QUIZ! makes, helps

S V1 O1
The new policy not only makes the economy
그 새로운 정책은 뿐만 아니라 만든다 경제를

OC V2 O2
strong / but also helps unite the community.
튼튼하게 또한 돕는다 지역사회를 결속시키는 것을

| 해석 | 새로운 정책은 경제를 튼튼하게 해 줄 뿐만 아니라 지역사회를 결속시키는 것을 돕는다.

| 해설 | 상관접속사 not only *A* but also *B*에 의해서 동사 makes와 helps가 병렬구조를 이룬다. 또한 not only *A* but also *B*는 *B* as well as *A*로 바꿔 쓸 수 있다. 「make+목적어+형용사」는 '~을 …하게 하다'를 의미하고, 「help+원형부정사(구)」는 '~하는 것을 돕다'라는 의미로 쓰인다.

**288** CHOOSE! welcomed

S V1
(Until then), imaginary friends should be respected/
그때까지는 가상의 친구들이 존중받아야 한다

접속사 V2 부사절
and welcomed (by parents) [because they signify
그리고 환영받아야 한다 부모로부터 그들이 의미하기 때문에

a child's developing imagination].
아이의 자라나는 상상력을

| 해석 | 그때까지는 가상의 친구가 아이의 자라나는 상상력을 의미하는 것이므로 가상의 친구는 부모로부터 존중받고 환영받아야 한다.

| 해설 | 등위접속사 and로 조동사 뒤의 수동태가 이어져 병렬구조를 이루는 형태의 문장이다. 수동태(be p.p.)가 병렬구조를 이룰 때 두 번째 수동태에서는 be동사를 생략하기도 하므로 and 뒤에는 welcomed가 적절하다. 부사절에서 they는 imaginary friends를 가리킨다.

S V
**289** An emergency room doctor may wear special
응급실 의사는 입을 수 있다 특수한

O to부정사구1
clothes (to protect herself from infectious agents)/
옷을 감염원으로부터 자신을 보호하기 위해

to부정사구2
as well as (to protect patients from germs).
뿐만 아니라 환자들을 세균으로부터 보호하기 위해

| 해석 | 응급실 의사는 환자들을 세균으로 보호할 뿐만 아니라 감염원으로부터 자신을 보호하기 위해 특별한 옷을 입을 수 있다.

| 해설 | 상관접속사 as well as가 두 개의 to부정사구를 병렬로 연결하고 있다. 두 개의 to부정사구는 둘 다 '목적'을 나타내는 부사구 역할을 한다. *A* as well as *B*는 'B뿐만 아니라 A도'라고 해석한다.

## Unit Exercise

p. 9

# A

**290** | 정답 | most

S V 비교구문
Safety is the most important thing (in camping).
안전은 ~이다 가장 중요한 것 캠핑에서

| 해석 | 안전은 캠핑에서 가장 중요한 것이다.

| 해설 | '캠핑에서 가장 중요한 것'이라는 의미가 되도록 「the+최상
의 형태가 되는 것이 적절하다.

**291** | 정답 | that

S ┌ = ┐ 동격
The fact [that he had suspected the old ma
그 사실은 그가 그 노인을 의심했었다는

V O
pained his heart.
아프게 했다 그의 마음을

| 해석 | 그가 그 노인을 의심했었다는 사실이 그의 마음을 아프게 했다

| 해설 | 주어(he)와 동사(had suspected)를 완전하게 갖춘 절
The fact를 자세히 설명하고 있으므로, 동격의 that절을 이
는 접속사 that이 쓰이는 것이 적절하다. 그가 그 노인을 의심
던 시점이 그의 마음을 아프게 한(pained) 시점보다 더 이전
일이므로 과거완료(had suspected)로 나타냈다.

**292** | 정답 | that

It was in Washington, D.C. [that she started
바로 ~이었다 Washington D.C.에서 그녀가 천문학에 관심을

that절
develop an interest in astronomy].
갖기 시작했던 것은

| 해석 | 그녀가 천문학에 관심을 갖기 시작한 것은 바로 Washingt
D.C.에서였다.

| 해설 | 부사구 in Washington, D.C.를 It ~ that 강조구문으로
조하고 있으므로 that이 적절하다.

**293** | 정답 | have we

부정어 have S p.p.
(At no point in human history) have we used mo
인류 역사에서 어느 지점에서도 ~ 않은 우리는 사용한 적이 있

O
elements.
더 많은 원소를

| 해석 | 인류 역사의 어느 지점에서도 우리는 더 많은 원소를 사용한
이 없다.

| 해설 | 부정어인 no가 사용된 부사구가 문장 앞에서 강조되었으므로
어와 동사의 위치가 도치되는 것이 알맞으며, 현재완료(ha
p.p.)가 사용된 경우에는 「have+주어+p.p.」의 순서로 도치
일어난다.

**94** | 정답 | pulls → pull

[When you blow up a balloon / or pull on a rubber band], you are stretching material.

부사절 When / S' you 당신이 / V'1 blow up 불 때 / O'1 a balloon 풍선을 / 접속사 or / V'2 pull on 또는 잡아당길 때 / O'2 a rubber band 고무줄을 / S you 당신은 / V are stretching 늘리고 있다 / O material 물질을

| 해석 | 풍선을 불거나 고무줄을 잡아당길 때, 당신은 물질을 늘리고 있는 것이다.

| 해설 | When으로 시작하는 시간의 부사절 안에서 등위접속사 or가 blow up과 pull on을 연결하여 병렬구조를 이룬다. 부사절의 주어가 you이므로 or로 연결된 두 번째 동사로 pulls가 아닌 pull이 쓰여야 한다.

**95** | 정답 | what → that

(Instead), try to accept your anxiety (as a signal [that you are probably nervous (about public speaking)]).

(Instead) 그 대신 / V try 노력해라 / O to accept your anxiety 당신의 불안을 받아들이는 것을 / N a signal 신호로 = 동격 [that you are probably nervous 당신이 아마 긴장해 있다는 / (about public speaking) 사람들 앞에서 말하는 것에 대해]

| 해석 | 그 대신, 사람들 앞에서 말하는 것에 대해 당신이 아마 긴장해 있다는 신호로 당신의 불안을 받아들이도록 노력해라.

| 해설 | you are probably nervous about public speaking이 주어와 동사를 갖춘 완전한 절이면서 앞에 있는 명사 a signal을 자세히 풀어서 설명하고 있으므로, what이 아니라 동격의 that절을 이끄는 접속사 that이 쓰이는 것이 알맞다.

**296** | 정답 | seemed → seem

Norway introduced a carbon tax (on emissions from energy), // and it did seem to encourage environmental innovation.

$S_1$ Norway 노르웨이는 / $V_1$ introduced 도입했다 / O a carbon tax 탄소세를 / (on emissions 배출 가스에 대한 / from energy) 에너지에서 나오는 / and 그리고 / $S_2$ it 그것은 / 강조 did 정말로 / $V_2$ seem ~처럼 보였다 / SC to encourage environmental innovation 환경적인 혁신을 장려하는 것

| 해석 | 노르웨이는 에너지에서 나오는 배출 가스에 대한 탄소세를 도입했고, 그것은 정말 환경적인 혁신을 장려하는 것처럼 보였다.

| 해설 | '정말 환경적인 혁신을 장려하는 것처럼 보였다'라는 의미로 동사를 강조하므로 동사 앞에 did가 쓰였고, 이어지는 동사는 동사원형(seem)이 되어야 한다. 두 개의 절이 등위접속사 and로 연결되어 병렬구조를 이루며, 「seem to+동사원형」은 '~인 것 같다'라는 의미이다.

**Grammar Check**

**290** 최상급 **291** that **292** It, that
**293** 동사, 주어 **294** 등위접속사 **295** 명사 **296** 동사원형

# Final Test

pp. 95-98

**297** CHOOSE! was

S / M (전치사구)
The growth (in the size and complexity 〈of human populations〉) was the driving force (in the evolution of science).
증가는 / 규모와 복잡성에 있어 / 인구의 / ~이었다 / 추진력 / 발전에 있어 / 과학의
V / SC

| 해석 | 인구의 규모와 복잡성의 증가는 과학 발전의 추진력이었다.

**298**
S / M (과거분사구) / V / O
Rumors (published on the Internet) (now) have a way (of becoming facts).
소문들은 / 인터넷에 발표된 / 이제 / 흔히 사실이 되는 수가 있다

| 해석 | 인터넷에 발표된 소문들은 이제 흔히 사실이 되는 수가 있다.

**299** CORRECT Get → Getting (To get)

S / V / SC
Getting meaningful feedback (on your performance) is a powerful strategy (for learning anything).
의미 있는 피드백을 받는 것은 / 당신의 수행에 대해 / ~이다 / 강력한 전략 / 무언가를 배우기 위한

| 해석 | 수행한 일에 의미 있는 피드백을 받는 것은 무언가를 배우기 위한 강력한 전략이다.

**300** FILL IN It

S / V / S′ (진주어)
It is said [that {although people laugh in the same way}, they don't necessarily laugh at the same things].
이야기된다 / 사람들이 똑같은 방식으로 웃지만 / 반드시 같은 것에 대해 웃는 것은 아니라고

| 해석 | 사람들이 똑같은 방식으로 웃지만 그들이 반드시 똑같은 것에 대해 웃는 것은 아니라고들 말한다.

**301**
부사절
[Though we don't know a lot about dinosaurs],
비록 우리가 공룡에 대해서 많이 알고 있지는 않지만
S / V / SC
what we do know is fascinating (to children 〈of all ages〉).
우리가 확실히 알고 있는 것은 / ~이다 / 매력적인 / 아이들에게 / 모든 연령의

| 해석 | 비록 우리가 공룡에 대해서 많이 알고 있지는 않지만, 우리가 확실히 아는 것은 모든 연령의 아이들에게 매력적이다.

**302**
S (의문사절)
[How the native inhabitants have adapted their way of life] will help you to understand t
토착 주민들이 어떻게 적응해 왔는지는 / 자신들의 삶의 방식에 / 도울 것이다 / 당신이 / 그 환경을 이해하는 것을
V / O / OC
environment.

| 해석 | 토착 주민들이 어떻게 자신들의 생활 방식에 적응해 왔는가는 러분이 그 환경을 이해하도록 도울 것이다.

**303**
S / V / O
We may (no longer) need to communicate (w other human beings) (in order to entertain ourselve
우리는 / 더 이상 필요로 하지 않을지도 모른다 / 소통하는 것을 / 다른 사람들과 / 우리 자신을 즐겁게 하기 위해

| 해석 | 우리는 더 이상 우리 자신을 즐겁게 하기 위해 다른 사람들과 통할 필요가 없을지도 모른다.

**304**
S / V / O
Michael likes to invent things (to make life mc comfortable and help out people in need).
Michael은 / 좋아한다 / 물건을 발명하는 것을 / 삶을 더 편하게 해 주고 / 도움이 필요한 사람을 돕는

| 해석 | Michael은 삶을 더 편하게 해 주고 도움이 필요한 사람을 물건을 발명하는 것을 좋아한다.

**305** CHOOSE! that

S
One founder (of a famous broadcasting compar
한 설립자는 / 유명 방송사의
V / O (that절)
believed [that social media would unite us].
믿었다 / 소셜 미디어가 우리를 결합시킬 것이라고

| 해석 | 한 유명 방송사의 설립자는 소셜 미디어가 우리를 결합시킬 라고 믿었다.

**306**
S / V / SC (that절)
The most remarkable thing is [that our interr body clocks can be readjusted (by environment cues)].
가장 놀라운 것은 / ~이다 / 우리의 내부 / 생체 시계가 재조정될 수 있다는 것 / 환경적 신호에 의해서

| 해석 | 가장 놀라운 것은 우리의 내부 생체 시계가 환경적 신호에 의 서 재조정될 수 있다는 것이다.

**307**
S / V / O
A spirit (of community) makes all participan
정신은 / 공동체의 / ~하게 만든다 / 모든 참여자들을
OC
happier.
더 행복하게

|해석| 공동체 의식은 모든 참여자들을 더 행복하게 만든다.

**08** CORRECT Walked → Walking

분사구문 S
(Walking up the path and back to the car), they
길을 걸어 올라가 차로 돌아가면서 그들은

V O OC
could (still) hear the fish splashing (in the water).
여전히 들을 수 있었다 물고기가 첨벙거리는 것을 물속에서

|해석| 길을 걸어 올라가 차로 돌아가면서, 그들은 여전히 물고기가 물속에서 첨벙거리는 소리를 들을 수 있었다.

S V O 관계대명사절
**09** I will post an ad (for a drone club) [that I'm going to make].
나는 게시할 것이다 광고를 드론 동아리를 위한 내가 만들 예정인

|해석| 나는 내가 만들 예정인 드론 동아리 광고를 게시할 것이다.

**10** FILL IN been

S V O
Humans have been replacing diverse natural habitats (with artificial monoculture) (for millennia).
인간은 대체해 오고 있다 다양한 자연 서식지들을 인위적인 단일 경작으로 수천 년 동안

|해석| 인간은 수천 년 동안 인위적인 단일 경작으로 다양한 자연 서식지를 대체해 오고 있다.

S 관계대명사절
**11** Andrew, [whom nobody had noticed (before the tournament this year)],
Andrew가 아무도 알아보지 못했던 올해 토너먼트 이전에는

V SC
came to progress (to the final match).
~하게 되었다 진출하게 결승전에

|해석| 올해 토너먼트 이전에는 아무도 알아보지 못했던 Andrew가 결승전에 진출하게 되었다.

S 관계대명사절
**12** Children [who wear protective gear (during their games)]
어린이들은 보호 장구를 착용한 경기 중에

V O
have a tendency (to take more physical risks).
가진다 경향을 더 많은 신체적인 위험을 감수하는

|해석| 게임을 하는 동안 보호 장구를 착용한 어린이들은 더 많은 신체적인 위험을 무릅쓰는 경향이 있다.

**13** CORRECT that → which

S V SC
An ecosystem is a community (of all the living things, their habitats, and the climate
생태계는 ~이다 공동체 모든 생물, 그들의 서식지, 그리고 기후의

관계대명사절
[in which they live]).
그들이 사는

|해석| 생태계는 모든 생물, 그들의 서식지, 그리고 그들이 사는 기후로 이루어진 공동체이다.

**314** CHOOSE! where

S V O 관계부사절
His father owned an extensive library [where Turner became fascinated
그의 아버지는 소유했다 폭넓은 장서를 Turner가 매료된

(with reading about the habits and behavior of insects)].
곤충의 습성과 행동에 관해 읽는 것에

|해석| 그의 아버지는 Turner가 곤충의 습성과 행동에 관한 독서에 매료되었던 다방면의 도서를 가지고 있었다.

S V SC
**315** The visiting-team room was painted a blue-green,
방문 팀의 라커룸은 칠해졌다 청록색으로

관계대명사절
[which had a calming effect (on the team members)].
그리고 그것은 차분하게 하는 효과가 있었다 팀원들에게

|해석| 방문 팀의 라커룸은 청록색으로 칠해졌는데, 그것은 팀원들을 차분하게 하는 효과가 있었다.

**316** CHOOSE! Although

부사절
[Although most people recognize it as a jewel],
대부분의 사람들이 그것을 보석으로 인식하지만

S V O
the diamond (most directly) affects our daily lives (as a tool).
다이아몬드는 가장 직접적으로 영향을 끼친다 우리의 일상생활에 도구로서

|해석| 비록 대부분의 사람들이 그것을 보석으로 인식하지만, 다이아몬드는 도구로서 우리의 일상생활에 가장 직접적으로 영향을 끼친다.

S V O
**317** We (frequently) overestimate agreement (with others),
우리는 빈번하게 과대평가한다 합의를 다른 사람들과의

분사구문
(believing that everyone else thinks and feels exactly like we do).
다른 모든 사람들이 우리와 완전히 똑같이 생각하고 느낀다고 믿으며

|해석| 우리는 다른 모든 사람들이 우리와 완전히 똑같이 생각하고 느낀다고 믿으며 빈번히 다른 사람들과의 합의를 과대평가한다.

분사구문 S V
**318** (When asked by psychologists), most people rate
심리학자들에 의해 질문을 받았을 때 대부분의 사람들은 평가한다

O
themselves (above average) (on all manner of measures
자신들을 평균 이상으로 모든 종류의 척도들에서

〈including intelligence, looks, health, and so on〉).
지능, 외모, 건강 등을 포함한

| 해석 | 심리학자들에게 질문을 받았을 때, 대부분의 사람들은 지능, 외모, 건강 등을 포함한 모든 척도에서 자신들이 평균 이상이라고 평가한다.

**319** CORRECT may → might

[If children were required to excel (only in certain areas)], they might be better able to cope (with their parents' expectations).

부사절 (가정법 과거) / 만약 아이들이 뛰어나도록 요구받는다면 / 특정 분야에서만 / S 그들은 / V 더 잘 부응할 수 있을지도 모른다 / 자신들의 부모의 기대에

| 해석 | 특정 분야에서만 뛰어나도록 요구받는다면, 아이들은 부모의 기대에 더 잘 부응할 수 있을지도 모른다.

**320** FILL IN had

Can you imagine [what the world today would be like {if Leonardo da Vinci had become a farmer}]?

S V 당신은 상상할 수 있는가 / O (의문사절) 오늘날의 세계가 어떨지 / Leonardo da Vinci가 농부가 됐다면

| 해석 | Leonardo da Vinci가 농부였다면 오늘날의 세계가 어떨까를 상상해 볼 수 있는가?

**321** (From Dworkin's view), justice requires [that a person's fate be determined (by things {that are within that person's control}), not (by luck)].

Dworkin의 관점에서 / S 정의는 / V 요구한다 / O (that절) 한 사람의 운명이 결정되는 것을 / 것들에 의해 / 그 사람의 통제 내에 있는 / 운에 의해서가 아니라

| 해석 | Dworkin의 관점에서 정의는 한 사람의 운명이 운이 아닌 그 사람의 통제 내에 있는 것들에 의해 결정되는 것을 요구한다.

**322** Positive expectations are more effective than fantasizing about a desired future // and they are likely to increase your chances (of success).

$S_1$ 긍정적인 기대는 / $V_1$ ~이다 / 비교구문 공상하는 것보다 더 효과적인 / 바랐던 미래에 대해 / 그리고 $S_2$ 그것은 / $V_2$ 높여 주는 경향이 있다 / O 당신의 가능성을 / 성공의

| 해석 | 긍정적인 기대는 바랐던 미래에 대해 공상하는 것보다 더 효과적이고 성공의 가능성을 높여 주는 경향이 있다.

**323** The number of unsuccessful people [who come from successful parents] is proof [that genes have nothing to do with success].

S 성공하지 못한 사람들의 숫자는 / 관계대명사절 성공한 부모로부터 태어난 / V ~이다 / SC 증거 / = 동격 유전자가 / 성공과 관련이 없다는

| 해석 | 성공한 부모로부터 태어난 성공하지 못한 사람들의 숫자는 유전자가 성공과 관련이 없다는 증거이다.

**324** CHOOSE! It

It is the presence of the enemy [that gives meaning and justification to war].

바로 ~이다 / 적의 존재 / 전쟁에 의미와 정당화를 제공하는 것은

| 해석 | 전쟁에 의미와 정당화를 제공하는 것은 바로 적의 존재이다.

**325** (Only in terms 〈of the physics of image formation〉) do the eye and camera have anything (in common).

부정어 오직 ~ 측면에서만 / 상 형성의 물리학의 / 조동사 / S 눈과 카메라는 / V 가진다 / O 어떤 것을 / 공통적으로

| 해석 | 단지 상 형성에 대한 물리학의 관점에서만 눈과 카메라는 공통점을 가진다.

**326** Conflict is not only unavoidable / but (actually) crucial (for the long-term success 〈of the relationship〉).

S 갈등은 / V ~이다 / $SC_1$ 피할 수 없을 뿐만 아니라 / 실제로 / $SC_2$ 중요한 / 장기적인 성공을 위해 / 관계의

| 해석 | 갈등은 피할 수 없을 뿐만 아니라, 실제로 관계의 장기적인 성공에 중요하다.

# TWIN WORKBOOK

문장공식 p. 2

## 01 S(주어) + 전치사구/to-v + V(동사)

001 Many countries, around the world, are facing

002 Another simple way, to reduce the use of energy, is

003 The difference, between selling and marketing, is

004 The only way to overcome this problem is to be more connected

005 The arrangement of the books on her desk looked neat and tidy

006 The human need to organize our lives remains

007 Natural boundaries between states or countries are found along rivers, lakes, deserts, and mountain ranges.

008 The shift from hunting to farming produced a fundamental change in the relationships between humans and animals.

문장공식 p. 3

## 02 S(주어) + v-ing/p.p. + V(동사)

009 Many Japanese, moving into Seoul, were building

010 An old man, holding a puppy, can relive

011 The positive words, spoken in a positive tone, prompted

**B**

012 Housework performed by members of the household is not included

013 Elephants seeking food and water had to look

014 The film produced and directed by Coppola gained widespread popularity

**C**

015 Ideas expressed imprecisely may be intellectually stimulating for listeners.

016 On January 10, a ship traveling through rough seas lost 12 cargo containers.

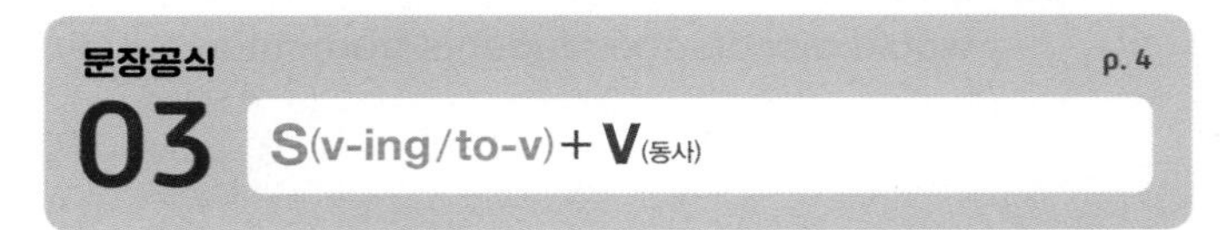
문장공식 p. 4

## 03 S(v-ing/to-v) + V(동사)

**A**

017 Giving support, is, the best way

018 Taking photos, is allowed, inside the exhibition hall

019 To be courageous, requires, strong determination

**B**

020 It is not easy to distinguish

021 Getting enough sleep is important

022 Seeing original works of art in a museum is something

**C**

023 Making an effort to communicate in another person's language shows your respect for that person.

024 It is important for students to do homework to improve learning management skills.

문장공식 p. 5

## 04 S(that절/whether절) + V(동사)

**A** 025 That his methods were not working, became

026 is known, that 85% of our brain tissue is water

027 Whether I liked living in a messy room or not, was

**B** 028 It is widely assumed that technology will make our lives a lot easier

029 It has been said that eye movements are windows

030 It is not surprising that constant exposure to noise is related

**C** 031 In the excitement of the conversation, whether we ate two bread rolls or three was forgotten.

032 It was reasoned that the experience of failure would discourage students from future study.

문장공식 p. 6

## 05 S(what절) + V(동사)

**A** 033 What he said, different

034 What I liked most about this book, the last part

035 What happened next, something

**B** 036 What is considered a status symbol will differ

037 What is important is to bring a painting

038 What she said made Victoria fall into a deep thought

**C** 039 What makes watercolor such a challenging medium is its unpredictable nature.

040 What often appears to be a piece of worthless old junk may well be quite valuable.

문장공식 p. 7

## 06 S(의문사절) + V(동사)

**A** 041 Who baked the cake, was not, a problem

042 How the universe began, cannot be explaine clearly

043 What I don't know, is, where I'm going

**B** 044 Why the animal became extinct is st debated

045 The real issue is who crosses the finish li first

046 How sugarcane is harvested is the topic

**C** 047 How much one can earn is important, b there are other equally important consideratio

048 Which cultural item is accepted depen largely on the item's use and compatibil with already existing cultural traits.

## Unit Exercise 문장공식 01~06 p. 8

049 The sense of tone in another's voice / gives / us an enormous amount of information

050 The bicycles used for track racing / are built without brakes

051 What interested me the most about the ne house / was / the barn / in the backyard

052 It / is often said / that people make a livi according to given circumstances

053 Riding a bike / can be / fun / but / it / is important / to stay safe

054 Everything happening in the world today / is / piece of a long line of events, decisions, and liv

055 Whether or not we can catch up on sleep / is / hotly debated topic / among sleep researchers

문장공식 p. 9
## 07 S(주어) + V(동사) + O(재귀대명사)

A 056 Lily and Kate, took, themselves

057 The man, introduces, himself

058 You, don't have to bother, yourself

B 059 She took a deep breath and pushed herself

060 We have to consider ourselves

061 The big salmon threw itself up and over the rushing water above

C 062 They communicate comfortably and express themselves creatively when they interact with music.

063 If you want to protect yourself from colds and flu, regular exercise is the ultimate immunity-booster.

문장공식 p. 10
## 08 S(주어) + V(동사) + O(to-v/v-ing)

A 064 You, need, to make smart decisions

065 Teenagers, should start, taking care of their own mental health

066 The sun, will keep, shining on our planet

B 067 My 13-year-old son tried to jump over a parked car

068 expected to see some old castles and historical monuments

069 remember to get closer to them

C 070 Barnes decided not to work as a doctor, and after further study he entered the business world.

071 Young people should stop wasting their money on unnecessary things and start saving it.

문장공식 p. 11
## 09 S(주어)+V(동사)+O(명사절)

A 072 Many people, believe, that

073 We, shouldn't throw away, what

074 Science, tells, where

B 075 if he wanted to run for student president

076 Stop what you are doing, listen to what he is saying

077 We had better figure out who our competitors will be

C 078 Visitors and residents agree that a gondola ride is an amazing way to see Venice.

079 Audience feedback often indicates whether listeners understand the speaker's ideas.

## Unit Exercise 문장공식 07~09 p. 12

080 Many teens / follow / what their favorite celebrities do

081 He / agreed / to supply tons of food to the starving Polish people

082 Are / you / honest / with yourself / about your strengths and weaknesses

083 I / wonder / if it is possible to film children in classes and around school for a day

084 Now / he / enjoys / reading maps and solving difficult word puzzles on his computer

085 says / that walking regularly in the morning controls blood pressure, lessens stress, and energizes you

086 is / to describe the flavor and smell of different candies / tell which might be popular with children

## 문장공식 10 S(주어)+V(동사)+SC(명사절)

p. 13

**A**

087 One issue, whether viruses are

088 Learning from failure, what really matters

089 The key issue, who you compare yourself

**B**

090 What you may not appreciate is that the quality of light may also be important

091 of what we see is what we expect to see

092 is how well people express their own feelings

**C**

093 The best thing about driverless cars is that people won't need a license to operate them.

094 Her main concern was whether the products looked attractive, not whether they were effective or reliable.

## 문장공식 11 S(주어)+V(동사)+O(목적어)+OC(명사(구)/형용사(구))

p. 14

**A**

095 makes, vision problems, worse

096 consider, online customer ratings and reviews, important

097 could call, the dog, anything we wanted

**B**

098 find it a fulfilling task and very beneficial

099 considers pet visits on campus a great way to support students

100 The experience made her more aware of what was going on

**C**

101 We pack each fish in a plastic bag with enough water to keep the fish comfortable.

102 Amnesia often results from a brain injury that leaves the victim unable to form new memories.

## 문장공식 12 S(주어)+V(동사)+O(목적어)+OC(to부정사(구)/원형부정사(구)/분사(구))

p. 1

**A**

103 observed, a person, solve 30 multiple-choi problems

104 saw, the rain, beginning to fade

105 could help, farmers, grow enough crops

**B**

106 Providing an occasional snack can make t office feel more welcoming

107 Let me give you a piece of advice

108 The letter advised Adams not to be discouraged

**C**

109 Play also allows children to try out and lea social behaviors and to acquire importa values.

110 You will have your work evaluated experienced experts and receive insight suggestions.

## Unit Exercise 문장공식 10~12

p. 1

111 One obstacle / is / that such a trip will take yea

112 She / ordered / the non-swimmer / to share piece of board with her

113 Holding back your true feelings / will only mak things / worse / later on

114 The reality / is / that most people will never ha enough education in their lifetime

115 Before he closed his tired eyes / he / let / then wander around his old small room

116 As Tom was waiting for a bus / he / noticed blind man / try to cross the street

117 researchers / showed / participants / two phot of faces / asked / them / to choose the photo

## 문장공식 13 S(주어) + will + v / be going to + v / be v-ing

p. 17

A
118 will let, you, know

119 leaving, early, tomorrow morning

120 stretching out, is about to grab, a chocolate bar

B
121 there is going to be a singing competition for the students

122 The female wearing the white dress is about to be married

123 Do you know if another lecture is coming up

C
124 If you're staying in your comfort zone, you're not going to move forward on your path.

125 If we continue to destroy habitats with excess trails, the wildlife will stop using these areas.

## 문장공식 14 S(주어)+have p.p./have been v-ing/have been p.p.

p. 18

A
126 Music, has played, a key role

127 Our recycling program, has been working, successfully

128 Fish and shellfish, have been intentionally introduced, all over the world

B
129 The robot industry has been growing fast and it has changed our daily lives

130 The worst effect of dams has been observed

131 Marketers have known for decades that you buy what you see first

C
132 The traffic has been increasing for the past three years, and I have seen many near-accidents.

133 I have been asked to play in a concert, and I would like your permission first

## 문장공식 15 S(주어) + had p.p.

p. 19

A
134 He, had dressed, the baby

135 she, had read, the book

136 The movie, had ended, by the time

B
137 hurried because she had prepared another secret surprise

138 After the conversations had ended, what they thought of each other

139 I was shocked to learn that she had been the top player

C
140 She also wanted to know if her grandmother had ever actually seen an angel.

141 Their trip to France was Carol's surprise gift for the sixtieth birthday of her mother who had sacrificed all her life for her only daughter.

## Unit Exercise 문장공식 13~15

p. 20

142 I / can't believe / I'm going to see her in person

143 I / have been using / your coffee machines / for several years

144 He / had never realized / that an animal also felt the pain of loss

145 The data / reveals / that the news of the king's death has been widely socially shared

146 So far / about 900 people / have succeeded / in climbing to the top of Mt. Everest

147 More surprisingly / none of them / had ever used / a toothbrush / until then

148 is going to be / difficult to achieve / you / will be / disappointed / at some points / along the way

문장공식 p. 21

## 16 S(주어) + V(동사) + N(명사) + 관계대명사절

**A**

149 A person, who never made a mistake, never tried

150 The app, suggests, which matches how you feel

151 Students, who sit at the front of the classroom, achieve

**B**

152 School counselors can help you, that you are worried about

153 We sincerely apologize for any inconveniences that may be experienced

154 An old teapot which has lost its lid becomes an ideal container

**C**

155 Great scientists, the pioneers that we admire, are not concerned with results, but with the next questions.

156 Reducing the amount of water and energy used in your house is the first step you can take for the environment.

문장공식 p. 22

## 17 S(주어) + V(동사) + N(명사) + 전치사 + 관계대명사절 / S(주어) + V(동사) + N(명사) + whose + N′(다른 명사) ~

**A**

157 met, a woman, whose last name is Mann

158 is, the best place, at which you can buy fresh vegetables

159 whose heart has stopped, will lose, consciousness

**B**

160 The context in which a food is eaten can b as important as the food itself

161 His team took a group of five-month-olc whose families only spoke English

162 an infant must make sense of the contexts which language occurs

**C**

163 Take your receipt and the faulty toaster the dealer from whom you bought it.

164 They do their best to create enjoyable ar protective environments in which the childre feel comfortable and safe.

문장공식 p. 23

## 18 S(주어) + V(동사) + N(명사) + 관계부사절

**A**

165 me, the reason, why you were absent

166 is, a city, where many people can see famou paintings

167 was, a time, when we had to rely on o neighbors

**B**

168 We need a special playground wher students like me can play and have fun

169 Life is a game where there are multip winners

170 This is why trying to stop an unwanted hab can be an extremely frustrating task

**C**

171 To his surprise, the stick caught on fire, ar this is how the match was invented.

172 This is one of the main reasons wh technology is often resisted and why son perceive it as a threat.

## 문장공식 19 S(주어) + V(동사) + N(명사), 관계사절

p. 24

173 is, King Sejong, who invented Hangeul

174 were, late for class, which disappointed the teacher

175 moved, Paris, where he worked in the dining room

176 Plants can't move, which means they can't escape the creatures

177 in his teens, when he became a staff photographer for his high school newspaper

178 physical warmth promotes interpersonal warmth, which happens in an automatic way

179 The home-team room was painted a bright red, which kept team members excited or even angered.

180 Dr. Paul Odland travels frequently to South America, where he provides free medical treatment for disabled children of poor families.

## Unit Exercise 문장공식 16~19

p. 25

181 Gustav Klimt / is / an Austrian artist whose paintings sell for millions of dollars

182 Her precious Blue Bunny / was / a gift from her father / who worked overseas

183 The teacher / wrote back / a long reply in which he dealt with thirteen of the questions

184 Knowing the reasons why you failed / will help / you / improve your chances for success / next time

185 She / admired / the work of Edgar Degas / and / was able to meet / him / in Paris / which was a great inspiration

186 Someone who reads only books by contemporary authors / looks / to me / like a near-sighted person

187 what great things will happen to you / until you step outside the zone / where you feel comfortable

## 문장공식 20 S(주어) + V(동사) + 부사절 접속사 + S′(주어) + V′(동사)

p. 26

**A**

188 Although we speak different languages, we, are

189 During this period, people, worked

190 If you walk regularly in the morning, you, can keep

**B**

191 because of undersea earthquakes, and earthquakes happen because of shifts

192 While the robotic vacuum is charging, the battery indicator light blinks red

193 Despite your efforts, it is beyond our facility's capacity to care for

**C**

194 The butterflies help us grow some other plants because they carry pollen from flower to flower.

195 Although humans have been drinking coffee for centuries, it is not clear where coffee originated.

문장공식 p. 27
## 21 v-ing, S(주어) + V(동사)

**A**

196 Listening to their stories, I, feel

197 Not knowing what to do in her life, she, was doing

198 Getting worried, she, tried

**B**

199 Keeping this in mind, you'll have a lot more fun drawing the unique art

200 Being a hardworking scholar, he held academic positions

201 Learning English by watching movies, he soon managed to translate his jokes

**C**

202 Concerned about Jean idling around, Ms. Baker decided to change her teaching method.

203 Motivated by feelings of guilt, people are inclined to make amends for their actions.

문장공식 p. 28
## 22 Having p.p./With+O+v-ing/p.p., S(주어)+V(동사)

**A**

204 called, time out, with two minutes left on the clock

205 When faced with a problem, seek, to find a solution

206 make, the decision, after having a deep personal experience

**B**

207 Having watched the older children openi
their gifts, I realized

208 While surfing the Internet, she came across
review

209 Having said positive things, they then lik
the person more

**C**

210 With her mother sitting in the audienc
Victoria felt proud of herself and delighted
see her mom so happy.

211 If faced with the same situation, such
running into an obstacle, then the robot w
go around the obstacle.

## Unit Exercise 문장공식 20~22 p. 29

212 I / had booked / the tour / because the pala
was accessible only on a guide tour

213 Not looking out the bus window / Jonas / cou
stay / calm / and / relaxed

214 Being considerate people / they / stopped /
help the lost boy find his parents

215 With my guests waiting at the table / I / opene
the oven / and / saw / a raw chicken

216 Although there are many movies about Mars / r
one / has been / there / yet

217 After mixing many different chemicals with
wooden stick / he / put / the stick / down

218 Henri Matisse / came / late / to painting / havi
trained to be a lawyer to please his father

**문장공식** p. 30

## 23 If + S′(주어) + V′(과거형), S(주어) + would / could / might + V(동사원형)

219 made, I, would help

220 were, it, would be

221 didn't wear, their hands, would get

222 you were crossing a rope bridge over a valley, you would likely stop talking

223 teenagers didn't build up conflicts with their parents, they would never want to leave

224 we lived on a planet where nothing ever changed, there would be little to do

225 If she woke up every time one of the babies screamed for food, she might get no sleep at all.

226 I would really appreciate it if you could allow my son to register additionally.

**문장공식** p. 31

## 24 If + S′(주어) + had p.p., S(주어) + would / could / might have p.p.

227 had not been, we, could have had

228 wish, you, had been kinder

229 had told, you, might have panicked

230 I wish I had gone to the electronics market with you

231 If I had not met Shawn, I might never have developed my love

232 If I hadn't come along, he would have eventually died

233 If Dante and Shakespeare had died before they wrote those works, nobody ever would have written them.

234 I wished the night would have been longer so that I could stay here longer.

**문장공식** p. 32

## 25 S(주어) + suggest / insist ...(동사) + (that +) S′(주어) + (should +) V(동사원형)

**A** 235 John, recommended, should be done

236 It, is, have

237 Swedish law, requires, be published

**B** 238 The coach suggested that he practice harder

239 It is necessary that we should learn to hear

240 The United Nations asks that all companies remove their satellites from orbit

**C** 241 They insist that parents stimulate their children in the traditional ways through reading, sports, and play—instead of computers.

242 Linda was so uncomfortable about being in the contest that she demanded her name be removed from the list.

## Unit Exercise 문장공식 23~25 p. 33

243 I / would have called / you / earlier / if my phone battery had not died

244 School assignments / have / typically / required / that students work alone

245 If my sister were at home / I / would ask / her / to pick me up

246 The U.N. ambassador / recommended / that doctors go to Africa to volunteer

247 If she found out that her hero hadn't won / she / would be / terribly disappointed

248 I / suggest / we put automatic hand dryers in our school bathrooms / in order to save the Earth

249 The fire / would not have spread / so quickly / if our firefighters had been able to arrive at the scene in time

## 문장공식 26 S(주어)+V(동사)+-er than/the -est (in/of)/ as ~ as+비교대상

p. 34

**A**
250 Asking someone, was, the most useful invitation
251 they, weigh, more than its brain
252 Ecosystems, can be, as big as the whole world

**B**
253 native speakers of English is smaller than that of Spanish
254 The earlier you share your feelings, the more easily you can get help
255 Christopher Columbus sent one of the earliest and most famous bottled messages

**C**
256 In fact, black is perceived to be twice as heavy as white.
257 Nothing is more important to us than the satisfaction of our customers.

## 문장공식 27 S(주어)+V(동사)+N(명사)+that절(동격)

p. 35

**A**
258 The idea, that making a fortune brings happiness, is not
259 the opportunity, Rosa Park, this year's bestselling author
260 is, the notion, that no true standards of good and evil

**B**
261 of the book was based on the belief th
globalization would bring us closer togethe
262 There is strong research evidence th
children perform better
263 and quick breathing are simply the body
declaration that we are ready to fight

**C**
264 This decline in newspaper reading has bee
due to the fact that we are doing more of o
newspaper reading online.
265 Simón Bolívar, the general who had led th
liberating forces, called a meeting to write th
first version of the constitution for the ne
country.

## 문장공식 28 It+be동사+강조 대상+that ~ S(주어)+do/does/did+v(동사원형)

p. 36

**A**
266 It, was, a guitar
267 he, does like, gimchi
268 It, was, in 1969

**B**
269 many others do make important changes
270 It is our parents who have given us our sens
271 fish exposed to these chemicals do appea
to hide

**C**
272 It is only when water levels reach 3 meter
above normal that steel gates close shut.
273 It was not until he discovered some of th
principles of marketing that he foun
increased success.

문장공식 **29** p. 37

부정어 + V(동사) + S(주어)
부사(구) + V(동사) + S(주어)

274 There, sat, a wonderful lady

275 Little, did, I

276 Next to the doll, was, a small box

277 Only after some time did the student begin to develop the necessary insights

278 have I had a good night's sleep

279 the coast of British Columbia lies a land of forest green and sparkling blue

280 Rarely is a computer more sensitive than a human in managing the same environmental factors.

281 Among the most fascinating natural temperature-regulating behaviors are those of social insects such as bees and ants.

문장공식 **30** p. 38

$S + V_1$ + and/but/or + (S) + $V_2$

282 high mountain ranges, as well as, vast desert plains

283 beautiful, but also, environmentally friendly

284 an option, but, a must

**B** 285 Forman acted as either writer or assistant director on several films

286 clothes can evoke both cherished and painful memories

287 The new policy not only makes the economy strong but also helps unite the community

**C** 288 Until then, imaginary friends should be respected and welcomed by parents because they signify a child's developing imagination.

289 An emergency room doctor may wear special clothes to protect herself from infectious agents as well as to protect patients from germs.

## Unit Exercise 문장공식 26~30 p. 39

290 Safety / is / the most important thing in camping

291 The fact / that he had suspected the old man / pained / his heart

292 It / was / in Washington, D.C. / that she started to develop an interest in astronomy

293 At no point in human history / have / we / used / more elements

294 When / you / blow up / a balloon / or / pull on / a rubber band / you / are stretching / material

295 Instead / try / to accept your anxiety / as a signal / that you are probably nervous about public speaking

296 Norway / introduced / a carbon tax / on emissions from energy / did / seem / to encourage environmental innovation

MEMO